# HEIMAEY

# Ian Manook

# HEIMAEY

ROMAN

Albin Michel

*À Françoise, Zoé, Sasha, Léon et Rafaël, qui sauront pourquoi.*
*À Charlie Brown en souvenir.*
*À moi !*

Nous étions jeunes et larges d'épaules
Bandits joyeux, insolents et drôles
On attendait que la mort nous frôle
On the road again
On the road again

TRYO

# Prologue

*... roussir le sommet de la falaise.*

Au pied des falaises ocre, un soleil d'hiver dissipe la brume rose qui monte de l'océan. Bientôt les nuages fondent comme une friandise de sa jeunesse, et la mer, sage comme un lac de montagne, scintille. Au loin, il aperçoit la ligne des à-pics de Otter Cliff. Jaunes, brodés de restes de neige. L'air est vif. Lumineux.

– Déjà debout ?

Il se retourne et son hôte est là, son set de golf à l'épaule, devant sa somptueuse maison surplombant la côte du Maine.

– Je ne voulais pas manquer ça.

– Quoi, cette superbe vue à vingt-deux millions de dollars ?

Autant Oakland a bâti sa fortune en dématérialisant ses sources de profits, autant il aime en afficher le prix et les preuves matérielles.

– Non, ton départ ! dit l'autre. Laisse-moi t'aider.

Il s'avance vers Oakland et tend la main vers le sac de golf.

– Même pas en rêve ! Un set Five Stars édition limitée des cinquante ans de chez Honma à soixante-dix mille dollars, personne d'autre que moi n'y touche. Même pas mon caddy ! Dans la série numérotée des cinq cent cinquante sets produits, dis-toi bien que je suis entre Trump et De Niro !

Oakland et sa fortune. Ils ne se sont retrouvés que depuis trois jours à peine, et déjà il sait la valeur de tout ce qui lui appartient. Sa maison à vingt-deux millions de dollars avec ses trois salons, ses salles de cinéma, de sport et de bien-être. Dix chambres et autant de salles de bains. Au cas où sa femme, qui séjourne depuis seize mois à Acapulco avec son amant mexicain, reviendrait. Un divorce à cent mille dollars par mois plus une maison à dix-huit millions qu'ils avaient à Martha's Vineyard. L'autre ne demande même plus s'il parle en dollars ou en euros.

Ils marchent jusqu'à l'hélico sanglé sur sa plate-forme en surplomb de l'océan. Un Bell 206 Jet Ranger.

– Tu es sûr que tu ne veux pas venir ?

– Oui. Je ne joue pas au golf.

– Tu as tort. Ces salauds m'ont taxé d'une inscription à trois cent mille dollars par an, mais c'est sur leurs greens que je signe mes meilleurs contrats. Je te laisse même piloter au retour si tu veux.

– Non, j'ai arrêté depuis mon accident. Plus d'hélico pour moi.

– Alors tant pis. Avec cette météo, j'en connais qui paieraient pour survoler la côte.

– Je n'en doute pas. Je suis certain que tu sais faire payer ton monde pour n'importe quoi. Je te fais confiance pour ça.

– Tu devrais apprendre.

– Quoi ?

– À faire payer les gens.

– Figure-toi que je viens de m'y mettre. Un peu tard, mais je crois que je progresse bien.

– À la bonne heure. Fais-les payer. Un max. À tous. C'est la seule vraie leçon de la vie.

– Tu ne peux pas savoir à quel point je suis d'accord. À propos, tu as vérifié le plein et les purges ?

– Tu me prends pour un amateur ?

Oakland pose son sac de golf dans l'hélico.

– J'ai vu que tu sanglais ton Jet Ranger.

– Oui, face à l'océan, c'est plus prudent en cas de coup de vent. Alors dis-moi, tu seras vraiment parti quand je reviendrai ?

– Oui, je rentre en Europe demain. Mon avion part de New York demain matin.

– Alors salut, dans ce cas. À la prochaine. Essaye de ne pas attendre quarante ans avant de revenir !

Il brûle d'envie de lui dire qu'ils ne se reverront jamais, mais il se retient pour ne pas gâcher la surprise.

– Bon, je dois y aller. J'ai une heure de vol et pour notre partie du mardi, la règle est terrible : mille dollars par minute de retard !

– Alors, ne perds pas de temps, occupe-toi de la check-list. Je m'occupe des sangles.

Oakland monte à bord et procède aux contrôles d'usage. Puis il lance les deux turbines et effectue les  contrôles moteur. Quand il est prêt, il fait signe à travers le pare-brise du cockpit que l'autre peut défaire les sangles. Il le voit disparaître sous l'appareil puis réapparaître une minute plus tard en faisant signe du pouce que tout est O.K. Oakland le laisse alors s'éloigner de la plate-forme et monte les turbines en puissance. L'appareil décolle de quelques dizaines de centimètres et dodeline en stationnaire le temps des tout derniers contrôles. Puis Oakland adresse un petit salut à la John Wayne, des deux doigts sur la tempe, et pousse le régime.

Sûr qu'il va se la jouer *Apocalypse Now* avec décollage le nez dans le gazon et virage serré en piqué vers l'océan. Mais dès que le Jet Ranger s'arrache et s'élève dans le sifflement aigu de sa turbine, la sangle se tend et le retient. C'est vicieux comme une pichenette sur une toupie. L'hélico bascule aussitôt avec violence sur la droite et retombe sur le côté. Le rotor ripe sur la plate-forme et la pale se brise. Une moitié cingle l'air et laboure la pelouse jusqu'à la terrasse de la maison. L'autre moitié se fiche dans le béton et entraîne la cabine en culbute autour du rotor. Elle se fracasse et le choc disloque la queue de l'appareil qui tombe par-delà de la falaise. Dans un dernier sursaut autour du rotor, l'engin tournoie alors dans un raclement de ferraille et glisse jusqu'au rebord de la plate-forme. Puis tout s'arrête, comme si rien n'avait existé avant, et il ne reste que des carcasses immobiles et des déchets dispersés.

Dans l'habitacle, blessé, le visage ensanglanté, Oakland se redresse. L'autre le regarde de loin, sans un geste. Oakland l'appelle, mais dès qu'il bouge la carcasse oscille en équilibre instable au-dessus du vide. Pendant les quelques secondes qu'a duré l'accident, Oakland a gardé toute sa tête. Il sait ce qui est arrivé. Il sait pourquoi son Jet Ranger s'est écrasé au décollage. Ce qu'il ne comprend pas, c'est pourquoi l'autre a fait ça. Parce que ça n'est pas une histoire de sangle mal rangée. C'est une attache qui n'a pas été défaite. Volontairement.

Le choc a fait voler en éclats le Plexiglas du cockpit. Oakland n'ose plus bouger. Il tend une main vers l'autre qui vient vers lui. Il le voit ramasser au passage une longue lamelle de métal arrachée à l'appareil et s'attend à ce qu'il la lui tende pour s'y cramponner. Mais au contraire l'autre s'en sert comme d'un sabre et tranche à moitié sa main tendue. De surprise plus que de douleur, Oakland bascule dans le fond de l'habitacle. La cabine fracassée tangue et grince. L'autre s'approche encore. Il regarde Oakland droit dans les yeux. Puis il pose un pied contre la carcasse du cockpit et pousse ce qui reste de la cabine dans le vide. Et Oakland avec, qui hurle maintenant.

L'hélico en équilibre bascule lentement et disparaît pour s'écraser vingt mètres plus bas. Quand il percute les roches, les réservoirs explosent et un panache orange et noir remonte roussir le sommet de la falaise.

Mer du Groenland

Drangajökull

Húnaflói
Hvítserkur

Eyjafjörður

Húsavík

Akureyri

Dettifoss

lac
Myvatn

Breiðafjörður

Laugarbakki

Kollóttadyngja
Drekagil
Askja
1510 m

Egilsstadir

Ólafsvík

Hofsjökull

Langjökull

Vatnajökull

Höfn

Thingvellir  Geysir
Gulfoss
Reykjavík

Keflavík
Gunnuhver
Seltún
Grindavík
Selfoss

Jökulsárlón

Myrdalsjökull

Landeyjahöfn
Heimaey
Vestmannaeyjar
Vík
crique
aux Corbeaux

Océan
Atlantique

0          100 km

# 1

# Icelandair 347

*... qu'ils se parlent enfin.*

L'avion glisse contre les rafales sous les derniers nuages. Ils devraient apercevoir la péninsule de Reykjanes maintenant, mais Beckie dort contre son épaule. Il n'ose pas se pencher contre le hublot, de peur de la réveiller. Il a même préféré ne pas lui enlever ses écouteurs. Depuis combien de temps ne s'est-elle pas abandonnée ainsi contre lui comme quand, enfant, un brusque sommeil la surprenait dans ses bras ? Pour rien au monde il ne voudrait briser cet instant fragile. Il s'adosse au fauteuil, la tête contre le dossier, et ferme les yeux. Sous la carlingue rivetée de l'appareil, illuminé par le soleil du Nord, doivent défiler au ralenti ces terres froissées qu'il a tant aimées. Des laves brunes, tapissées de mousses fluo, où paissent des moutons éparpillés, la toison gonflée par le vent du large. Des lacs argentés, miroirs passagers de leur approche, entre les cônes biseautés des volcans. Des maisons éparses, propres et peintes comme des jouets, rouges souvent, bleues quelquefois, sans jamais personne devant. Et peut-être même qu'au loin se devinent aussi les panaches des grandes solfatares de Gunnuhver au bord de l'océan, ou le reflet mat des glaciers des hautes terres. Beckie et ce voyage sont tout ce qu'il a à aimer. Le reste, il l'a eu déjà, et perdu souvent. Détruit même. Louise, sa femme, qui n'est plus là, ni pour lui, ni pour personne. Beckie, qui a fugué pendant près de trois ans et qu'il retrouve à peine. Le soupir qui enfle sa poitrine soulève la tête lourde de sommeil de sa fille et il prend bien garde d'expirer longuement pour ne pas la réveiller. Peut-être que l'un lui rendra l'autre. Peut-être Beckie aimera-t-elle ce voyage comme il l'a lui-même aimé quarante ans plus tôt. Peut-être qu'à jeunesse égale, à une vie d'intervalle, elle comprendra qui il était, pour comprendre qui il est devenu. Un enfant voyageur, un père lointain, un étranger qui revient. Peut-être même qu'elle acceptera qu'ils se parlent enfin.

# 2

# Seltún

*... des corbeaux jaillis de nulle part.*

Kornélius fredonne le *krummavisur* et observe ce qui pourrait être une scène de crime. Il se dit qu'il existe sûrement bien des façons de mourir dans la puanteur d'une solfatare. Les sinus corrodés à l'acide sulfurique par exemple. Les méninges et les muqueuses liquéfiées par des vapeurs de mercure à cinq cents degrés. L'intérieur des yeux abrasé au dioxyde de soufre. Ou la gorge et les poumons englués de silice en fusion. Et le dioxyde de carbone, ça ne sert pas qu'à propulser la mousse dans les pompes à bière, se dit-il, ou à diffuser de ludiques brouillards sur les plateaux de tournage et les *dance floors*. Ou à décaféiner les expressos. À la juste dose, il trouble aussi la vue, suinte des suées glacées, tétanise le corps de tremblements convulsifs, oppresse le thorax et provoque une détresse respiratoire. Et la mort bien sûr, après une brutale perte de connaissance. À la position renversée du corps sur le rebord de la solfatare, comme le soldat gazé d'une vieille guerre éjecté d'un trou d'obus, Kornélius opte pour l'asphyxie brutale.

— Tu peux arrêter ça, s'il te plaît ?

Il ne répond pas. Debout sur un bourrelet de lave, au-dessus de la marmite de boue, il continue en sourdine le refrain de la complainte des corbeaux et embrasse du regard le paysage alentour. Une longue lande noir réglisse plissée en flots figés. Des fumerolles comme des danseuses orientales, ondulantes et létales dans leurs voiles évanescents. Les liserés jaunes du cristal de soufre, en bordure des écoulements figés du basalte brun. Le mouchetis acidulé des mousses et des lichens. À profondeur égale, le sous-sol de la péninsule de Reykjanes est le plus chaud du monde. La roche en fusion à quelques dizaines de mètres à peine sous des croûtes meringuées de pierre ponce. Puis il parcourt des yeux le dessin sinueux des caillebotis et des passerelles en bois gris qui serpentent d'une solfatare à l'autre, jusqu'aux touristes tenus à distance par une poignée de policiers et qui les regardent de loin jouer *Les Experts Reykjavik*.

– Ça quoi ? bougonne-t-il.

– Ça, ce chant lugubre !

La complainte du corbeau, le *krummavisur* ?

– Cet air m'a toujours fichu le bourdon. Version métal par In Extremo à la rigueur, mais là, a cappella en mode mystique, il y a de quoi se flinguer.

Kornélius considère la technicienne de la scientifique d'un œil surpris. Elle photographie le corps avec attention, par petites rafales appliquées, au flash malgré le grand jour d'été, et en mise au point manuelle pour isoler les détails.

– Ida, le *krummavisur* fait partie de notre patrimoine, s'offusque-t-il.

– C'est un truc du Moyen Âge, Kornélius, et cette sinistre rengaine du folklore n'a plus aucun sens. Les corbeaux d'aujourd'hui n'ont plus aucune raison de se plaindre. De nos jours, c'est fast-food à toute heure pour eux dans nos poubelles. Ces oiseaux de malheur bouffent plus que nous.

– Ne parle pas comme ça des corbeaux, veux-tu !

– Quoi, tu as peur qu'ils nous entendent ?

– Qui sait ? Ce sont des oiseaux intelligents qui méritent notre respect. Il y a une université aux États-Unis où ils font des expériences en malmenant ces pauvres oiseaux. Eh bien, les étudiants sont obligés de se déguiser et de porter des perruques parce qu'une fois dehors, les corbeaux les retrouvent et se vengent.

— Quoi, en leur crevant les yeux peut-être ? se moque la scientifique qui n'y croit pas.

— En les harcelant et en chiant leurs fientes dessus, même plusieurs mois après, lors de la cérémonie de remise des diplômes de fin d'année, par exemple. Uniquement sur les étudiants qui ont participé aux expériences sans prendre la précaution de se grimer. Jamais sur les autres.

— Oui, eh bien je ne vois aucun corbeau prêt à nous déféquer sur le crâne, alors arrête cette lugubre rengaine, s'il te plaît !

— Je ne peux pas.

— Et pourquoi ça ?

— Parce que je répète. Pour la chorale. On chante au Hof Center de Akureyri la semaine prochaine.

Ida suspend son geste et se tourne vers l'inspecteur Kornélius Jakobsson. Un troll. Un mètre quatre-vingt-quinze et cent kilos et quelques. Qu'il soit devenu flic, ça allait de soi. Qu'il fréquente les salles de force où des Vikings s'entraînent à devenir les hommes les plus forts du monde pour décrocher un rôle dans *Game of Thrones*, elle peut encore comprendre. Mais qu'il chante le répertoire d'un folklore moyenâgeux dans une chorale de quartier au milieu de vieilles filles véganes et de veuves tricoteuses la dépasse. C'est comme l'imaginer sirotant un *macchiato* dans un club de couture. Quelquefois, ce type fort comme un roc lui fiche quand même un peu la trouille.

— Photographe ? demande soudain Kornélius qui pointe du menton un appareil fixé sur trépied en bordure des boues visqueuses.

– Vidéaste, lâche Ida en se reconcentrant sur les indices, et c'est sûrement ce qui l'a tué,

– Il n'est pas mort asphyxié ?

– Non, il s'est brisé la nuque.

Kornélius reprend le *krummavisur* à voix sourde et observe le corps de loin. Un homme dans la cinquantaine, habillé comme pour un trek au Népal. Cheveux roux, un peu rares à la tonsure. Petit ventre à bière et grosses mains d'artisan.

– Bagarre ?

– Non.

– Pas de pugilat, pas d'agresseur ?

– Pas jusqu'à preuve du contraire.

– Qu'est-ce que je fiche ici alors, si c'est un accident ?

– Tu fiches que c'est une mort accidentelle avec quand même un petit quelque chose de criminel…

Kornélius cherche à décrypter le message puis y renonce aussitôt.

– Ida, tu continues tes charades et je te braille le *krummavisur* à tue-tête pendant toute l'enquête.

– D'accord, mais tu devrais aller demander à la femme, alors.

– La femme ? Quelle femme ? Il n'était pas seul ? Elle est où, cette femme ? Elle a vu quelque chose ?

– Si elle a vu quelque chose, c'est sûr qu'elle ne verra plus rien. Elle a eu les yeux brûlés par de la silice en fusion. Une explosion de boue sans doute. À l'heure qu'il est, une ambulance la transporte aux urgences du Lanspitali à Reykjavik.

– Qu'est-ce que c'est que cette histoire ? Elle a eu le temps de dire quelque chose ?

– Non, rien, état de choc. Je ne suis même pas sûre qu'elle sache que son mari est mort.

– Mais on a une idée de ce qui s'est passé ?

– Moi oui : ça commence par une énorme bulle de silice qui

se forme dans la solfatare. Le type filme d'un peu trop près. La bulle est plus grosse que prévu, il se relève par réflexe, trébuche en arrière et se brise la nuque sur une croûte de soufre en tombant à la renverse. Du coup, sa femme accourt pour lui porter secours au moment même où la boue explose et la silice à deux cents degrés lui grille les pupilles.

Kornélius arrête de fredonner et observe Ida. Celles et ceux de la scientifique sont-ils à ce point blasés, ou juste suffisamment cyniques, pour toujours raconter l'ultime malheur des autres avec autant de détachement ?

— Ça n'explique pas le côté criminel, mais ça se tient, répond-il en reprenant son chant depuis le début.

— Aucun mérite, avoue Ida à genoux près du corps, j'ai vu la vidéo.

— La vidéo ? Quelle vidéo ? Il y a une vidéo ?

— La dernière œuvre de ce pauvre Batave, parce qu'il est néerlandais ton vidéaste, explique Ida sans se retourner. Enfin, il l'était. Enfin, je ne sais pas. Tu penses qu'on garde sa nationalité quand on est mort ? On doit dire : le mort est néerlandais, ou le mort était néerlandais ? À la télé, ils disent bien : huit morts dans l'attentat dont deux Islandais...

Kornélius ne l'écoute pas. Il s'approche de la caméra comme on se méfie d'un animal familier.

— Si tu sais te servir de la fonction *replay*, tout est dedans, dit Ida en désignant d'un mouvement de tête l'appareil photo sur son trépied.

Puis elle reporte toute son attention sur le cadavre dont elle palpe la nuque pour vérifier la fracture des cervicales avec des manipulations délicates de masseuse thaïe. Kornélius cesse de fredonner à nouveau mais ne bouge pas.

— Tu n'aurais pas des chaussons ?

Ida hèle son assistant et lui demande des surchaussures à semelles d'amiante pour l'inspecteur.

— Ce sont des Jimmy Choo, tu comprends, se justifie-t-il.

— Des imitations Choo, le corrige Ida.

— Oui, mais des Choo quand même. Si je descends là-dedans, je les crame en trois minutes même en restant sur le bord.

— Mon pauvre Choo, se moque Ida. Oublie tes *shoes* et fais plutôt attention à ne pas brûler tes poumons avec toutes ces émanations.

Une fois ses Choo protégées, Kornélius descend prudemment sa lourde carcasse dans le petit cratère et s'accroupit devant l'appareil photo. Comme il reste là sans rien faire, Ida soupire et s'apprête à venir l'aider quand le portable de Kornélius sonne. Il vérifie le numéro et s'excuse.

— Ma banque, il faut que je prenne...

Elle le regarde remonter péniblement hors de l'entonnoir et s'éloigner dans les fumerolles en agitant les bras sous un ciel soudain plombé. Sûr qu'il n'est pas encore sorti d'affaire, se dit-elle. Leurs banques à tous les harcèlent plusieurs fois par jour, exigeant d'autres garanties, des sécurités supplémentaires ou des cautions plus solvables. Mais celle de Kornélius semble pire que les autres et ne le lâche pas. Il est aux abois, la crise l'a lessivé. Comme elle. Comme tous les Islandais. Aussitôt après le krach, ils avaient cru que le nouveau gouvernement effacerait la dette de chacun, mais il n'a fait que la réduire de ce qu'il a estimé être les excès du système bancaire. Les endettés, c'est-à-dire tous les Islandais sans exception, sont restés endettés. Quand Ida parcourt la presse étrangère qui cite en exemple l'action de son pays contre ses banquiers, elle enrage à chaque fois. Neuf banquiers condamnés à quarante-cinq ans de prison peut-être, mais quarante-cinq années de condamnations cumulées. À peine cinq ans par banquier, et ils sont déjà tous dehors avec le jeu de la préventive et des remises de peine. Alors qu'elle, comme Kor-nélius et tous les Islandais, reste prisonnière à vie de ses dettes et de ses crédits imprudents.

– ... désolé, lâche-t-il en revenant.

– Je sais ce que c'est. Il faut que j'appelle la mienne moi aussi. Je t'ai affiché la vidéo pendant que tu quémandais un nouveau sursis. Il suffit que tu appuies sur *play*.

Kornélius fait ce qu'elle dit et fixe le petit écran digital de contrôle. Le pauvre homme devait être un passionné des solfa-tares. Son objectif fixait la mare de boue qui glouglloute comme une purée de pois cassés qu'on réchauffe. De lourdes bulles lissent leurs globes obscènes à la surface puis se déchirent en molles explosions. Il perd vite patience.

– C'est tout ?

– Tu en es où ?

– Il y a des bulles dans la boue, exactement comme en direct devant nous.

– Je veux dire sur le *time code*.

– Le quoi ?

– Le *time code*, les chiffres de l'horloge qui défilent en bas de l'écran.

– Cinq minutes dix... onze... douze...

– Pour toi, c'est à cinq quarante-trois que ça commence.

Il se concentre à nouveau sur l'écran du Sony. À cinq quarante-deux, il devine une nouvelle bulle qui se forme au centre de la marmite. Rien de particulier, sinon qu'elle enfle assez vite pour former un dôme lisse et épais. De temps en temps, elle s'affaisse en son centre mais se regonfle aussitôt pour grossir à vue d'œil. Cinq cinquante-sept : le vidéaste a remarqué quelque chose. Il a dézoomé et cadré plus large pour ne rien perdre de la beauté de ce qui se prépare. Six vingt-quatre : la bulle affiche mainte-nant plus d'un mètre de diamètre et la moitié de hauteur. C'est un demi-globe de boue visqueuse. Sur la bande-son, dans des borborygmes de sa langue natale, l'homme s'émerveille de ce qui n'est pour Kornélius qu'une grosse bulle de boue puante dans la marmite d'une solfatare. Six quarante-deux : la boule de silice se boursoufle et devient un ventre gravide et distendu, prêt à se rompre, et qui se déforme sous les coups d'une masse à l'intérieur. Cette fois, Kornélius fixe l'écran et une première terreur lui assèche la gorge. À travers la peau luisante et distendue de la bulle, il devine la forme d'un visage. *Oh mijn god ! Mijn god ! Wat... Anneke, Anekke !* s'exclame la voix du vidéaste. Mais la bulle explose pendant qu'il crie en panique et expulse de son cloaque puant d'hydrogène sulfuré le corps d'un homme ébouillanté aux chairs délitées. Six cinquante-quatre : la fange poisseuse et brûlante s'agite encore de quelques lourds remous gloutons puis englue à nouveau le corps qui disparaît aussitôt, aspiré par la silice...

— Flippant, hein ? lâche Ida.

Kornélius cherche à se convaincre qu'il a bien vu ce qu'il vient de voir, son regard courant de l'écran du Sony à la boue de la marmite.

— C'était quoi ça ?

— Un type dans une marmite de boue, résume-t-elle, de nouveau affairée à numéroter des indices.

— Et il est où, ce type, maintenant ?

— Il mijote.

— Comment ça, il mijote, qu'est-ce que tu veux dire ?

— Qu'il est toujours dans la marmite.

— Quoi ! Vous ne l'avez pas sorti de là ?

— À mains nues dans des boues à deux cents degrés ? Tu veux peut-être y risquer tes Choo, camarade ? Ne t'en fais pas, je garde un œil sur lui et j'ai fait le nécessaire. Des uniformes sont partis au port le plus proche récupérer des gaffes à requins.

– Comment ça, tu gardes un œil ?

– Dans cinq minutes, tu le sauras, si tu t'écartes un peu pour ne pas trébucher comme notre macchabée.

– Tu veux dire que…

– Oui. À chaque explosion de la bulle, le corps redescend au fond de la marmite par gravité ou par succion et obstrue la colonne qui plonge jusqu'au magma. Ça doit fonctionner un peu comme un geyser. Les vapeurs et les gaz bloqués par le corps s'accumulent sous lui jusqu'à ce que la pression devienne plus forte que son poids, alors elle le remonte à la surface à l'intérieur d'une bulle qui explose et laisse le corps redescendre à nouveau. Il est assez régulier ton Batave. Une apparition toutes les dix minutes environ depuis que nous sommes ici.

Elle s'écarte du bord, prend Kornélius par le bras pour qu'il l'imite, et ils restent quelques longues minutes à attendre la bulle. À la voir naître. La voir grossir. Enfler, s'arrondir, se distendre, puis exploser en libérant pour quelques secondes le corps poisseux de boue grise dans des relents d'œuf pourri.

– Par tous les trolls ! murmure Kornélius immobile alors qu'Ida retourne à ses constatations. Et ils arrivent quand, tes uniformes, avec leurs gaffes ?

– Trop tard pour la prochaine représentation, mais sûrement à temps pour celle d'après.

Il regarde sa montre. Il faut qu'il parte. Il a des affaires à régler. Des ennuis qui l'attendent plutôt, plus personnels. Mais l'énigme du corps dans la marmite l'intrigue.

– Un touriste ?

– Aucun ne manque à l'appel.

– Quelqu'un du site ?

– Ce site n'est pas gardé. On va dire qu'il est en autogestion responsable.

– Pourquoi penses-tu à un crime, alors ?

— Parce que tout à l'heure, les flatulences capricieuses des viscères terrestres ont fait émerger notre homme à plat ventre et qu'il a un grand trou dans le dos.

— Merde, jure encore Kornélius. Écoute, je dois vraiment y aller, tu me tiens au courant dès que tu as fait l'autopsie, d'accord ?

— Je te...

Le portable de la scientifique sonne et elle décroche pour émettre autant de grognements que de hochements de tête avant de claquer le clapet d'un geste sec.

— Un portable à clapet, la crise t'a autant rincée que ça ? se moque-t-il.

— Les uniformes, répond Ida sans relever, ils ont été retardés à Grindavík. Un chalutier est porté manquant.

— On avait bien besoin de ça. Ils ont récupéré des gaffes, au moins ?

— Oui, ils ont tout ce qu'il faut pour harponner un macchabée.

— Ida, je t'en prie !

— Quoi, que crois-tu que nous allons faire dès que tu nous auras lâchement abandonnés : il va bien falloir le harponner, ce pauvre homme !

— Bon, il faut vraiment que j'y aille, coupe Kornélius

— Ça ne s'arrange toujours pas à ta banque ?

— Non, avoue-t-il, mais là ce sont d'autres ennuis plus coriaces.

— Plus coriace qu'un banquier, je ne connais pas.

— Moi, je connais, Ida, je connais, tu peux me croire !

Il remonte vers sa voiture en entonnant le *krummavisur* à tue-tête et son chant fait fuir une volée de corbeaux jaillis de nulle part.

# 3

# Au large de Grindavík

*... du moussaillon dans le ciel noir.*

Les marins n'aiment pas la mer. Ils aiment naviguer, mais ils n'aiment pas la mer. Pour quelques mers d'huile dociles, combien de houles fourbes, de grains, de tempêtes et de vagues scélérates. La mer est une maîtresse trompeuse qui prend les hommes et les bateaux par le ventre – et les engloutit. Les autres marins du monde disent que le vent sème la tempête, mais les Islandais le savent : c'est du gouffre de la mer que surgit la tempête. De ses entrailles. Du fond vengeur que leurs chaluts raclent et pillent. Les tempêtes sont des vengeances. Des sursauts de bête qu'on assassine. Kort n'aime pas la mer alors il veut en finir au plus vite. Debout à la barre du *Loki*, il pousse son chalutier dans la nuit. À chaque houle qu'elle fend, l'étrave éclabousse des gerbes d'écume fantomatiques. La lune a un court instant ourlé de reflets argentés un ciel de crépuscule, puis elle a disparu derrière des nuages boursouflés de lourdes pluies à venir. Comme le *Loki,* lui aussi, a disparu dans la nuit hors de tout repère. Accoudé au bastingage de tribord, près du puits de chaîne de proue, le mousse sonde des yeux la mer noire comme de l'encre.

– Ils sont où, capitaine ? crie-t-il contre le vent.

Sur sa passerelle, Kort scrute lui aussi. Il retient la barre d'une main et passe la tête hors du poste de pilotage pour répondre au gamin :

— Droit devant, garçon. Tu ne peux pas encore les voir mais dans dix minutes on est sur eux.

Ils naviguent depuis quinze heures déjà, même s'ils n'ont toujours rien péché. À l'arrière, Olaf et Erik se sont affairés autour du portique et des enrouleurs de chalut. Ils ont vérifié le guide de cul, le galet et les potences, mais ils ne donnent toujours aucun signe de vouloir dérouler les filets. D'ailleurs le *Loki* file bien trop vite ses quinze nœuds et le capitaine n'a pas allumé les feux de pêche. Maintenant, les deux marins qui composent le reste de l'équipage fument en bavardant à voix basse, assis à l'arrière, sur le panneau de la cale à poisson. Quand il s'approche d'eux, ils lui lancent des regards de côté et se taisent. C'est pour les éviter qu'il s'est posté à la proue, où il s'abîme les yeux à essayer d'apercevoir les autres en premier. S'ils sont à dix minutes du *Loki*, c'est qu'ils sont à moins de deux miles et leurs feux devraient être visibles.

— Arnald ! crie le capitaine, tu es sûr que ton frère t'a bien tout expliqué ?

Il a horreur qu'on l'appelle par son vrai prénom, mais il n'en laisse rien paraître. Il faut qu'il fasse bonne figure, lui a recommandé son jumeau.

— Pas de problème capitaine, Galdur m'a dit d'obéir à tous vos ordres sans discuter, et c'est bien ce que j'ai l'intention de faire.

— C'est tout ce qu'il t'a dit ?

— Oui, capitaine. Tous vos ordres, rien que vos ordres, c'est ce qu'il a dit. Je lève la main droite et je crache à la mer.

— Ne crache jamais dans la nuit, garçon, tu ne sais jamais sur quel mauvais esprit ça pourrait retomber. Et prépare-toi, parce qu'on y est...

Le faisceau du projecteur troue soudain l'obscurité et l'autre navire est là, à moins de cent mètres, droit devant, venant sur eux sans aucune lumière de route. Ni de bâbord, ni de tribord, ni de mât, rien. Et encore moins de pêche. Un beau navire. Un hauturier comme eux mais pas loin des vingt mètres. Quand les deux bateaux se croisent, Arnald court sur bâbord le voir passer. Un fantôme surgi de la nuit dans le projecteur du *Loki* que manœuvre Kort. Un pont de plus qu'eux, avec le poste de pilotage au-dessus de ce qui doit être la cambuse, ou même des couchettes, pour laisser plus de place aux poissons dans les cales. Peut-être même qu'ils usinent un peu. Arnald a le temps d'apercevoir son nom, le *Providence*, avant que le projecteur ne le perde et qu'il disparaisse à nouveau dans la nuit. Mais le capitaine ralentit le moteur et place le *Loki* face à la houle. Arnald comprend que l'autre navire va réapparaître. Quelques minutes plus tard, il surgit à nouveau de la nuit et les rattrape par tribord, au ralenti, face à la houle lui aussi. Son capitaine surveille leur approche depuis sa passerelle. De toute évidence quelqu'un d'autre tient la barre. Sur un signe, il fait allumer trois projecteurs qui baignent aussitôt le *Loki* d'une lumière froide et industrielle. Kort passe alors la tête par la porte de sa cabine et observe le capitaine du *Providence* qui le surplombe depuis son bastingage.

— Tu es qui, toi ? demande Kort.

— Appelle-moi Steve.

— Connais pas de Steve, où est Murdoch ?

— Murdoch a eu des ennuis qui l'ont empêché de venir.

— Quel genre d'ennuis ?

— Du genre qui l'ont empêché de venir.

— Et pourquoi je n'ai pas été prévenu ?

— Parce que tu n'avais pas à l'être, je suppose.

— Et pourquoi déjà une nouvelle cargaison, la dernière remonte à une semaine à peine ?

– Plains-toi. Ça veut dire plus de dollars pour vous, non ? C'est pour ça que Murdoch n'est pas là. Personne ne s'attendait à cette nouvelle livraison et il n'était pas disponible.

Olaf et Erik se rapprochent de la cabine de Kort en même temps que trois marins apparaissent au bastingage du *Providence*.

– Ça me plaît pas, lâche Kort, je fais demi-tour.

– Tu fais demi-tour et je t'éperonne, réplique l'autre calmement. Tu crois que ton *Loki* tiendra le choc face à mon *Providence* ?

Kort interroge Olaf et Erik du regard. Leur chalutier ne ferait le poids ni en puissance ni en vitesse.

– Arrête tes conneries Kort, Murdoch n'est pas là et c'est moi qui le remplace. Toi c'est Kort, non ? Comment je connaîtrais ton nom et le lieu du rendez-vous ? Et les deux autres, là, c'est Olaf et Erik, n'est-ce pas ? Alors si on faisait ce pour quoi on s'est cassé le cul à naviguer jour et nuit au lieu de se la jouer duel sur la houle ?

Kort hésite quelques secondes, puis lance la manœuvre en silence. C'est la sixième fois pour lui, et sans le voir il comprend que c'est le même pilote que d'habitude à la barre du *Providence* et ça le rassure. Quand les deux chalutiers sont accouplés bord à bord, les pilotes les gardent à allure réduite contre la houle. Erik et Olaf ouvrent alors le panneau de cale et Olaf descend à l'intérieur.

– Garçon, tu restes sur le pont avec Erik pour guider la cargaison jusqu'à la cale, compris ?

– Oui, capitaine, aboie joyeusement Arnald que l'adrénaline dope soudain.

Putain, c'est pas du poisson à deux balles qu'ils pêchent ceux-là, ça c'est sûr, et cet enfoiré de frangin qui ne l'a pas affranchi. Ça te plairait d'embarquer sur le *Loki* pour une pêche à ma place ? qu'il a juste demandé. Tu parles que ça lui plaisait. La mer, le

large, la pêche, avec un peu de thune à la clé si le chalut rame-
nait bien. Mais là, putain, on parle de quoi ? De contrebande ?
De cigarettes ? D'alcool ? Et pourquoi pas des faux biftons. Ou
de la dope, tiens. Putain, une cargaison de dope en pleine mer,
et il en est !

— Hé, Erik, c'est bien ce que je crois que c'est, n'est-ce pas ?
c'est bien ce que c'est, non ?

— Ta gueule, gamin !

— Merde, Erik, tu peux m'affranchir, tu sais, je sais tenir ma
langue.

— Merde, s'énerve soudain Erik, très nerveux, tu peux pas la
fermer ? Si ton abruti de frangin ne t'a pas affranchi, ferme-la.
Tu crois que ces types ont des tronches à apprécier ton bavar-
dage ?

— Il dit quoi, le môme ? interroge au-dessus d'eux une voix
en anglais.

Erik et Arnald lèvent la tête dans un même mouvement. Le
*Providence* a déployé un palan sur son bâbord et transborde une
lourde caisse vers le *Loki*. Debout sur le chargement, accroché
d'une main au câble, un des hommes du *Providence* les regarde
d'un air sombre. Son autre main est posée sur le fusil d'assaut
qu'il porte en bandoulière.

— Des conneries, rien que des conneries de môme, répond
Erik. Balance plutôt les bouts qu'on sécurise la cargaison au plus
vite.

L'homme sur la caisse les fixe un instant puis leur jette deux
cordages. Ils s'en saisissent pour empêcher le roulis de fracasser
la caisse contre le bastingage. Sous l'effort, le tatouage dans le
cou d'Arnald se contracte. Un navire vu de face dont la proue
fend les flots qui deviennent les pages d'un livre ouvert. Avec
un mot étrange dessous.

– Pourquoi c'est pas écrit la même chose que sur celui de ton frangin ? demande Erik, les mâchoires crispées par l'effort.

– C'est la suite, explique Arnald. Lui, c'est *Fluctuat*, et moi *Nec Mergitur*. C'est du français, ou du latin, je sais plus trop.

– Et ça veut dire quoi ?

– D'après Galdur, c'est la devise de Paris, tu sais, la capitale de la France.

– Je sais ce que c'est que Paris, se vexe Erik, et j'y suis même déjà allé si tu veux savoir. Mais ça veut dire quoi ?

– Un truc dans le genre « je nage, mais je bois pas la tasse ».

– C'est con, conclut Erik, mais c'est tout le mal que je te souhaite.

Un autre homme contrôle les effets du tangage par une corde tendue depuis une coursive du *Providence*. Kort reste à la commande, une main ferme sur la barre et le cou tordu par-dessus son épaule pour surveiller la manœuvre sur le pont de pêche. Les deux navires prennent la houle de conserve, mais leur différence de tonnage et de taille les décale à chaque vague. Ils se cognent et se heurtent dans la nuit. L'acier grince en plaintes lugubres, et les pneus qui s'écrasent crissent entre les coques. De temps en temps, des vagues mal prises font jaillir entre les bastingages des geysers d'écume, fantômes sournois qui détrempent les hommes et cherchent à les entraîner à la mer.

– C'est quoi ça ? hurle Kort à l'adresse de l'autre capitaine en désignant la caisse.

– Changement de conditionnement, crie l'autre.

– J'aime pas ça. On voit rien de ce que c'est.

– Peut-être parce que t'es pas non plus payé pour voir et que tu es juste là pour transporter.

– Justement, j'aime bien voir ce que je transporte.

Le capitaine du *Providence* ne répond pas tout de suite et prend le temps de consulter ses hommes du regard.

– Kort, c'est un peu tard pour demander maintenant que c'est en l'air, et puis la mer se forme et il ne faudrait pas risquer de tout perdre, mais c'est d'accord, on ouvre la caisse quand elle est dans ta cale si ça peut te rassurer.

Kort ne répond pas, mais fait signe à Erik et Arnald de continuer. Le troisième homme du *Providence* les rejoint. Il passe une corde autour de la caisse et jette l'autre bout à Olaf dans la cale. Arnald ne dit plus rien. Cet homme est armé lui aussi. Un flingue à la ceinture. Cette fois, ce n'est pas l'adrénaline qui dope le moussaillon, c'est la trouille. Toutes ces armes, ça commence à craindre. Et la gueule de marins de mauvais bars des hommes du *Providence* en rajoute à sa peur. Le hauturier américain n'est plus un magnifique vingt-mètres à jalouser pour des pêches miraculeuses. Maintenant, c'est une masse menaçante qui les surplombe dans une nuit sans horizon, très loin de tout et sans témoins. Au cœur sombre de l'océan immense.

– Hé, bouge-toi le môme, grogne Erik, les muscles tendus comme des filins d'acier, descends donner un coup de main à Olaf pour guider cette caisse et qu'on en finisse…

Arnald bondit vers la trappe et se laisse glisser le long de l'échelle métallique. L'homme aux commandes du palan déroule un peu de câble et la caisse, guidée par les cordages, s'engage dans la cale à poisson. Par deux fois, elle cogne contre les bords de l'ouverture et le capitaine du *Providence* lâche une bordée de jurons furieux et rappelle à l'ordre ses hommes que Kort sent plus tendus que d'habitude. Lorsque le chargement touche enfin le fond de cale, il hurle contre le vent pour recommander à Kort de bien l'arrimer. Kort répète l'ordre à Erik et lui ordonne de descendre aider Olaf et Arnald pour sécuriser la caisse. Quand il se retourne pour vérifier la barre et la houle, le capitaine du

*Providence* est sur la passerelle du *Loki*, juste derrière lui. Un homme de son âge, aussi robuste et solide que lui, mais plus musclé. Plus fort aussi. Avec un regard gris lavé de toute émotion. Et une arme à la ceinture.

– Bon, tu veux toujours vérifier le chargement ? demande-t-il à Kort, alors bloque la barre et allons ouvrir cette caisse. Nos deux navires sont bien amarrés et mon pilote peut les gérer seul si ça ne nous prend pas trop de temps.

Il pose une main de bronze sur l'épaule de Kort et le pousse vers l'échelle de coupée qui mène au pont de pêche. Au fond de la cale, les trois marins du *Loki* attendent pour arrimer la cargaison. L'homme du *Providence* qui était descendu sur la caisse remonte sur le pont. En passant devant Arnald, il fait sauter son bonnet et lui ébouriffe les cheveux en souriant.

– Allez, bon vent moussaillon !

Arnald ramasse son bonnet d'un geste rageur, mais la vue de l'arme à la ceinture du marin calme sa colère.

– Bon, alors qu'est-ce que vous attendez pour ouvrir et rassurer votre capitaine ?

Les trois hommes du *Loki* lèvent la tête vers les deux capitaines qui se dessinent à contre-jour dans la lumière des projecteurs, mais aucun ne bouge. Ils attendent que l'ordre vienne de Kort.

– C'est bon les gars, allez-y.

Ils s'affairent déjà à détacher les cordes quand Kort tombe dans la cale et se brise le dos sur un angle de la caisse en leur rebondissant dessus. Le cœur d'Arnald cogne si fort qu'il en suffoque. À ses pieds gît le corps désarticulé de son capitaine, le crâne défoncé et du sang qui lui coule de l'oreille.

– Quitte à voir ce que c'est, autant le voir de plus près, non ?

Sur le pont, les hommes du *Providence* se sont regroupés autour de leur capitaine et les regardent en souriant. Olaf et Erik bondissent aussitôt vers l'échelle, mais deux coups de pied suffisent à les renvoyer par le fond. Quand ils se relèvent pour recommencer, les hommes du *Providence* ont dégainé et pointent leurs armes sur eux.

– Pas de connerie, ordonne leur capitaine, personne ne tire. On ne laisse aucune trace sur eux. Refermez l'écoutille.

Avant même qu'Olaf tente une dernière remontée et qu'Arnald trouve la force de crier sa frayeur, la porte d'acier se referme sur un noir absolu. D'abord, ils hurlent tous, des cris de colère et des insultes, des cris de peur aussi, puis Olaf allume son briquet et leur ordonne de se taire. Ils restent longtemps silencieux, attentifs à chaque bruit qui résonne contre l'acier du pont et de la coque. Olaf et Erik semblent comprendre quelque chose et ça terrorise Arnald. Les yeux écarquillés de panique, il les implore en silence de lui expliquer. De le rassurer. Puis il comprend à son tour et la terreur décompose les traits de son visage de gosse. Les bruits sont redevenus familiers. Ce sont ceux du *Loki*. Du *Loki* uniquement. Les grincements, les frottements, les éraillements… Le *Providence* a largué les amarres et les a abandonnés. Ils sont seuls à bord, enfermés dans la cale. De nuit. Très loin des côtes. À la dérive.

Arnald réagit le premier parce qu'il n'est pas un vrai marin. Il grimpe sur la caisse et cherche à ouvrir l'écoutille. Les autres savent bien qu'elle a été verrouillée de l'extérieur. Eux réfléchissent déjà à d'autres terribles possibilités. La longue dérive dans des courants inconnus. Le fracas inattendu du bateau sur une côte. Le nombre de jours de survie possibles. La capacité d'oxygène de la cale. La mort par hypothermie. Ou de soif…

Depuis la passerelle du *Providence*, le capitaine regarde le *Loki* dériver dans la nuit, ballotté par une houle de plus en plus ronde. Accoudés au bastingage, ses hommes attendent en fumant des cigarettes dont le vent attise la braise. Quand il juge son bateau à bonne distance, le capitaine fait un signe de tête à

l'homme qui tient le détonateur. Le *Loki* semble d'abord contenir l'explosion à l'intérieur de sa cale à poisson. Puis il roule
brusquement à contresens de la houle quand l'explosion force
les soudures et les rivets, fusant des chalumeaux de flammes à
travers les trous et les fissures. Puis la fournaise souffle l'écoutille qu'un geyser de feu projette à la verticale.

Aucun des marins du *Providence* ne discerne, contre les nuages,
le corps carbonisé du moussaillon dans le ciel noir.

# 4

# Blue Lagoon

*Un petit tour en Enfer, ça te va ?*

— Vous auriez pu éviter de le coller.

— Coller quoi ?

— Le mot de bienvenue.

— Un mot de bienvenue ? Ce n'est pas nous, lâche l'employé d'Iceland Cars, concentré sur la réservation d'un autre client.

— C'est pourtant en plein milieu de mon pare-brise, s'énerve Soulniz.

L'employé lève la tête, se penche pour apercevoir la voiture à travers la baie vitrée et décide à contrecœur que c'est assez inhabituel pour se déplacer. Il sort pieds nus dans des claquettes, en bermuda et chemise hawaïenne malgré le temps frisquet, et Soulniz se souvient qu'en Islande on sort les chaises longues sur les balcons et les barbecues sur les terrasses dès que la température passe les douze degrés. Il n'a encore rien revu de ce pays qu'il a tant aimé dans sa jeunesse, mais il devine déjà que ce nouveau voyage va le combler. Si Beckie y met du sien, bien sûr, elle qui n'a pas dit un mot depuis leur atterrissage à Keflavík, les écouteurs clippés sur ses cheveux noirs.

— Désolé pour ça, explique le loueur de voitures, ça ne vient pas de chez nous.

Il a décollé le papier et le tend à Soulniz. *Welcome in Islande,*

imprimé depuis un traitement de texte, probablement. Soulniz
fixe le message puis balaye du regard le parking pour voir qui
a pu laisser ce mot à leur intention.

– Peut-être quelqu'un de l'office du tourisme. Ou un fan de
l'équipe de France en souvenir du Mondial. Qui sait ? Bonne
route en tout cas, et souvenez-vous, l'assurance ne couvre ni les
dégâts causés par les éruptions, ni les portières arrachées par le
vent, commente l'homme d'Iceland Cars après un dernier coup
d'éponge sur le pare-brise.

Soulniz se met au volant du Land Cruiser. Ils ne sont que
deux, Rebecca et lui, mais il a choisi un Prado pour être certain
de passer à peu près partout. Ou d'y dormir si l'envie leur prend
de bivouaquer à la sauvage. Quarante ans plus tôt, il a couru
l'Islande entre copains dans une Toyota trois portes à l'équipe-
ment spartiate et au confort militaire. Mais aujourd'hui il en a
quarante de plus et il voyage avec sa fille. Un autre voyage. Il
démarre, soucieux, et Beckie s'en aperçoit. Elle l'interroge de
son regard noirci au khôl.

– C'est curieux ce mot, non ? se justifie-t-il.

Elle hausse les épaules pour signifier que non. Qu'elle ne
comprend pas vraiment ce qui l'inquiète. Ou qu'elle s'en fout.
Soulniz la regarde et sourit. C'est vrai que ce voyage n'est pas
le sien. Il le lui a un peu imposé.

– C'est écrit en anglais, tu vois, mais le mot Islande est ortho-
graphié en français, avec un « s » au milieu et un « e » à la fin.
Et puis c'est imprimé, ça veut dire que c'était préparé, pas le
truc spontané de quelqu'un qui l'aurait griffonné à la hâte. Alors
je trouve juste ça curieux. C'est tout.

Il engage la Prado vers la sortie de l'aéroport puis bifurque
à droite sur la 43 en direction de Reykjavik. Soulniz se force à
afficher un sourire heureux, malgré ces premiers kilomètres qui
le déçoivent. Une chaussée propre et bien entretenue, comme

une route secondaire de Californie, parcourue de grosses berlines, SUV et autres 4×4 flambant neufs. Ce n'est pas l'Islande des pistes sauvage de ses souvenirs. Il fait mine de s'enthousiasmer aux premiers empilements de pierres, façon cairns, probablement amassées par des touristes ignorants des traditions, mais ne ressent pas ce coup au cœur qu'avait été ce même parcours en stop à l'époque. Après quelques kilomètres, le silence s'installe dans la voiture et Soulniz regrette de ne pas trouver le courage de le rompre. Ils sont pourtant venus ici pour se parler, même si lui seul l'a voulu et a forcé Beckie à le suivre dans ce pèlerinage. Faire le point. Parce que les choses se sont délitées entre eux. Rebecca va avoir dix-huit ans et il veut leur donner une dernière chance d'éviter une dérive qui les éloignera définitivement l'un de l'autre. La mort de sa mère l'a dressée contre lui et il ne sait même pas pourquoi. Elle est partie presque trois ans. Trois ans à savoir où elle était en se forçant à ne pas aller la chercher. À imaginer qu'il respectait sa liberté. À la surveiller de loin. À faire semblant de croire qu'il était un père moderne et tolérant. Trois ans à n'être plus qu'un zombie sans sa femme et sa fille, jusqu'à ce qu'il se décide à aller la récupérer pour lui proposer ce voyage. Mais Beckie lui a juste obéi. Elle ne fait que le suivre.

Pourtant, dès qu'il vire plein sud sur la 41, la magie du paysage balaye l'humeur sombre de Soulniz. Son Islande est soudain là, avec ces espaces distendus tapissés de lichen pâle et de mousses argentées jusqu'à des horizons si purs qu'ils en blessent les yeux. Ils quittent l'asphalte pour une piste de cendre et il en est aussitôt heureux, même si Beckie se désintéresse de leur itinéraire.

— Un détour pour une surprise, un truc qui n'existait même pas la dernière fois que je suis venu.

Elle hausse les épaules et réajuste ses écouteurs. Soulniz fouille d'une main aveugle dans son sac sur la banquette arrière et en tire un CD qu'il glisse dans le lecteur. America. « A Horse With No Name ». Malgré l'état de la piste, il accélère dès l'intro, cale sa vitesse sur le tempo et savoure enfin le bonheur d'être de retour. Son voyage commence là. Les voix de Beckley et Bunnell, leurs arpèges et le rythme qui s'emballe pour mieux courir le désert de lave devant eux.

– Je connais ça, dit Beckie en fronçant les sourcils. C'est pas dans la B.O. de *Breaking Bad* ou de *Six Feet Under* ?

Soulniz ne répond pas. America, c'est la bande originale de sa propre jeunesse. Il aime ce groupe comme il aime l'Islande, et comme il aime sa fille malgré elle. Ça devrait fonctionner. Il fallait que cela fonctionne ! D'ailleurs, Beckie oublie bientôt la musique de ses écouteurs, fascinée petit à petit par le paysage qui défile. Tout un tumulte millénaire de roches fondues figées dans l'instant, et dont elle devine encore les coulées molles et épaisses. Des jaillissements pétrifiés comme des silhouettes déchiquetées qui fusent de la terre avec effroi. Des bulles de lave solidifiées, hautes comme des collines, fendues en leur milieu comme des meringues éventrées sur leurs entrailles noires et creuses.

Et soudain, au détour d'un virage, un mur de lave. Une longue langue de roche noire et tourmentée que vents et pluies n'ont pas eu le temps d'émousser. Une muraille haute de plusieurs mètres, vierge de toute végétation, vestige d'une ultime fusion. Beckie est aussitôt hypnotisée par cette force brutale, cette violence immobile et tout ce que cela suppose de cataclysmes infernaux et de chaos dantesques. Très loin à l'horizon, des cônes sombres se découpent contre le ciel blanc et elle se demande lequel de ces volcans a vomi jusqu'ici sa mélasse incandescente. Et quel vent de glace l'a figée. La coulée est perpendiculaire à la piste qui la traverse de part en part, creusée à brut sur plus d'un kilomètre. Elle regarde défiler contre la vitre la roche poreuse, écume noire de pierre calcinée, et Soulniz l'observe en coin, heureux de son ébahissement. Puis surgissent de l'autre côté de la lave des fumerolles blanches dans le contre-jour violent. Beckie les croit très éloignées, mais après un dernier virage elles sont là, jaillissant de la roche dans laquelle est taillé un immense parking.

– Blue Lagoon, annonce joyeusement Soulniz.

La vue de la centaine de véhicules et des cars de touristes casse la magie du moment et Beckie se referme aussitôt.

– C'est quoi ce cirque ?

– Viens, dit Soulniz sans répondre.

Elle le suit de mauvaise grâce par un chemin creusé dans la lave jusqu'à l'entrée d'une sorte de thalasso. Soulniz y négocie deux *premium pass* qui leur donnent droit à deux bracelets magnétiques, deux peignoirs, deux draps de bain et deux paires de chaussons.

– Qu'est-ce qu'on fout là ? grogne Beckie que la cohue des touristes hérisse.

– Trempette dans un lagon volcanique à trente-huit degrés, répond Soulniz.

Ils passent un tourniquet qu'activent leurs bracelets et un jeune homme en tenue siglée du Blue Lagoon les dirige vers les vestiaires à l'étage. Quand Beckie veut suivre Soulniz, le garçon la rappelle à l'ordre et lui désigne un autre escalier.

– Les femmes de ce côté, s'il vous plaît, dit-il en anglais, et merci de bien respecter les règles d'hygiène sous la douche.

Elle le fusille du regard, comme s'il l'avait traitée de malpropre, et disparaît dans le vestiaire. Une immense salle carrelée, sans cabine, où des femmes nues de tous âges déambulent, bavardent ou se douchent. Sexe, aisselles et tête, le dessin répété sur plusieurs affiches plastifiées insiste clairement en rouge sur les zones à savonner impérativement, nue, sans maillot, sous la douche obligatoire.

Quelques minutes plus tard, Soulniz attend Beckie là où les circuits des hommes et des femmes se rejoignent, en haut d'un escalier qui descend jusqu'au lagon. Quand il l'aperçoit, nue, son peignoir sur le bras, il ne peut retenir un soupir de résignation. Sans un regard pour lui, elle se dirige droit vers le garçon qui lui a rappelé les règles d'hygiène et se plante devant lui, sous le regard amusé des Islandais et celui plus gêné des touristes. Puis elle écarte les bras et tourne sur elle-même.

– Ce n'était pas obligatoire, mais je me suis un peu lavé le cul aussi, dit-elle en anglais.

Le gamin ne sait ni quoi dire, ni où poser ses yeux écarquillés. Soulniz non plus. Un père est si peu préparé à la nudité assumée de sa fille. Ce corps de femme, ce n'est pas celui de sa petite Beckie. Il s'approche d'elle et prend son peignoir pour l'en couvrir.

– Beckie, je t'en prie…

– Quoi, je respecte son règlement, répond-elle sans quitter des yeux le pauvre garçon. Je ne voudrais pas lui faire perdre son job.

Soulniz parle en français, mais Rebecca répond en anglais pour que tout le monde comprenne.

– Non, non, c'est bon, dit le gamin en reprenant un peu d'assurance. C'est cool. T'es nickel. Enfin je veux dire… mais quand même, tu ne peux pas entrer comme ça dans le lagon. Je veux dire pas toute nue…

– Faudrait savoir, c'est à poil ou pas ?

– Beckie, je t'en prie…, insiste Soulniz.

– Eh bien, c'est à poil sous la douche et en maillot dans le lagon, explique le garçon en souriant à Beckie. C'est comme ça. C'est le règlement.

Alors elle sort un deux-pièces noir de la poche de son peignoir et le passe sans aucune gêne devant tout le monde. Puis elle refait un tour sur elle-même en écartant les bras, paumes vers le ciel.

— Ça te va comme ça ?

— Parfait. T'es parfaite, s'amuse le gamin. Ça me va parfaitement. Bon, ben… bon bain, profite bien…

Elle lui tourne le dos et le plante là, le saluant d'un geste de la main sans se retourner, et précède Soulniz pour descendre vers le lagon.

— Tu avais besoin d'être vulgaire ?

— Je n'étais pas vulgaire, j'étais nue.

— Tu étais vulgairement nue !

Au rez-de-chaussée, à travers d'immenses baies vitrées, ils découvrent le capharnaüm des laves qui enchâssent le lagon. Le magma noir en décor à d'improbables tropiques. Un écrin calciné pour une eau lumineuse, d'un vert laiteux de jade sous un ciel d'acier brossé. Tout autour la laideur fascinante de la lave à l'odeur de pierre brûlée et, au milieu, l'attirance hypnotique d'une eau de céramique parcourue d'un duvet de vapeur. Soulniz savoure à nouveau l'étonnement de Rebecca. Pour la deuxième fois déjà, il la devine émerveillée en secret. Ce voyage ne sera peut-être pas qu'une utopie. D'une main tendre dans son dos, il l'invite à sortir dans l'air frisquet. Une fois dehors, ils laissent leurs peignoirs et leurs chaussons sur un banc et descendent dans l'eau chaude et épaisse par un plan incliné en ciment but. Quand l'eau lisse et soyeuse glisse sur leur peau perlée par le contraste de température, le plaisir est immédiat. Soulniz surprend un nouveau sourire sur le visage soudain apaisé de Beckie. Elle se laisse prendre par la douceur chaleureuse de l'eau, les yeux fermés, et il n'en faut pas plus à Soulniz pour faire de ce laid bassin en ciment, alimenté en eau chaude par le surplus d'une usine géothermique, le plus beau lagon du monde. Ils restent tous les deux quelques instants silencieux, à découvrir ce lieu invraisemblable, puis s'accroupissent pour rester dans la chaleur de l'eau jusqu'aux épaules. C'est Beckie qui les aperçoit la première.

– C'est quoi, ces zombies ?

Trois Chinois dérivent devant eux dans un silence de ludions extatiques, le visage figé dans une gangue blanche de boue séchée.

– C'est de la silice, explique Soulniz, les eaux volcaniques en sont riches et ici, ils la récupèrent pour en faire des masques de beauté si tu veux. Elle est à disposition tout autour du lagon. C'est bon pour la peau.

– J'ai pas de problèmes de peau, s'offusque Beckie sans quitter des yeux les trois Chinois.

Le plus maigre d'entre eux croit qu'elle lui parle et s'approche, les sourcils en circonflexes sur son masque de mime Marceau lunaire.

– Quoi, qu'est-ce que tu veux, toi ? Dégage !

Le Chinois sursaute et bondit à reculons au ralenti dans l'eau trop dense pour son maigre corps.

– Tu veux boire quelque chose ? propose Soulniz pour détourner l'attention et laisser au Chinois l'occasion de s'éloigner.

– Café. Je vais essayer le masque, tu me l'apportes là-bas ?

Soulniz s'éloigne au milieu des baigneurs qui ne font ici que déambuler dans l'eau, le visage ébahi, écarquillé par leur masque blanc, nappés dans les vapeurs que le vent dérive dans un lent ballet synchronisé. Quand il rejoint le bar, il commande deux expressos à une très jeune hôtesse nonchalante qui passe sans empressement la commande à une très jeune préposée aux cafés qui bavarde avec l'encore plus jeune responsable des boissons fraîches. C'est pendant qu'il attend, dans l'eau jusqu'aux aisselles, les bras en nageoires sur le comptoir, et qu'il cherche Beckie des yeux, que Soulniz croise le regard de l'homme. À l'autre bout du bassin, là où des hôtesses distribuent gracieusement la silice, l'homme enduit de boue le visage immobile, et Beckie qui lui sourit les yeux fermés. À l'homme. Pas à lui. À cet homme qui, de loin, ne la regarde pas elle, mais le regarde lui. Son cœur tressaille. L'homme aussi s'est enduit le visage et les cheveux de boue blanche. Impossible de deviner à quoi il ressemble. Mais son regard est sans équivoque. C'est dans ceux de Soulniz qu'il a planté ses yeux rieurs. Comme un message. Oui, c'est bien toi que je regarde et je sais que c'est ta fille.

Soulniz quitte aussitôt le bar pour rejoindre Beckie.

– Monsieur, vos cafés !

Le temps qu'il se retourne pour dire qu'il n'en veut plus, l'homme là-bas a disparu. Il ne voit plus que Beckie, plâtrée de blanc des épaules jusqu'au front, et qui lui adresse de grands signes impatients pour réclamer son café. Il retourne au bar en s'excusant, saisit un gobelet dans chaque main et fait demi-tour pour rejoindre Beckie quand il aperçoit l'homme à nouveau. À vingt mètres de lui, il se dirige vers la cascade d'eau chaude sous laquelle on se lave de la silice. Mais quand il se force à fendre l'eau pour le suivre, les trois mêmes Chinois repassent devant lui de côté, mauvaise copie de fresque égyptienne *made in China*, le visage figé cette fois par une pâte verte aux algues. Le temps qu'il les contourne, l'homme a encore disparu. Soulniz le cherche longtemps, puis se résigne à retourner près de Beckie.

– Quoi encore ? aboie-t-elle en remarquant son air soucieux.

– C'était qui, ce type ?

– Celui qui m'a aidée à me badigeonner ? Un Français…

– Il t'a abordée ?

– C'est plutôt moi. Je me suis mis de la silice dans l'œil et je me suis cognée contre lui, alors je l'ai traité de saleconnard-tupeuxpasfaireattention. Pourquoi tu demandes ?

– Une impression bizarre. J'ai cru que c'était moi qu'il regardait en fait.

– Quoi, tu l'as pris pour un gay ? Ce n'est vraiment pas l'impression qu'il m'a donnée quand il me massait les épaules.

– Non je pensais juste au message sur le pare-brise, ce matin, sur le parking d'Iceland Cars. Ça me turlupine, cette histoire. Ce mot n'est pas arrivé sur notre voiture par hasard.

Il ne laisse pas à Beckie le temps de réagir. Il lui tend les deux cafés et s'éloigne vers la sortie du bassin en forçant des reins et des cuisses pour mieux fendre l'eau.

– Si c'est lui, je vais lui dire deux mots pour savoir ce qu'il nous veut.

– Hé, ton café !

Soulniz ne répond pas et s'éloigne.

– Moi, j'en veux bien s'il n'en veut pas.

Beckie lève les yeux. Le garçon du Blue Lagoon est accroupi juste au-dessus d'elle, sur le rebord du bassin, et lui sourit en tendant la main. Beckie lui donne le café de Soulniz et s'accoude au rebord du bassin.

– Cool ton tatouage, dit-elle, c'est un bateau dans un livre ?

Il pose par réflexe une main sur son cou et s'assied en tailleur au bord de l'eau.

– Ouais, c'est ça.

– Tu viens dans l'eau ?

– J'ai fini mon service, mais je n'ai pas le droit de profiter du bassin.

– Quoi, tu serais du genre à respecter les règlements, toi ? Ou alors tu ne t'es pas assez lavé là où je pense ?

Il hésite, regarde autour de lui, puis se décide.

– Tu as raison. Passe sous le pont japonais, du côté de la cascade, je te rejoins dans la petite grotte à gauche.

– Une petite grotte et un pont japonais avec une cascade, putain, t'es grave romantique, toi !

Il se relève sans répondre et la regarde marcher dans l'eau jusque sous le pont, mais quand elle se retourne, il n'est plus là. Pourtant, une heure plus tard, Soulniz la retrouve à l'extérieur des vestiaires de bien meilleure humeur. Lui est préoccupé de ne pas avoir retrouvé le Français, mais le sourire de Beckie lui fait retrouver le sien. Pour peu de temps. Dès qu'ils débouchent sur le parking, il devine aussitôt le papier glissé sous l'essuie-glace du Toyota. *Bon séjour en Islande.* Imprimé comme le premier. Il dévisage longuement chaque personne sur le parking, puis inspecte chaque voiture, pour deviner à l'intérieur une silhouette qui les espionnerait.

– Laisse tomber, dit Beckie, un connard qui s'amuse, c'est tout.

– Et qui nous suit depuis ce matin ?

– C'est pour ça que c'est un connard, parce qu'il n'a rien d'autre à faire.

– Eh bien, si je lui mets la main dessus, je lui fais passer le goût du message, au télégraphiste.

– Waouh, mon daron qui monte au baston, j'aimerais trop voir ça !

Soulniz ne répond pas et déverrouille la Prado.

– Tu as raison, laissons tomber.

Ils quittent le Blue Lagoon un peu plus vite que la vitesse autorisée, et c'est Beckie qui réenclenche America dans le lecteur. Il espérait le rythme et les mots obsédants de « Sandman », mais le hasard choisit « Children ».

*Aw, come on children, get your heads back together*

– C'est bien, ça, apprécie Beckie sans qu'il sache si elle aime vraiment ou si elle se moque.

Il pense aussitôt au premier titre de l'autre face, sur le vinyle original :

*I need you, like the flower needs the rain*
*You know I need you, guess I'll start it all again*
*You know I need you like the winter needs the spring*
*You know I need you, I need you*

Un éclat brille au coin de son œil.

– J'y crois pas, tu chiales ?

– Bien sûr que non, c'est cette lumière, ce ciel tout blanc, là. Ou alors j'ai pris de la silice dans l'œil tout à l'heure. Bien sûr que je ne pleure pas. Je ne pleure jamais.

– Eh bien, tu devrais, ça ne lave pas que les yeux, ça décrasse aussi le cœur de temps en temps.

Soulniz ne répond pas, et ils quittent le Blue Lagoon par le sud, en direction de Grindavík. Après un long moment de silence, il se retourne vers Beckie, un curieux sourire aux lèvres.

– Un petit tour en Enfer, ça te va ?

# 5

# En face de Vestmannaeyjar

*... tué leur amour aussi.*

– C'est lui, tu en es sûr ?

– C'est lui, je te dis. Le même qui prétendait l'aimer et qui s'est tiré dès qu'elle est morte, il y a quarante ans…

– Quarante ans déjà ! Comment tu l'as retrouvé ?

– Par hasard sur le Net. Imagine-toi que ce salaud a osé réserver une chambre à Heimaey.

– Quoi, il va revenir à Heimaey, là où il l'a tuée ?

– Oui, et attends, il va commencer par un tour de l'île principale en plus. Le même tour que nous à l'époque, tu te rends compte ? Exactement le même.

– On peut pas le laisser revenir comme ça, aller jusqu'à la falaise, faire comme s'il ne s'était rien passé, souiller son souvenir…

– Non, on peut pas.

– On fait quoi alors ?

– La venger, voilà ce que nous allons faire, la venger !

– Tu as raison, ça serait lui rendre justice. Quarante ans que je vis ici à prendre soin de son âme, avec toi. Les seuls à lui être restés fidèles.

– Tu as raison de le rappeler. Jamais j'aurais cru pouvoir la venger un jour, et encore moins que ce serait lui qui nous en donnerait l'occasion en revenant ici.

– C'est un signe, c'est sûr. S'il revient, c'est que les dieux veulent qu'il meure. Qu'il expie son crime. Et l'autre ?

– L'autre, je l'ai retrouvé aussi. Cette espèce de prétentieux d'Amerloque, cet arrogant fils à papa, je sais où il vit et je vais m'occuper de lui bientôt.

– Tu as besoin d'aide ?

– Pour lui, non, mais pour l'autre, oui, je vais avoir besoin de toi.

– Tu sais que tu peux compter sur moi. S'il le faut, je peux être ton intercesseur auprès des puissances divines. J'appellerai les suiveuses protectrices à notre aide, les fantômes, et tous les esprits de cette île aux vieilles âmes pour faire payer ces merdes sur pattes. Je comprends maintenant pourquoi une voix me poussait tout ce temps à me charger des forces telluriques, à accumuler en moi les énergies sismiques. Rassure-toi, j'ai emmagasiné dernièrement plus de forces que tu ne peux imaginer.

– Quoi, tu as encore eu recours à la magie ? Ne me dis pas que tu portes un…

– Ne prononce jamais ce mot, cela annulerait tous les effets de la magie. Mais oui, j'en porte un maintenant, mais pour la puissance seulement, pas pour la fortune, et je mets cette puissance au service de notre vengeance. Comment tu comptes faire ?

– Il pense que tout est oublié. Qu'on s'est tous dispersés à travers le monde, chacun dans notre petite vie, ou qu'on a fermé les yeux. Mais tous ceux qui ont les yeux fermés ne dorment pas, il va s'en apercevoir. Il va connaître la fureur de notre réveil. Il va souffrir comme nous avons souffert.

– Attends, si nous souffrons, c'est parce que nous ne sommes pas morts. Tu veux dire qu'il ne va pas mourir à son tour ? Tu ne vas pas t'en prendre directement à lui ?

– Si bien sûr, mais d'abord à celle qu'il aime.

– Il voyage avec sa femme ?

– Avec sa fille...

Quand ils se taisent, le fracas de l'océan leur rappelle qu'ils appartiennent à ce pays tout en forces où les violences contenues finissent toujours par exploser. Le premier pour y être né, le second pour l'avoir adopté avec toute sa fantasmagorie de trolls, d'elfes, de peuple caché, de légendes et de sorcellerie. Ils se voient d'habitude une fois par an, depuis quarante ans, le 13 août, en souvenir d'elle. Ils bivouaquent au milieu d'un désert de lave tapissé de lichens, en haut d'une falaise d'herbes échevelées, ou entre les séracs bleutés d'un glacier. Ils se saoulent au *brennivin* en pensant à elle et ils immortalisent cette triste fraternité par une belle photo. Mais pas cette année. Cette année ils se sont retrouvés plus tôt sur une plage de cendres noires face à l'archipel des Vestmannaeyjar, autour d'un feu qui ronfle sous le vent. Parce que bientôt ils seront à Heimaey. Et celui qui a jadis tué leur amour aussi.

# 6

## Gunnuhver

*... quand claque la première détonation.*

Dès qu'ils quittent la piste pour prendre la route 427 vers l'est, ils longent en surplomb l'océan qui lance ses vagues contre les falaises. Au premier nuage, au moindre courant, la mer s'irise de reflets nouveaux et change de couleur. Grise ou bleue, et soudain d'un vert profond frangé d'écume. Et des parois cachées, creusées par l'assaut des vagues et du vent, jaillissent des milliers d'oiseaux qui plongent, frôlent les flots agités, puis remontent en tourbillons survoler la route. Beckie ne peut détacher son regard de ce spectacle de matin du monde, émerveillée par tant de beauté sauvage et tranquille à la fois. Mais dix kilomètres plus loin, Soulniz vire brusquement sur la gauche, traverse la route en catastrophe et rejoint une piste défoncée qui remonte plein nord.

– Mais qu'est-ce que tu fous ? hurle-t-elle, furieuse.

– Je me souviens de cette piste, tu te rends compte ? Quarante ans après, je m'en souviens ! Elle va jusqu'à Krýsuvík et aux solfatares de Seltún en passant par les champs de lave, c'est sûrement bien plus spectaculaire que leur nouvelle route asphaltée.

Mais à peine a-t-il engagé le Toyota sur la piste qu'il aperçoit dans son rétroviseur une voiture qui quitte la route à son tour et plonge dans la piste pour les suivre. La 428 est taillée à la sauvage dans le paysage, juste creusée à même la roche pour traverser de vieilles coulées de lave, ou au contraire surélevée comme un remblai pour enjamber d'anciennes solfatares boursouflées de mousses gorgées d'eau. Elle ne permet ni de doubler, ni de croiser, au risque de râper les portières contre la pierre ponce ou de verser en bas d'un talus spongieux. Soulniz roule vite, ses yeux courant du pare-brise au rétroviseur.

– Qu'est-ce que tu surveilles ? s'inquiète Beckie.

– Rien. Une voiture derrière nous.

– Et alors ?

– Alors, elle roule vite et nous rattrape.

– Ce n'est pas une raison pour nous foutre en l'air. De quoi tu as peur ?

– Je n'ai pas peur, je pense juste à ce fêlé qui nous laisse des mots sur le pare-brise.

– Tu penses que c'est lui ?

– Je n'en sais rien. Pourquoi pas ?

La voiture gagne sur eux. Le chauffeur connaît la piste et se débrouille bien mieux que Soulniz. Ils ne sont plus qu'à quelques mètres l'un de l'autre maintenant et plus personne ne parle dans le Toyota. Soudain, Soulniz aperçoit un dégagement sur la gauche, aménagé pour faciliter les dépassements. Il y jette le Toyota et pile pour s'arrêter. L'autre voiture jaillit aussitôt de la bourrasque de poussière soulevée par le Prado et les dépasse sans s'arrêter. Un coupé Volvo blanc, le bas des portières en damier jaune et noir, et le mot *Lögreglan* en bleu et rouge. Par sa vitre ouverte, le chauffeur remercie Soulniz d'un geste amical.

– Des flics ! lâche Soulniz, soulagé.

Deux longues perches métalliques terminées par des harpons dépassent de la vitre arrière.

– Qu'est-ce qu'ils trimballent ? s'étonne Beckie.

– On dirait des gaffes à requins.

– Y a des requins par ici ?

– Oui, mais si on t'en propose comme amuse-gueule, décline poliment.

– Pourquoi ?

– Parce que le requin en question...

– Attention ! coupe Beckie en lui frappant l'épaule.

La voiture de patrouille revient vers eux, marche arrière en trombe, et s'arrête à leur hauteur. Le flic au volant fait signe à Beckie de descendre sa vitre.

– Un bonbon ? propose l'officier blond aux cheveux longs.

Il tend à Beckie un sachet de sucreries chimiques aux couleurs acidulées. Elle y pioche, étonnée, une fraise Tagada. Soulniz décline l'offre d'un geste poli.

– Je prends sa part, dit Beckie en piquant une frite verte.

– Vous allez où ? demande le policier.

– Seltún, puis le lac de Kleifarvatn si nous avons le temps.

– Oui, on s'en est un peu doutés en vous voyant sur cette vieille piste, mais ça ne va pas être possible, répond l'autre avec une moue désolée.

– Pourquoi ?

– On a trouvé un corps dans un cratère de silice, explique le policier, tout le site est fermé par la police scientifique.

– Un accident ?

– On n'en sait rien encore.

– Pas de chance, lâche Soulniz, je voulais montrer les solfa-tares à ma fille.

– Vous êtes logés où ?

– Pour ce soir un peu à l'ouest de Grindavík.

– Alors, allez voir celles de Gunnuhver, c'est juste à côté de Grindavík, elles sont tout aussi spectaculaires que celles de Seltún et en plus vous pourrez faire un saut en Amérique.

– Comment ça ? s'étonne Beckie.

– Le pont des Continents, vous ne connaissez pas ?

– C'est une bonne idée, reconnaît Soulniz, merci pour le conseil.

– O.K., il faut qu'on y aille maintenant.

– Hé, attendez ! Je peux en avoir quelques-uns pour la route ? demande Beckie.

Le chauffeur pique le sachet de son collègue et le lui tend par la vitre.

– Prenez ceux-là, ce sont des *salmiak*, des vrais *nupur* de chez nous.

Puis les flics démarrent et Soulniz effectue un demi-tour prudent pour repartir vers la côte.

– C'est cool, des flics accros aux bonbecs !

– Tout le monde y est accro ici. Tu sais ce qu'on dit ? La seule chose que les mutuelles ne remboursent pas en Islande, ce sont les frais dentaires.

– C'est vrai ?

– Je n'en sais rien, c'est ce qu'on dit.

– Drôles de mecs. Qu'est-ce que tu crois qu'ils faisaient avec des gaffes à requins au beau milieu de la lande ?

– Ils te l'ont dit, ils vont repêcher un cadavre dans une solfatare.

Quelques minutes passent en silence, pendant lesquelles Beckie imagine un jeu de pêche aux macchabées à grands coups de harpon à requins…

– Qu'est-ce que tu disais à propos de leurs requins tout à l'heure ?

– Ces requins-là n'ont pas de système urinaire et leur pisse se diffuse dans leurs muscles. Quand ils les pêchent, ils doivent les enterrer six mois dans la terre pour que l'urine suinte hors du corps par capillarité. Et ensuite, ils doivent encore les fumer pendant six mois pour finir de les préparer.

– Et alors ?

— Alors, tu croques dedans et, en général, la première fois, tu vomis ta bile.

— Dégueulasse ! grimace Beckie.

— Pourtant, c'est une gourmandise pour eux.

— Non, pas ton requin, leurs bonbons à la con !

— Ah ça ! J'ai oublié de te prévenir pour ça aussi. Sous la croûte en sucre, c'est de la réglisse fourrée à l'eau salée.

— Saloperie, siffle-t-elle en crachant par la fenêtre, il faut être déglingué du bulbe pour fourrer des bonbons à l'eau de mer !

Ils roulent assez vite pour devancer le panache de poussière qu'ils soulèvent. Soulniz a baissé sa vitre et conduit le coude à la portière. Il regarde Beckie en souriant.

— Ce n'est pas de l'eau de mer, c'est beaucoup plus subtil que ça. C'est carrément du chlorure d'ammonium qu'ils ajoutent dans leur gourmandise préférée. Ils adorent ça !

— Tu ne pouvais pas me prévenir ? jure-t-elle en vidant le sachet de bonbons par la vitre ouverte.

— La découverte d'un pays se fait par les cinq sens, se moque-t-il. Attends de goûter à la demi-tête de mouton bouillie ou au *blodmör*, de bons abats cuits dans le sang.

Quelques kilomètres avant Grindavík, Soulniz repère le parking du pont des Continents sous un ciel bleu soudain lavé de tout nuage. Il gare le Toyota à l'opposé de la seule autre voiture. Une Mercedes coupé CLS. Quand ils descendent de leur 4×4, un couple revient du pont. Des Russes. Lui massif et débraillé dans un Adidas blanc de hooligan friqué, et elle, de trente ans sa cadette, habillée et maquillée comme une call-girl de banlieue de Vladivostok.

— N'y allez pas, ce putain de truc est une arnaque ! Merde, ça un pont ? Même pas une passerelle, et leur bordel de faille, c'est à peine un fossé. Chez nous, ça borde toutes les routes dans la taïga. La peau de mes couilles qu'ils l'ont creusé eux-mêmes. Une arnaque, je vous dis.

Il monte, furieux, dans sa Mercedes et laisse la fille se tordre les chevilles à la contourner en marchant vite sur ses hauts talons avant qu'il ne démarre en criblant l'horizon de graviers en rafales. Et la Mercedes disparaît en tortillant du train arrière.

Le Russe avait peut-être raison. Le pont n'est qu'une passerelle métallique jetée par-dessus un fossé large de dix mètres à peine. Soulniz avait noté ce lieu à voir, mais n'a aucun souvenir d'être passé par là quarante ans plus tôt. Une attraction inventée depuis, probablement. Pourtant Beckie s'arrête au milieu pour lire les panneaux explicatifs.

— C'est vrai ce qu'ils disent ?

— Je suppose, répond Soulniz. De ce côté-là, nous sommes sur la plaque tectonique qui supporte le continent européen et de l'autre, nous serons sur la plaque américaine.

— Et les plaques bougent vraiment ?

— Quelques centimètres par an, semble-t-il. Deux en ce moment, je crois, un peu plus dans le temps. Elles s'écartent en fait.

— Ça ne tient pas debout, réfléchit Beckie. Si les plaques existent depuis des millions d'années, la faille devrait être large de plusieurs dizaines de kilomètres !

Soulniz ne sait pas quoi dire. Les scientifiques qui ont décidé de poser le pont à cet endroit ont sûrement la réponse, mais pas lui. Alors ils traversent, essayant de s'amuser d'être l'un en Europe et l'autre en Amérique. Puis ils descendent dans le fossé, sans parvenir à se faire peur à imaginer sous leurs pieds la faille profonde qui fissure la Terre et l'océan jusqu'au magma en fusion.

— Quand les plaques se rapprochent et se superposent, explique Soulniz, histoire de parler, ça engendre surtout des tremblements de terre. Quand elles s'écartent, ça permet des remontées de magma qui provoquent des éruptions.

Beckie reste longtemps silencieuse sans réussir à se convaincre que ce lieu est exceptionnel. Puis l'image lui vient de l'irrésistible écartement des continents. De ces mondes qui se divisent. De cette faille profonde jusqu'au cœur de tout.

Un nuage solitaire glisse soudain son ombre sur la lande noire. Il débusque devant lui un vent affûté qui souffle la poussière de cendre. Ils s'accoudent à la balustrade de la passerelle pour tourner le dos à la bourrasque.

— Tu crois que la dérive des continents est irréversible ? demande Soulniz en cherchant à imaginer l'improbable faille sous eux.

Beckie hausse les épaules sans répondre.

— Tu crois qu'il a suffi d'une simple fissure, à des milliers de kilomètres sous terre, pour finalement séparer des continents ?

Beckie ne répond toujours pas.

— Tu crois que nous sommes comme ça, nous aussi ?

— Comme quoi ?

— Comme ces continents qui s'éloignent l'un de l'autre. Nous ne nous parlons plus vraiment depuis la mort de ta mère. Je ne sais rien de toi et tu ne cherches pas à savoir quoi que ce soit de moi. Je me demande souvent quelle infime fêlure a provoqué entre nous cette faille qui nous sépare aujourd'hui. Et quand j'y pense, je suis terrifié à l'idée qu'un jour quelque chose de plus violent puisse faire irruption entre nous...

Le vent a chassé le nuage à l'intérieur des terres et s'en est allé avec lui. C'est maintenant une masse sombre qui s'est piégée au loin dans les collines. Le soleil se glisse en dessous et embrase la lande. Sa lumière rase roussit la mousse et les lichens. Beckie sort la première de leur courte rêverie.

— Arrête ton baratin ! murmure-t-elle en regagnant la voiture.

Il la regarde s'éloigner. Est-ce une poussière de cendre ou une larme qui a mouillé son œil ? Dans la voiture, elle visse ses écouteurs sur ses oreilles pour ne pas entendre la réponse à ce qu'elle va dire.

– Je suis venue, c'est déjà ça, non ?

Soulniz ne répond pas. Il sourit et redémarre, et quelques minutes plus tard, dans le contre-jour du couchant qui s'annonce, ils devinent l'incendie flamboyant des fumerolles géantes de Gunnuhver. Le soleil les allume comme des torches orange dans un ciel déjà mauve et Beckie reçoit comme un coup la brutalité de ce paysage irréel. Tourmenté. Primaire. Aussi bien la naissance d'un monde que son agonie.

Encore une fois, ils sont presque seuls sur le site. Quatre jeunes Japonaises en ciré jaune reviennent vers le parking par les caillebotis qui courent entre les solfatares et les marmites de boue. On parle souvent de l'Islande comme d'un paysage lunaire et c'est vrai pour ses déserts de cendre où les astronautes des missions Apollo sont venus s'endurcir à la solitude et à la désolation. Mais à Gunnuhver, c'est Mars plus que la Lune. Un chaos martien d'apocalypse.

Les Japonaises reviennent et s'arrêtent au pied de la plus puissante des fumerolles pour immortaliser d'un dernier selfie leur grand tour d'Islande en deux jours.

Quand Beckie ouvre la portière, le hurlement continu du souffle et l'odeur de soufre bousculent aussitôt tous ses repères. Elle sent jusque dans son corps le grondement de la vapeur sous terre qui siffle soudain comme une turbine en fusant à l'air libre. Son râle rauque résonne jusque dans le sol.

– C'est le cri de Gunna, dit Soulniz en forçant la voix, une sorcière dont le fantôme hantait la lande et qu'un prêtre a réussi à jeter dans la solfatare il y a quatre cents ans. Depuis, elle hurle sa fureur d'y être prisonnière.

C'est bien plus qu'un cri. C'est une rage folle et continue. La vapeur fuse à plus de cent degrés et plusieurs centaines de kilomètres à l'heure. D'un simple trou dans le sol. Sans jamais reprendre son souffle. Depuis des siècles. Des millénaires peut-être. Et l'idée de cette force jaillie des entrailles de la Terre et que le temps ne parvient pas à épuiser réveille en Beckie l'image de sa propre colère. De son intarissable rage à elle aussi. Alors, tout le paysage autour d'elle prend un sens. Cette terre fumante, ocre et jaune, marbrée de coulées rouges, où dansent dans l'incendie du couchant des centaines de fumerolles blanches qu'un vent tire toutes en oblique dans le même sens, puis relâche soudain pour les laisser danser et virevolter, ivres et hystériques, comme des âmes damnées. Perdues. Abandonnées. Ces cloaques de boues puantes où des eaux épaisses et acides dissolvent pierres et roches en une soupe nauséabonde où viennent, du plus profond de la Terre, mourir de lourdes bulles de gaz. Ces vapeurs brûlantes, jaillissant de la moindre fissure pour dégorger contre le ciel ce que le magma pourrit dans le ventre de la Terre. Tout ça, c'est l'horreur de l'Enfer à n'en pas douter, et sa beauté mortelle à la fois. Étourdie par le hurlement de Gunna, Beckie contemple en silence ce paysage sulfureux et satanique. Beauté du diable. Ou laideur divine.

Ils admirent les solfatares de Gunnuhver. En silence. L'un à côté de l'autre. Et Soulniz regrette encore une fois de ne pas trouver le courage de poser un bras sur les épaules de sa grande fille pour l'attirer contre lui. Pour lui dire combien il l'aime. Combien il l'a toujours aimée et qu'elle lui a si souvent manqué. Comme sa mère. Sa femme. Alors, il retourne vers la voiture sans rien dire et elle le suit, presque à reculons, sans pouvoir détacher son regard de l'ire cosmique de Gunna dans le soir.

— Viens, dit-il d'une voix émue, j'ai encore quelque chose à te montrer.

– Quelque chose d'aussi puissant ?

– Oui, dit-il, mais son exact contraire aussi.

Ils reprennent la route de Grindavík et récupèrent la 425 pour sortir du bourg vers l'ouest. Quelques kilomètres plus loin, Soulniz reconnaît le panneau en bois et s'engage sur un chemin caillouteux jusqu'au bord d'une falaise. Ils s'arrêtent au milieu des herbes folles, et dès qu'ils descendent de la voiture se cognent au fracas de l'océan invisible.

– Suis-moi et sois prudente.

Des nuages noirs courent depuis l'horizon et étouffent le crépuscule. Il guide d'abord Beckie par une sente qui serpente à travers les mousses molles. La mer est là, en dessous, encore invisible, mais qu'elle devine agitée, mouvante et sombre, et soudain explosée d'écume quand ses vagues se fracassent contre la roche qu'elles sapent depuis des milliers d'années. Soulniz tend la main à Beckie qui hésite, puis la prend quand elle devine qu'ils vont s'engager dans un escalier naturel qui descend, taillé à même la roche à flanc de falaise. Cette fois, ils surplombent vraiment la mer furieuse sous eux et la peur lui crispe le ventre.

– On y est presque, la rassure-t-il, dix mètres à peine…

Elle se cramponne à sa poigne et soudain, au détour d'une roche, ils débouchent sur une terrasse de quelques mètres à peine, suspendue au-dessus du vide et creusée d'un long bassin ovale. Le temps qu'elle s'en étonne, Soulniz s'est déshabillé en souriant et se glisse en caleçon dans le trou d'eau.

– Même pas en rêve ! lâche Beckie, le dos plaqué à la falaise.

– Viens, elle n'est pas si froide…

Elle hésite, refuse, secoue la tête pour se convaincre qu'il est dingue de chez dingue et elle aussi, puisqu'elle se déshabille à son tour et se glisse en sous-vêtements dans le trou d'eau. Pour elle, l'eau est glacée et elle suffoque, mais passé la tétanie, elle comprend pourquoi Soulniz a insisté. Ils sont là, dans le soir d'Islande, suspendus dans un bassin naturel creusé au flanc d'une falaise noire qui surplombe le fracas des vagues. Tout l'océan roule des épaules et fait le mariolle sous eux et de temps en temps une houle plus forte explose ses embruns plus haut que la falaise. La vague dispersée au-dessus d'eux bruine une pluie d'écumes légères qui pétille sur leurs épaules et disparaît.

– Qui a creusé ce truc de ouf ! murmure Beckie, sidérée.

– La mer, répond Soulniz, et la pluie aussi. Pendant des siècles, peut-être même bien des millénaires. L'eau des tempêtes a usé la roche en ruisselant dessus pour retourner à la mer. L'homme n'y est pour rien. Ce n'est que le hasard d'un accident de la nature.

La sensation est irréelle, face à l'horizon, haut au-dessus de la mer, dos à la falaise.

– Dans les houles de grande tempête, les vagues peuvent monter jusqu'ici et submerger le bassin, emportant les imprudents qui s'y baignent. Ça a failli m'arriver la première fois que j'y suis venu.

Beckie, éberluée par la magie des lieux, ne répond pas. Son père a raison. C'est l'exact contraire de Gunnuhver, l'autre face de la même fureur. L'eau contre le feu. Le continent mouvant de l'océan glacé contre la force brûlante de la Terre qui coule. Le même Enfer qui vomit ses laves conquérantes qu'aussitôt érodent ses tempêtes obstinées. Ils restent quelques minutes suspendus dans le temps et l'espace, à se pénétrer de toute l'éternité de cette violence. Sous eux la colère millénaire de l'océan, et derrière eux la rage éternelle des entrailles de la Terre.

– Quand nous serons aux Vestmannaeyjar, nous irons jusqu'à une autre falaise. Il y avait une corniche aussi mais bien plus étroite que celle-ci. Des oiseaux y nichaient et une fille trouvait jolies les plumes qui tapissaient les nids. Alors j'y suis descendu, même s'il n'y avait pas d'escalier. C'était à deux mètres à peine du rebord de la falaise, à dix mètres au-dessus des vagues. Je me suis laissé glisser, j'ai ramassé quelques plumes et je les ai tendues à la fille. Puis j'ai essayé de remonter. Les pierres luisaient d'embruns. La paroi n'offrait aucune véritable prise. J'ai succombé à la peur. La fille a perdu patience et elle est partie. J'espérais que c'était pour aller chercher une corde, ou du secours, mais elle n'est pas revenue. Alors, après plus d'une heure, je me suis décidé et, par miracle, j'y suis parvenu, tremblant de peur...

— Pourquoi tu me racontes ça ?

— Parce que ce jour-là, j'ai failli mourir pour quelques plumes.

— Et cette salope, qu'est-ce qu'elle est devenue ?

— Elle est morte. Elle est tombée de la même falaise quelques jours plus tard.

— Ne me dis pas que c'est toi...

— Non, bien sûr que non.

— Alors, bien fait pour sa gueule !

— Ne dis pas ça. Je t'interdis de dire ça !

Puis le silence s'installe. Longtemps. Beckie cherche à imaginer son père en jeune routard boutonneux qui manque de se tuer comme un idiot pour une fille qui l'abandonne sur une corniche au-dessus de l'océan. Et Soulniz se demande ce qui lui a pris de parler à Beckie d'Abbie qu'il n'a jamais oubliée.

— Qu'est-ce qu'on fait là ? demande-t-elle soudain.

Il est trop tard pour un simple détour touristique, et le point de vue doit être bien plus spectaculaire de jour. Il aurait pu attendre. Soulniz ne répond pas tout de suite et elle devine de l'émotion dans son silence. En fait, elle connaît déjà la réponse. En partie.

— Nous profitons d'un moment inspiré, suspendus à une falaise de basalte noir, en surplomb de l'océan houleux, à contempler la beauté sauvage du monde, murmure Soulniz.

– Tu sais très bien ce que je veux dire : qu'est-ce qu'on fait ici, en Islande ?

– Nous sommes venus pour parler, Rebecca, je te l'ai dit. Nous dérivons loin l'un de l'autre depuis trop longtemps. J'ai le sentiment d'une colère contre moi, d'une haine même parfois, et j'ai besoin de savoir.

Troublée de l'entendre l'appeler par son vrai prénom, Beckie ne veut pourtant rien céder à l'émotion du moment. Elle se plonge dans la contemplation de l'horizon qui se plombe maintenant d'un crépuscule tourmenté.

– Et on avait besoin de venir jusqu'ici pour ça ?

– Oui, je crois. Je veux te montrer quelque chose que tu ne connais pas et que j'ai aimé. Je ne veux pas essayer de te convaincre en te parlant de moi. Je veux te montrer ce pays où j'ai tant aimé voyager à ton âge. Il te fera peut-être comprendre qui je suis vraiment. Nous serons aux Vestmannaeyjar pour tes dix-huit ans, c'est l'âge que j'avais quand j'y suis arrivé. D'ici là, j'espère que nous nous serons dit ce que nous avons sur le cœur et que tu auras décidé si nos chemins doivent se séparer ou pas.

– C'est un ultimatum ?

– Non. Oui. Peut-être. L'âge me rattrape, tu sais, et je veux profiter de ce qui me reste de temps. Il faut que je sache si c'est avec ou sans toi.

– Ouais, en attendant, ça sera sans maman, ça c'est sûr.

– Nous parlerons d'elle aussi si tu veux.

– Ah oui, tu crois vraiment qu'il y a des choses à dire ?

– Sûrement, puisque je sais que tu me hais aussi pour ça.

– Je ne te hais pas, je m'en fous, c'est tout. Je me fous de tout ça. Je sais juste que maman est morte, et moi avec.

– Je n'ai pas tué ta mère, Rebecca, même si tu penses qu'elle est morte à cause de moi.

– Et à cause de qui d'autre veux-tu qu'elle soit morte ? C'est toi qui vivais avec elle, c'est toi qui l'as délaissée, c'est toi qui n'as rien vu de son désespoir. La seule chose que tu n'aies pas faite, c'est de la découvrir morte. Ça, c'est sur moi que c'est tombé !

– Je sais tout ça, Rebecca, et je vis avec tous les jours, mais comme tous les enfants, tu ne sais rien de nous. Nous n'avons pas perdu la même personne, Beckie. Tu as perdu ta maman, seulement ta maman, et moi j'ai perdu une femme, c'est-à-dire mon épouse, mon amante, la mère de ma fille, la personne avec qui je voulais vivre ma vie et qui voulait aussi vivre la sienne. Et puis nos métiers nous ont éloignés l'un de l'autre aussi. Elle musicienne, moi journaliste…

– Journaliste ! Localier dans un journal du Havre, tu appelles ça journaliste ? Rubrique des chiens écrasés !

– Tu exagères, Rebecca. J'étais chroniqueur judiciaire.

– Tu parles, tout le temps fourré avec les flics et les voyous pendant que maman s'étiolait à la maison ou dans des hôtels de province pour ses concerts !

– Alors, si tu savais qu'elle s'étiolait, comme tu dis, pourquoi ne m'en as-tu jamais averti !

Le ton est plus sec et plus accusateur qu'il ne l'aurait voulu et il le regrette aussitôt.

– C'est ça, mets-moi la mort de maman sur le dos aussi. Après tout, même si je n'étais qu'une enfant à l'époque, il faut bien que quelqu'un soit responsable, puisque toi tu ne l'es jamais.

– Ce n'est pas ce que j'ai voulu dire. C'est beaucoup plus compliqué que tu crois. Et je sais très bien qu'elle était tout ça à la fois, en plus d'être ta maman, et peut-être même bien celle qu'elle aurait voulu être encore. C'est en partie pour ça que j'ai voulu ce voyage, pour que nous puissions en parler. J'espère que nous y parviendrons…

Puis le froid les saisit et ils reviennent à eux dans le même frisson.

– Je te l'ai dit, je suis venue, c'est déjà ça, non ?

– Oui, sourit Soulniz, c'est déjà ça.

– Bon, on se les gèle. Moi, je me tire !

Ils sortent de l'eau et le vent les flagelle aussitôt. Ils se tournent le dos avec pudeur pour enlever leurs sous-vêtements mouillés et se rhabiller.

Un quart d'heure plus tard, ils aperçoivent dans la nuit les silhouettes de cinq chalets disséminés sur la lande entre la mer et la route, sur la gauche.

– C'est là, dit Soulniz, le type a dit que la clé serait dans la trappe de commande du *hot pot*.

– Il y a un jacuzzi ?

– En Islande, il y a toujours un bassin d'eau chaude quelque part, répond Soulniz.

Les chalets sont espacés d'une centaine de mètres. Les deux premiers sont éteints. Le troisième est éclairé de l'intérieur, même si Soulniz n'aperçoit aucune voiture à proximité.

Quand il se gare sur le côté du quatrième chalet, il devine une silhouette qui les observe depuis la fenêtre éclairée du numéro 3. À la jumelle, apparemment. Il descend du Toyota et la fenêtre s'éteint aussitôt. Il reste quand même debout à fixer l'autre chalet dans la nuit, histoire de faire comprendre au voisin qu'il n'apprécie pas sa curiosité, et Beckie en profite pour courir se glisser nue dans l'eau à quarante degrés du bain chaud extérieur. Ses vêtements jonchent le bois marin de la terrasse et Soulniz se résigne à les ramasser un par un pendant qu'il rentre leurs valises dans le chalet.

– Je suis à poil dans le jacuzzi, crie Beckie quand les lumières éclairent la terrasse par les fenêtres sans volets.

– Ce n'est pas un jacuzzi, répond Soulniz de l'intérieur, il n'y a pas de bulles.

– J'en ferai si ça me manque.

– Très élégant !

C'est un chalet en bois, bien entretenu et tout équipé. Deux chambres et un canapé-lit dans le salon. Il pose la valise de Beckie dans une des chambres et la sienne dans le salon. Il n'aime pas dormir dans des espaces confinés. Il a toujours cette mauvaise impression que ça comprime son sommeil et étouffe ses rêves. Puis il ressort.

– Beckie, je vais faire un tour jusqu'à la mer.

– En pleine nuit ?

– Je n'ai pas peur des trolls. À mon retour, le *hot pot* est pour moi.

La mer est à cent mètres à peine au bout d'une lande obscure. On devine le rivage aux écumes phosphorescentes que les vagues éclaboussent par-dessus les rochers poreux. Mais Soulniz ne marche pas vers l'océan. Il contourne le chalet d'où on les épiait et s'étonne à nouveau de ne voir aucune voiture. Ce n'est pas le genre d'endroit où l'on vient s'isoler sans moyen de transport. À moins que le locataire n'attende le retour de quelqu'un. Il fait le tour, certain qu'on l'observe dans la pénombre depuis l'intérieur. Alors, il va jusqu'à la porte et frappe. Plusieurs fois. Sans réponse. Sûr que quelqu'un se tait derrière la porte.

– Si c'est vous le type qui colle des petits papiers sur mon pare-brise, laissez tomber vos blagues de collégien, compris ?

Il répète la phrase en anglais puis abandonne, convaincu que le voyeur aura compris le message, et va admirer l'assaut obstiné et vengeur de la mer contre ces terres insolentes qui tentent de gagner sur elle. Et c'est dans le vacarme scandé par le fracas des vagues qu'il devine, loin dans le vent qui la porte, la fureur rageuse et continue de Gunna et de son souffle hurlant. Il reste longtemps à admirer cet éternel chaos qui leur survivra, à lui, à Beckie et à toute l'humanité, avant de revenir vers leur chalet, un peu ivre de l'iode des embruns. La lumière est allumée dans la chambre de Beckie. Sur la terrasse, derrière les palissades qui le cachent aux regards, le *hot pot* est vide. Sur un petit tabouret en bois, Beckie a posé un peignoir blanc et Soulniz sourit de cette attention. Alors il se déshabille et se glisse nu dans l'eau avec bonheur. Chauffée à même les entrailles de la Terre, elle pique d'abord sa peau, puis la pénètre et dénoue un par un ses muscles de la fatigue du jour. La tête dans la fraîcheur acidulée du soir, le corps engourdi par la chaleur soufrée de l'eau et le cœur enflé par la plainte continue de Gunna depuis le fond du monde, Soulniz s'abandonne au plaisir d'être là où il voulait revenir depuis longtemps. De retour en Islande. Ce matin, ils étaient encore à Paris, et déjà ils ont vu les champs de lave, le Blue Lagoon, le pont des Continents et la colère légendaire de Gunna au milieu des solfatares. Il a mérité ce repos qu'il savoure. Il cale sa nuque sur le rebord du bassin et regarde dans le ciel la Lune jouer avec les nuages qui courent au-dessus de lui.

Quand il se réveille, une heure plus tard, tout est éteint et la porte est grande ouverte. Il sort de l'eau, passe le peignoir, et entre dans le chalet. Il pense que Beckie s'est endormie, mais elle n'est pas dans sa chambre. Il fait le tour du chalet en l'appelant à voix basse. Sans réponse. Puis la Lune perce un nuage et sa fille est là, au beau milieu de la lande, marchant d'un pas militaire vers le chalet numéro 3.

– Beckie !

Le vent emporte sa voix et elle ne l'entend pas.

– Beckie !

Le souffle de Gunna et le roulement des vagues étouffent son cri.

Les écouteurs sur les oreilles, la tête battant la mesure de sa musique, Beckie va dire deux mots à ce voyeur de ses deux. De retour dans sa chambre, nue et mouillée au sortir du bain, elle est certaine de l'avoir deviné dans l'ombre qui la matait de loin, derrière sa fenêtre. Elle a aussitôt éteint, et maintenant elle va s'expliquer et ça va être sans sommations. Il va ouvrir et elle les lui explosera d'un coup de genou. Elle va les lui écraser par surprise et repartir sans rien dire.

Mais c'est elle qui sursaute de frayeur lorsqu'une main s'abat sur son épaule. Dans son mouvement de panique pour faire face à son agresseur, elle s'emmêle dans les fils de ses écouteurs.

– Non mais t'es con ou quoi ! hurle-t-elle en découvrant Soul-niz dans son peignoir, comme un fantôme dans la nuit.

– Beckie, pourquoi tout est éteint là-bas et qu'est-ce que tu fais ici ?

Elle va pour lui répondre quand claque la première détonation.

# 7

# Grindavík

*... un autre éclair incendie l'horizon.*

D'habitude Simonis se montre plus discret. Il reçoit dans son cabinet sans prétention d'avocat véreux, au deuxième étage d'un immeuble au coin de Snorrabraut, juste en face du musée du Pénis. The Icelandic Phallological Museum, comme il aime à préciser à ses clients. Deux cent quatre-vingt-sept pénis de quatre-vingt-treize espèces différentes, des baleines au rat en passant par les elfes et les trolls. La grande plaisanterie de Simonis, c'est de proposer à ses visiteurs de rédiger un contrat de donation de leur pénis en faveur du musée.

– Entre le mètre soixante-dix du braquemard d'une baleine bleue et les deux petits millimètres de la pine d'un hamster, il y a sûrement une belle place pour le vôtre, au cas où je serais dans l'obligation de vous le trancher, pour des retards d'échéances, par exemple.

Simonis est l'usurier lituanien mafieux à qui Kornélius doit tout l'agent qu'il a emprunté pour tempérer les ardeurs de sa banque. À dix pour cent d'intérêts. Par mois.

Mais cette fois Simonis ne l'a pas convoqué à Reykjavik. Il lui a demandé de faire le détour par le port de Grindavík pour le rencontrer plus discrètement. À l'entrée du quai, Kornélius salue d'un signe de tête le patron du seul bar éclairé, rade échoué dans ce port abandonné où se saoulent à la bière en silence trois des sept bikers de toute l'Islande. Au loin, les deux petites frappes qui servent de gardes du corps à Simonis attendent en fumant dans la pénombre des anciens hangars à poisson. Un peu à l'écart, Kornélius reconnaît le BMW X6 du Lituanien et se dirige vers lui. Assis à l'arrière, Simonis lui fait signe par la vitre ouverte de le rejoindre à l'intérieur. Quand Kornélius s'installe à côté de lui, il remonte la vitre.

– Quelquefois je me dis que tu es aussi con que ces deux monolobés, dit Simonis en désignant ses sbires de la tête.

– Quoi, eux aussi t'ont emprunté de l'argent ?

– Non, eux ne sont pas décérébrés à ce point-là quand même. Ils savent bien qu'essayer de s'en sortir en m'empruntant, c'est comme récupérer de la petite monnaie à mains nues dans le broyeur d'un évier. Tu es parti pour y laisser un bras, Kornélius.

– Alors pourquoi sommes-nous aussi cons, eux et moi ?

– Je ne sais pas, j'ai dit ça comme ça, pour te donner une échelle de ta bêtise.

– Merci, c'est gentil, mais nous avons aussi nos grilles d'éva-luation psychologique dans la police. Je sais à quoi m'en tenir. Pourquoi suis-je là ?

– Parce que ta stupidité t'a poussé à t'endetter avec la crise, alors que tu aurais pu en profiter pour t'enrichir.

– J'ai refusé ta proposition. Protéger les trafics de la pègre, fût-elle lituanienne, ne rentre pas dans les attributions d'un flic. Je ne suis pas un ripou.

– Non, mais tu pourrais le devenir à force de t'endetter.

– Je te rembourserai sans me compromettre.

– M'avoir emprunté, c'était déjà te compromettre, mais tu as raison, tu n'as pas l'âme d'un ripou. D'ailleurs, les flics corrom-pus à contrecœur, ce que tu deviendrais, ne sont jamais très fiables. La tentation du remords. Mauvais investissement. C'est pourquoi j'ai une autre proposition pour toi.

– C'est non.

– J'efface ta dette.

– … !?

– J'efface ta dette. Toute ta dette. Je rédige un protocole tout ce qu'il y a de légal pour confirmer que tu m'as tout remboursé.

– C'est très gentil de ta part, Simonis, je te remercie. Je passerai demain à ton cabinet pour signer les papiers, plaisante Kornélius qui fait mine de descendre de la voiture.

– Ne fais pas l'idiot, Kornélius, j'efface ta dette contre un service, bien entendu.

– Ah, ça me rassure, il s'agit donc bien de corruption. J'ai cru un instant que tu étais devenu bon et honnête.

– Je le serai un jour, Kornélius, je le serai, plus tard, quand ma fortune me le permettra. Je me retirerai à Nida, sur la presqu'île de Neringa en Lituanie, entre la mer Baltique et la lagune de Courlande, là où a vécu Thomas Mann. Tu connais Thomas Mann, Kornélius ? C'est lui qui a écrit « la passion, comme le crime, ne s'accommode pas de l'ordre normal, du bien-être monotone de la vie journalière ». Je terminerai ma vie honnête et bon à Neringa, à regarder les hérons gris et les cormorans voler au-dessus d'un paysage comme « nulle part au monde », aurait dit Sartre, l'auteur des *Mains sales*. Mais pour pouvoir m'offrir cette autre vie justement, mon bon Kornélius, je dois d'abord salir un peu les miennes. Et les tiennes.

– D'accord, Simonis, fais vite et explique-moi ce que je vais te refuser.

– Quelqu'un a prélevé deux kilos de cocaïne sur un chargement qui transitait au large de chez nous. Un petit malin qui ne s'est pas servi sur les dix kilos destinés à débarquer ici pour notre marché local, mais sur le reste de la marchandise à destination

du continent. Ne me demande pas comment les commanditaires
sont parvenus à la conclusion que ça s'est passé chez nous. Ils
en sont convaincus et ça leur suffit. Et à moi aussi.

– Est-ce que ça a quelque chose à voir avec le chalutier disparu en mer ?

– J'ai bien peur que oui. J'espère que ce rafiot et son équipage
sont en carafe quelque part en panne moteur, mais j'en doute.
Ceux qui dirigent ce trafic ne tolèrent aucun détournement. Ils
égorgent ton chien pour un sachet d'un gramme. Et pour cinq
grammes, toute ta famille. Question d'exemple.

– Donc, tu as deux kilos de coke sur l'île et tu ne sais pas où.

– Oui, et je veux que tu me les retrouves au plus vite. Tu me
ramènes la coke et j'annule ta dette.

– Et en admettant que j'accepte, comment je m'y prends
d'après toi ?

– C'est toi le flic, Kornélius, et c'est pour ça que je fais appel
à toi. Le transbordement se fait au large depuis un chalutier
canadien. Notre bateau l'emporte plus à l'est où un chalutier
anglais, ou français, ou norvégien récupère la marchandise, moins
la quantité destinée à notre marché qui est débarquée à Grindavík avec sa cargaison de poisson, comme à un retour de campagne
de pêche.

– Donc, si la cocaïne a été prélevée sur ce qui était destiné
au continent, seuls les marins qui ont participé au transbordement
peuvent être impliqués.

– Finalement tu es peut-être moins idiot que mes deux sbires.

– Mais si tes commanditaires ont déjà puni les équipages,
quelle piste peut nous conduire jusqu'à la coke ?

– C'est là que tu interviens. Encore une fois, c'est toi le flic.
Ce qui est sûr, c'est que la coke n'a pas encore fait son apparition sur notre marché, ici, en Islande. Peut-être planquée chez
un des marins qui ne reviendront pas. Peut-être entre les mains

d'un complice à terre. Tu trouves la réponse, Kornélius, et tu te désendettes tellement que, selon les critères bancaires de ce beau pays, tu passeras presque pour un nouveau riche.

Kornélius hésite, puis se vide de toute colère dans un long soupir.

– C'est moi qui fais rédiger l'attestation de remboursement par mon avocat.

– C'est vexant pour moi, mais tu as raison. « Ne mettez pas votre confiance dans l'argent, mais mettez votre argent en confiance », aurait dit Charles Dickens.

– Et je te rapporte la coke, mais pas le voleur. Personne ne meurt à cause de moi.

– « La mort est un costume que tout le monde portera », dit le sage africain.

– Peut-être bien, Simonis, mais je ne taillerai de suaire à personne.

– D'accord, c'est entendu.

Le Lituanien ouvre la boîte à gants dans laquelle Kornélius repère aussitôt un Glock, peut-être bien un 26, et en tire une enveloppe.

– Les photos des quatre hommes de l'équipage, elles datent de quelques mois à peine. C'étaient toujours les mêmes à bord lors des transbordements. Tu as leur adresse derrière. À toi de jouer maintenant.

– Ce n'est pas vraiment un jeu, murmure Kornélius en ouvrant l'enveloppe pour regarder les photos.

Un capitaine trop vieux et trop soucieux pour courir le risque de s'en prendre à des trafiquants. Sans oublier qu'il devait garder pour lui la plus grosse part du cash avec lequel on payait ses services. Deux marins, plus jeunes, sans doute durs à la tâche et toujours partants pour une baston, mais sans malice dans le regard. C'est le gamin qui attire tout de suite son attention. D'instinct. Une tête de fouine fendue d'un sourire d'ange. Une bonne gueule de racaille. Un dopé des méninges, du genre qui relève les défis et ose tout. C'est par lui qu'il faut commencer.

– Je te tiens au courant, dit-il à Simonis.

Kornélius descend de la voiture et s'éloigne.

Dès qu'il est sorti, les deux sbires se précipitent dans la BMW qui démarre. Quand la voiture passe à la hauteur de Kornélius, Simonis la fait ralentir et baisse sa vitre.

– Tu vas chanter le *krummavisur* à Akureyri bientôt, il paraît ? J'irais bien écouter ça.

– C'est sur invitation, Simonis, et il n'y en a pas pour toi.

– Allons bon, pourtant il me semble qu'un auteur français a dit « celui qui ne punit pas le mal, l'invite ».

Kornélius ne répond pas et la voiture accélère pour disparaître au coin du bar. Lorsqu'il arrive à hauteur des motards, son téléphone vibre dans sa poche.

– Ida, tu as du nouveau ? demande-t-il en voyant le nom s'afficher.

– Oui. Ton macchabée s'est pris une belle déculottée.

– On l'a passé à tabac ?

– Non, on l'a déculotté au sens propre.

– On lui a enlevé son pantalon ?

– Pas seulement…

– Son slip aussi ?

– Pas seulement…

– Ida !

– Ça va, j'avoue : on l'a écorché comme un lapin à partir de la taille jusqu'en bas.

– Tu en es sûre ?

– Oui. J'ai d'abord cru que la boue avait ébouillanté son corps qui s'était délité, mais il n'y a aucune trace de peau sur ses jambes, contrairement à son torse et à ses bras. Et la marque à la taille est nette et droite, probablement découpée au couteau. On l'a écorché et retourné comme un lapin, je te dis. Tu te souviens comment faisaient les anciens quand il y avait encore des lapins ?

— Oui, mon père disait qu'on leur enlevait le pyjama.

Kornélius réfléchit quelques instants à la façon de dire ce qu'il va demander.

— Ida, tu es où, là ?

— À la morgue.

— Tu peux vérifier quelque chose pour moi ?

— Bien sûr.

— Regarde s'il n'a rien dans le rectum.

Il parle en oubliant les bikers dont les mauvais visages se fendent d'un large sourire. À l'autre bout du fil, Ida se demande si elle a bien compris.

— Tu as un moyen de voir s'il n'a rien dans le cul ? précise Kornélius.

— Un rien dans quel genre ?

— Métallique.

— Tu es gentil, Kornélius, mais à cette heure-ci je ne vais pas aller lui fouiller l'intérieur. À la rigueur, je veux bien le passer au détecteur, mais dis-moi plutôt à quoi tu penses ?

— À la malédiction du Nábrók…

— La légende du nécropant ? Qu'est-ce que ça a à voir avec le rectum de ce pauvre homme ?

— Tu connais le rituel : on écorche le bas d'un homme pour s'en faire un pantalon de peau et s'approprier sa force, et on glisse une pièce dans son rectum pour capter sa richesse.

— Mon pauvre Kornélius, tu entends les idioties que tu profères ? Tu crois vraiment que pour devenir riche, il faut commencer par abandonner une pièce d'argent dans le trou du cul d'un mort ? Ce n'est pas ce que dit la malédiction du Nábrók.

– Ah oui, se vexe-t-il, et que dit-elle alors ?

– Ce n'est pas dans le rectum du mort que tu dois glisser la pièce, mais dans le pantalon de peau que tu lui as enlevé. La légende dit très exactement qu'une fois enfilé le nécropant, tu dois glisser la pièce entre ton propre scrotum et le pantalon de peau, pour ainsi te garantir que sa bourse vide se remplira pour toi d'or et d'argent. Le scrotum, Kornélius, pas le rectum, j'espère pour toi que tu sais faire la différence.

Les bikers, qui s'ennuient, n'ont capté qu'une partie de la conversation. Assez pour mimer en silence toutes sortes de sodomies et d'émasculations. Sans vraiment prendre la mesure de la colère qui plisse petit à petit le regard de Kornélius. Il fait déjà un pas vers eux quand Ida continue au téléphone.

– Tu es endetté à ce point ? s'inquiète-t-elle.

– Bien sûr que non, mais quelqu'un doit l'être pour avoir cru bon de recourir à une magie aussi noire.

– C'est sûr que cette crise en a rendu dingue plus d'un, mais de là à recourir au Nábrók !

– Tu es sûre qu'il a bien été découpé selon la légende ?

– J'emporte les photos à la maison, si tu veux, passe ce soir prendre un café ?

– Pas ce soir, Ida. Demain ça te va ?

– Ça me va, mais fais attention, Kornélius, ça fait un bout de temps que tu n'es plus l'amant dont on ne peut pas se passer un seul soir.

– Merci pour le compliment, je saurai m'en souvenir une fois dans ton lit.

– Tu feras le fanfaron quand tu y seras.

Elle raccroche et Kornélius glisse le téléphone dans sa poche. Les motards le regardent avec des sourires obscènes. Il hésite. Il n'a pas besoin d'autres complications pour aujourd'hui. Mais il ne sait pas résister.

– Moi, je roule en Triumph Bonneville Bobber, leur dit-il, mais quand je serai vieux et con et que j'aurai le cul trop large, peut-être bien que j'en prendrai une comme les vôtres, les gars.

Les trois bikers se lèvent, poings serrés, mais au même instant une lueur rouge illumine le ventre des nuages dans le dos du flic et les fige. Kornélius le prend comme un signe. Il laisse tomber les motards et regagne sa voiture. Un ami à lui loue des chalets dans la lande en bordure de l'océan, à quelques kilomètres au nord. Il va s'y arrêter pour dormir. Quand il démarre un autre éclair incendie l'horizon.

# 8

# Sandvik Lodges, route 425

*... une poignée de glaçons salvateurs.*

La bombe explose en plein ciel. Une coupole de flammèches rouges qui retombent en palmier sur la lande éclairée. Quelqu'un a tiré un mortier d'artifice que le vent de mer fait glisser sous les nuages comme une méduse céleste. Pendant quelques secondes, la nuit se feutre de reflets sanguins. D'abord surpris, Soulniz profite de la lueur pour chercher d'où vient le tir et aperçoit une forme trapue et hirsute qui bondit comme un gnome dans les lichens.

– Hé ! hurle-t-il.

Mais l'ombre disparaît dans celle d'un chalet. Il se lance à sa poursuite quand la deuxième bombe éclate, inondant cette fois la lande d'une luminescence verte et froide. Soulniz court comme un spectre vu à travers une lunette de vision nocturne. Beckie, hébétée, le regarde avant d'apercevoir à son tour l'ombre du fuyard.

– Là ! crie-t-elle.

Soulniz se précipite aussitôt dans la direction qu'elle indique quand il devine le sifflement aigu d'un troisième mortier. Il lève les yeux et voit la bombe monter en vrille dans le ciel. Cette fois, la charge explose en un globe de traits argentés qui retombent en biais dans le vent en un crépitement d'étincelles. Le temps d'être surpris par le spectacle et l'ombre a disparu dans la nuit qui revient. Figés, Soulniz et Beckie attendent une autre explosion qui ne vient pas et se convainquent que la farce est terminée.

— C'était quoi, ça ? demande-t-elle.

— Je n'en sais rien, une mauvaise plaisanterie je suppose.

— Tu l'as vu ? On aurait dit un gnome, tu sais, un de ces esprits malfaisants de la lande. Un truc celte. Ou breton.

— Oui, je l'ai aperçu, mais je ne crois ni aux korrigans ni aux gnomes.

— C'était qui, alors ?

— Un emmerdeur...

Ils retournent à leur chalet en surveillant la lande autour d'eux, mais comme ils arrivent sur la terrasse Soulniz retient Beckie par le bras. De l'autre côté du chalet, quelqu'un approche, masqué par le mur. Son ombre démesurée grandit sur le bois de la véranda. D'un geste, Soulniz commande à Beckie de se tenir à l'écart et de ne faire aucun bruit. Puis il s'empare du tabouret en bois près du bain chaud et se plaque contre le mur.

Le petit vieux qui apparaît au coin du mur réagit trop vite. Coup de pied de ninja dans les testicules. Soulniz s'effondre de douleur et suffoque comme une carpe hors de l'eau.

— C'est quoi ce bordel ? demande le petit vieux en anglais. Qu'est-ce que vous foutez en peignoir en pleine nuit avec un tabouret à la main ? C'est vous qui avez tiré ce feu d'artifice ? Et pourquoi vous vouliez me fracasser le crâne ?

Beckie répond à la place de Soulniz que la douleur congestionne. Elle explique l'enchaînement des événements depuis leur arrivée, du voyeur du chalet numéro 3 jusqu'au feu d'artifice, sans oublier l'ombre bondissante dans la nuit.

— Vous habitez un des chalets ? demande-t-elle.

— Le 1, le plus proche de la route, mais ils m'appartiennent tous. J'ai loué le 3 sur Internet à un type d'Amérique du Sud, de Guyane je crois. Ils sont arrivés à quatre, mais je pensais qu'ils étaient tous repartis en voiture.

– Vous êtes sûr ?

– J'ai vu leur voiture passer devant mon chalet et prendre la direction du nord.

Soulniz réussit à s'asseoir en s'adossant au mur.

– La Guyane, parvient-il à articuler dans un souffle, est-ce que ces types parlent français ?

– Je n'en sais rien, celui qui a réservé l'a fait par courriel en anglais.

Soudain, deux phares trouent la nuit au loin. Leurs faisceaux rasent la lande, pivotent sur la gauche, pointent brusquement vers l'océan, puis basculent vers le sol quand la voiture quitte la route pour rejoindre le lotissement.

– Ce sont eux qui rentrent ? demande Soulniz d'une voix enrouée par la douleur.

– Non, cette voiture vient du sud, de Grindavík, c'est sûrement l'ami qui vient de m'appeler pour que je l'héberge. Il faut que j'y aille. Il y a de la glace dans le frigo pour vos boules d'amour. Nous verrons tout ça demain matin.

Le petit vieux disparaît dans la nuit en coupant à travers la lande, et Beckie aide Soulniz à se relever.

– Tu n'as pas honte ?

– Honte de quoi ?

– Te faire savater les gonades par un périmé !

– Un périmé ?

– Un vieux quoi ! Un type atteint par la péremption. Il a au moins soixante piges, le papy !

Soulniz ne répond pas. Le papy, comme elle dit, a le même âge que lui. Il se redresse en grimaçant et Beckie l'accompagne jusqu'à la cuisine pour l'asseoir sur une chaise face au réfrigérateur.

– Bon, je te laisse faire pour tes berlingots melba. Bonne nuit quand même. Et à demain. Peut-être…

Elle l'abandonne et regagne sa chambre. Quand elle éteint, il reste dans l'ombre de la cuisine. Il croit d'abord à la lueur d'un clair de lune à travers les rideaux. Lorsqu'il se penche de côté, il aperçoit la lumière à la fenêtre du chalet numéro 3. Mais la douleur aiguë qui lui transperce les testicules lui ôte toute velléité colérique. Il se résigne à piocher dans le congélateur une poignée de glaçons salvateurs.

# 9

## Crique aux Corbeaux

*... son autre peau qui pend, déchirée.*

Il dirige la barque à la force des avirons, dos aux falaises où les vagues se fracassent. Le vent chasse devant lui des rangs d'écume qui bondissent par-dessus les creux sombres où disparaît la chaloupe. Le cou tordu sur son épaule, il surveille l'entrée de la passe où se brise le tumulte des déferlantes. Rien ne semble pouvoir le sauver du fracas liquide et pourtant il n'a pas peur. Il manœuvre entre les rouleaux et calcule sa dérive, retient l'embarcation de côté, au sommet d'une houle qu'il laisse rouler sous lui, ou la plonge dans l'écume pour surfer devant un rouleau. La passe qui casse l'assaut de l'océan n'est qu'un étroit passage entre des pans de falaise effondrés. Les roches noires se sont amoncelées en une digue naturelle qui protège la crique qu'il doit rejoindre.

Derrière, sa longue traîne de pêche alourdit la barque. Cinquante mètres de filin lesté de cent courtes lignes hérissées d'hameçons où se sont pris, il l'espère, autant de poissons. Il doit être le seul en Islande à encore pêcher de la sorte. Avant lui, d'autres ont affronté l'océan, mais à bord de barques bien plus grandes. Trois bancs et six hommes aux avirons, dont un capitaine et un homme de ligne pour des prises frôlant les cent kilos de morue parfois. Lui est content de rapporter vingt kilos de n'importe quoi quand il le peut, mais il est fier de le faire seul et à l'ancienne.

Il repère la vague contrariée par un violent ressac qui va se briser de travers sur les rochers. Il souque ferme pour glisser sa barque devant et se laisse pousser en biais vers le passage. La vague explose de chaque côté du goulet, mais les flots contraires qui s'engouffrent entre les rochers le chahutent à l'abri dans l'écume. Il ne lui reste plus qu'à espérer que la ligne ne casse pas en se prenant dans les roches. L'anse est agitée de remous plats qui gonflent puis se jettent et s'étalent en pétillant sur la grève de sable noir. En quelques puissants coups de rame, il y pousse sa barque et saute pour l'amarrer à un cordage qui coulisse dans une poulie fixée plus loin dans la falaise. Il tire la lourde chaloupe à l'abri du ressac puis remonte à l'intérieur pour haler la ligne et récupérer sa pêche. Elle lui semble plus lourde que d'habitude et il se prend à espérer une bonne prise quand il aperçoit le bois flotté. Un tronc noir au milieu de l'écume. Il peste en silence contre la malchance. Les bois flottés sont rares sur la côte sud. Il en a vu pendant son séjour au nord des fjords de l'Ouest. Des empilements de troncs ébranchés charriés depuis les forêts de Norvège, de Finlande et même de Sibérie. Des jeux de mikado dantesques, sur des centaines de mètres quelquefois. Des amoncellements enchevêtrés sur quelques plages bien précises, comme la conséquence inexpliquée d'une migration macabre de géants écimés. Mais en trente ans, il n'en a aperçu que quelques-uns sur cette côte, et jamais un seul ne s'est empêtré dans ses lignes. Quand il tire en biais sur le filin et que le bois flotté suit la même direction, il sait que le câble s'y est pris et qu'il va perdre une bonne partie de sa pêche. Alors, il entre dans l'eau pour essayer de démêler ses lignes avant de devoir se résoudre à les couper. Il a de l'eau jusqu'à la poitrine lorsqu'il rejoint le bois et tente, à tâtons sous l'eau, de repérer où ses lignes se sont prises. Quand il prend le bois à bras-le-corps pour le retourner, une branche calcinée jaillit de l'écume et pointe un moignon brisé vers le ciel et il panique aussitôt. La branche est un bras, et au moment où il le comprend, une tête brûlée jusqu'à l'os émerge à son tour et la mer la pousse contre son visage. Dans son affolement il trébuche et perd pied et tombe sous l'eau. Il sent ses jambes s'emmêler dans ses lignes et des hameçons se prendre dans ses vêtements. Il se débat, perd un instant la notion de l'espace, cherche la surface, se relève en suffoquant, puis émerge à nouveau en gobant l'air à pleine gorge. Alors il se reprend, saisit le filin et tire sa macabre prise jusqu'à la plage luisante des milliers d'écailles de ses pêches précédentes.

Le corps a la même couleur que la plage de basalte. Il s'est assis à côté pour reprendre son souffle et le regarde. Il est calme à nouveau. Il se sent fort. Il n'a plus peur. Il se demande quel feu céleste a pu déformer ainsi ce corps atrophié. Le fondre dans cette position funèbre de pantin pétrifié. Il pense à des images qu'il a vues de Pompéi. C'est un signe. Encore un. Un de plus. Il ne peut plus les ignorer. Il se relève et coupe le filin pour sauver ce qu'il peut de sa pêche. Une dizaine de poissons à peine. Il est loin le temps où les pêcheurs dérivaient leurs lignes à travers des bancs entiers. Depuis longtemps il n'appâte plus que des poissons égarés à la recherche de la moindre pitance. Il décide d'ignorer le cadavre pour l'instant et de suivre son rituel. Il écaille au couteau les poissons, grossièrement, puis les ouvre et les vide. Aussitôt, jaillissent de nulle part des mouettes voleuses qui plongent se chamailler pour les entrailles, mais c'est aux corbeaux qu'il les offre. Ils planent depuis la falaise, hautains et sûrs d'eux, insensibles aux braillements des oiseaux de mer, et viennent manger jusque dans sa main.

Puis l'homme se dirige vers le cabanon sur pilotis adossé à la falaise, au fond de la crique, et jette les poissons dans un saloir. Butin trop maigre pour aller le vendre aux restaurants du prochain port. Il regarde longtemps le corps, puis se décide. Il coupe et retire toutes les lignes, vérifie qu'aucun hameçon n'y est resté planté, puis le porte dans ses bras le plus loin possible pour le coincer entre des rochers de l'autre côté de la digue naturelle. Comme un corps échoué par une tempête, au cas où quelqu'un viendrait à le découvrir. Pas chez lui. Ce mort-là ne l'intéresse pas. Il porte déjà le sien sur lui et ça lui suffit. Alors, il entre dans le cabanon par une trappe, se hisse à l'intérieur et y range ce qui reste de sa ligne avant de troquer ses bottes et son suroît contre des chaussures de marche et une vieille veste en tweed. Puis il ressort et remonte à flanc de falaise par le chemin cordé des pêcheurs. Le vent, soudain obstiné comme un mauvais chien, bondit et le bouscule à chaque pas. Il assure son pied sur la roche glissante et se retient d'une main ferme au cordage que des pitons fixent à la roche. Par chance, la mer contient sa colère. Les bourrasques désordonnées ne parviennent pas à aligner les houles et à former une armée des vagues pour un assaut. Mais il reste prudent. Combien de marins sur ce chemin se sont laissé surprendre et emporter par l'explosion d'une lame sournoise. De celles qui se fracassent soudain contre le basalte et font trembler la falaise.

Quand il arrive au sommet, la mer, malgré sa rage et sa fureur, n'est plus la même. Il la domine. Aujourd'hui encore, il est sorti vainqueur de leur combat. La magie a fonctionné et il a été le plus fort malgré l'âge et les temps terribles qui s'annoncent. Maintenant il est à la hauteur du vent qui s'ébroue dans les herbes folles. Le haut de la falaise est bosselé de collines verdoyantes entre lesquelles court un chemin jusqu'à la route, à deux cents mètres de là. Lorsqu'ils passent, les touristes aperçoivent les potences de ses séchoirs à poisson. Quelques-uns s'arrêtent même pour les photographier de loin, mais aucun ne devine sa maison de tourbe creusée dans la colline. Le fronton bas de pierres noires face à l'horizon et le toit calfeutré d'un épais tapis de terre sur lequel poussent des herbes aussi folles que dans les prés alentour. À quelques mètres de la maison, le chemin contourne un rocher incongru dont il n'a jamais pu imaginer comment il avait échoué là, sinon par magie. Autre signe du destin. C'est pour lui de l'ordre du surnaturel et du peuple invisible qui, sans aucun doute, l'habite et qu'il ne faut pas déranger. Il observe la roche avec respect quand soudain des nuées d'oiseaux jaillissent des falaises. Des sternes, des huîtriers pies, des macareux moines, des pétrels fulmars et des mouettes, dans un tourbillon qui s'éloigne du rivage en piaillant. Et dans le même temps, dans les herbes hautes, des chevaux libres s'énervent, s'affolent, se cabrent et partent au galop tous ensemble en hochant la tête, leur crinière dans le vent. Quand il voit le renard bleu fuir, le museau au ras du sol entre les fleurs cotonneuses des linaigrettes, il comprend et se précipite aussitôt contre le rocher qu'il enlace de ses bras pour ne rien perdre. Il est le seul homme, probablement, à le ressentir comme les animaux. Ce froissement des entrailles. Ce raclement tectonique. Cette force minérale qui traverse la pierre et pénètre en lui. Vingt fois par jour l'île est râpée par ces tremblements de la roche. D'imperceptibles séismes qu'il a appris à anticiper comme le font les oiseaux et les chevaux. Sauf que lui ne tire aucune fierté à les ignorer, comme la plupart des Islandais. Lui les guette. Il les attend. Il recharge son âme et son corps à leur puissance invisible. Il en accumule la force qui lui sera nécessaire. Le jour venu. Quand il devine l'infime tressaillement du monde à travers la roche, c'est comme une jouissance qui l'épuise. Il reste un long moment immobile, bien après que les oiseaux sont revenus et que les chevaux se sont rassurés, puis il se détache du rocher, électrisé par une force nouvelle, et contourne la maison pour se recueillir sur une tombe bombée en tourbe recouverte d'herbe épaisse et fleurie de lupins mauves et de pavots orangés. Ce jour-là, il sera fort. Quand tous

les autres succomberont au grand chaos, lui sera debout et pro-
tégera sa tombe pour qu'elle survive à tout. C'est l'unique raison
pour laquelle il accumule toutes ces forces. Pour être là pour
elle. Toujours.

Lorsqu'il regagne la maison, après de longs murmures sans
prière, il veut défaire ses chaussures et enfiler des chaussettes
de laine sèches. C'est en posant le pied sur la chaise qu'il
remarque le sang et que son cœur défaille. Un des hameçons a
déchiré son pantalon et lacéré sa jambe. Il se déshabille aussitôt
et hurle de rage quand il découvre le lambeau de peau autour
de la plaie. Ce n'est qu'une égratignure. Une estafilade. Mais
c'est son autre peau qui pend, déchirée.

# 10

# Golden circle

*... à force de se croire épié.*

Le lendemain au réveil, le ciel est plombé par des nuages si bas qu'ils s'effilochent sur la lande. Une fois la voiture chargée, Soulniz tourne deux fois autour du chalet numéro 3, qui semble désert, puis regagne la piste qui mène à celui du propriétaire. Il a payé d'avance, mais voudrait s'expliquer sur les événements de la veille. Personne ne répond au timbre de la sonnette. Il contourne le chalet. Un peu plus loin, derrière un autre chalet, il aperçoit le capot d'une voiture rouge. Il veut couper à travers la lande pour demander si quelqu'un a vu ou entendu quelque chose, mais la bruine de la nuit a imbibé les mousses épaisses et détrempe aussitôt ses chaussures et le bas de son pantalon. Alors, il renonce et rejoint la voiture. Dix kilomètres plus loin, en repassant par Grindavík, ils roulent en plein soleil, ce qui étonne Beckie.

— En Islande, si tu n'aimes pas le temps qu'il fait, dit le proverbe, attends cinq minutes.

Il a prévu de rejoindre Reykjavik par le Cercle d'or qui relie trois des principales attractions touristiques de l'Islande, à commencer par les chutes de Gullfoss dont il garde un souvenir intense. Quand, deux heures plus tard, ils arrivent sur le plateau qu'il a connu désert, des centaines de voitures et de cars sont garés en épis sur un vaste parking, devant un complexe touristique qui ressemble à un centre commercial. Seule une colonne de poussière d'eau trahit, derrière les toits verts des boutiques, la présence de la cataracte cachée au creux d'une large faille. Sur un chemin balisé descend une file ininterrompue de touristes jusqu'à l'écume grondante qui se déverse de travers dans cette gorge en entonnoir. Un point panoramique indique même l'endroit d'où les photos seront les plus spectaculaires. Beckie se glisse entre des touristes qui parlent fort pour surmonter le fracas des eaux blanches. Elle ne dit rien, subjuguée par la beauté géométrique du chaos des eaux. Soudain, un soleil rasant se glisse sous les nuages et tisse dans le panache des embruns un double arc-en-ciel qui arrache aux touristes des cris d'admiration. Certains applaudissent et rappellent ainsi Beckie à la réalité. Elle est mouillée et boirait bien un café pour se réchauffer. Mais Soulniz ne répond pas. Il fixe quelque chose, à cent mètres sur l'autre rive de la chute.

– Qu'est-ce que tu regardes ?

C'est une berge moins aménagée, sans parking ni centre touristique. Quelques voitures s'y sont risquées par des pistes à peine balisées. Des imprudents se sont approchés des chutes. On devine leurs silhouettes à leurs coupe-vent colorés comme les fleurs de rocaille rares et dispersées sur la falaise. Pas étonnant qu'il n'ait pas reconnu l'endroit. C'est de l'autre rive qu'il avait découvert Gullfoss à l'époque. Quelque part, il a une photo de lui sur un de ces rochers à mi-hauteur de la chute. Debout. Fier. Entouré d'une écume rugissante, avec le mur d'eau qui frôle son épaule. Mais quand il cherche à reconnaître le rocher, il aperçoit avec stupeur un homme qui s'y tient debout, comme il l'avait fait lui-même quarante ans plus tôt, la main tendue sous l'eau dont la violence l'éclabousse. De son autre main, l'homme tient quelque chose contre son visage. Des jumelles. Le cœur de Soulniz manque un battement dans sa poitrine. C'est lui que ce type observe depuis l'autre rive.

– Qu'est-ce que tu regardes ? répète Beckie.

– Le type en face, en rouge, sur le rocher, à mi-hauteur, il nous regarde avec des jumelles.

Beckie cherche des yeux l'homme en rouge, puis emprunte sans ménagement une paire de jumelles à des touristes japonais qui n'osent pas les lui refuser.

– Pourquoi veux-tu qu'il nous observe, il regarde les chutes, probablement.

– Tu vois à quoi il ressemble ?

– Non, il a la capuche de son K-Way refermée sur son visage. Il est trempé.

– Fais voir ! dit Soulniz en tendant la main vers les jumelles.

Mais Beckie les a déjà rendues aux Japonais qui s'éloignent à petits pas, terrorisés par tant d'impolitesse.

Au café du centre touristique, Soulniz et Beckie commandent deux expressos colombiens et des beignets à la crème lustrés de sucre coloré, rose et vert pour elle, bleu pour lui. Puis il reprend un deuxième expresso qu'il aspire, brûlant, du bout des lèvres pendant que Beckie va faire un tour dans le magasin. Quand elle revient, elle a fait deux ou trois emplettes et ils regagnent leur voiture.

– Tiens, cadeau ! dit-elle avant qu'il ne démarre.

Mis à part les colliers de coquillettes et les empreintes de main en plâtre de la petite école, il n'a pas souvenir d'un seul cadeau de sa part. Il regarde à l'intérieur du sachet, s'étonne, puis en verse le contenu dans sa main. Lorsqu'il voit ce que c'est, il en reste interdit, sourire figé.

– C'est un talisman, explique Beckie, soudain inquiète de son silence. Inspiré d'une rune islandaise, il paraît. C'est un attrapeur d'amour d'après ce qu'on m'a dit. Il attire l'amour des femmes.

C'est un pendentif en forme de « m » minuscule dont la barre centrale se prolonge au-dessus pour devenir la jambe d'un « p » majuscule.

— Où as-tu trouvé ça ? demande Soulniz d'un ton trop brusque qui surprend Beckie.

— Un vendeur me l'a conseillé.

— Un vendeur, quel vendeur ? Qu'est-ce qu'il t'a dit ? s'énerve Soulniz.

— Il m'a dit que si je cherchais un cadeau pour mon père, celui-ci te plairait sûrement.

— Comment savait-il que je suis ton père ?

Encore une fois le ton est dur.

— Hé, ho, on se calme ! Je n'en sais rien, moi, peut-être qu'il nous a aperçus ensemble quand nous avons traversé la boutique pour aller au café.

— Il était comment ce vendeur ?

— Mais qu'est-ce qui te…

— IL ÉTAIT COMMENT.?

— Ben… ton âge, petit, une bonne bouille de père Noël, des yeux rieurs, un bonnet de pêcheur sur la tête, mais pourquoi ? Tu vas m'ex…

Sans répondre, Soulniz saute de la voiture et retourne à la boutique en courant. Il revient dix minutes plus tard, l'air soucieux.

— Tu m'expliques, se vexe Beckie tandis qu'il s'installe au volant.

— Il n'y a pas de vendeur qui ressemble à ton type. Personne ne le connaît, répond sèchement Soulniz. Combien as-tu payé ça ?

— Rien, il était à la caisse et m'a dit que c'était un cadeau pour mes autres achats. C'est pour ça qu'il n'était pas emballé. Je peux savoir ce qui se passe ?

– Il était de quel côté de la caisse ?

– Comment ça de quel côté ?

– Côté vendeur, ou côté clients ?

– Je n'en sais rien, du même côté que moi je crois. Il m'a demandé combien d'articles j'avais achetés, je lui ai répondu et alors il m'a dit que j'avais droit à ça. Tu m'expliques à la fin ?

– J'ai longtemps porté un pendentif identique. Je l'avais acheté ici, en Islande. Je l'avais volé, pour être plus juste, dans une boutique dans le Nord, à Akureyri, je crois. On chapardait beaucoup à l'époque. Je l'ai perdu quelques jours avant de quitter l'île.

– Et alors quel est le problème ? Tu devrais être content d'en récupérer un qui lui ressemble.

– Le problème, c'est que je n'en ai jamais retrouvé un de semblable. Ce dessin n'est pas exactement une rune islandaise. C'est une interprétation d'artiste et je n'ai jamais retrouvé la même. Nulle part. Probablement une collection saisonnière. D'ailleurs, à la boutique ils ne vendent pas ce modèle et n'ont même jamais rien vu de semblable.

– Qu'est-ce que tu cherches à me dire ?

– Je n'en sais rien.

– Que ce type me l'aurait donné exprès pour toi ? Ça voudrait dire qu'il te connaît alors, qu'il savait pour le pendentif ?

– Pourquoi pas ? Peut-être même que c'est le mien.

– Quoi, celui que tu as perdu il y a quarante ans ?

– Pourquoi pas ? Regarde, ce bijou n'est pas neuf.

– Il peut avoir été vieilli artificiellement, ça se fait beaucoup pour tromper les touristes.

– Mais quel intérêt de me le rendre aujourd'hui, et de cette façon en plus ?

– Je n'en sais rien, avoue Beckie.

– Pour me faire savoir qu'il me connaît ? Ou qu'il m'a connu, et qu'il est là ?

– Et alors, qu'est-ce que tu as à craindre, il s'est passé quelque chose à l'époque ?

– Non. Enfin oui, peut-être, je ne sais pas…

– Comment ça, tu ne sais pas ?

– Beckie, j'avais vingt ans, nous faisions des conneries, nous étions jeunes et libres, arrogants et prétentieux, à nous croire les maîtres du monde, nous nous lancions des défis, nous buvions, nous nous shootions à tout ce qui passait, nous nous bagarrions, nous volions dans tous les commerces. Je te l'ai dit, je l'ai volée cette amulette, c'est vrai, mais il y a quarante ans, Beckie, quarante ans !

– Alors c'est quelqu'un qui te connaît de l'époque et qui veut te faire une crasse.

– Avec des blagues d'étudiant ? Beckie, les types que j'ai connus à l'époque, soit ils me tombent dans les bras aujourd'hui, soit ils me tabassent, mais ils ne laissent pas des petits mots sur mon pare-brise !

Il démarre un peu trop vite, les pneus crissent sur l'asphalte du parking, puis ils roulent en silence pendant quelques kilomètres. À travers des prairies verdoyantes cette fois, où des rivières vives creusent leur chemin en dénudant des cailloux roux. Quelques rares bosquets aussi, de maigres bouleaux ou de peupliers nains, souvent pour encadrer une maison coquette. Un luxe en Islande. Puis ils arrivent à Geysir et déjà, depuis le parking, voient l'eau surgir à vingt mètres dans le ciel.

– Toutes les huit minutes environ, explique Soulniz pour répondre par avance à la question de Beckie.

Des touristes sont là, regroupés en cercle joyeux autour d'un petit bassin brodé de soufre et de silice. L'eau est limpide. On voit dans le fond le trou qui ravale l'eau ruisselant du dernier jaillissement. Une centaine de personnes impatientes surveillent la remontée de la bulle qui ne vient pas. La surface se creuse simplement de temps en temps, puis se gonfle, comme une respiration difficile qui cherche son souffle. Puis la mare entière s'enfle et retombe, se bombe à nouveau dans les cris d'exaltation du public, et finit enfin par former une seule belle et ronde bulle bleue qui se tend jusqu'à se rompre et que soudain transperce un jet de vapeur qui projette l'eau jusqu'à vingt mètres contre le ciel.

– C'est tout ? C'est ça ton grand geyser ? se moque Beckie, déçue.

– Le grand geyser s'est essoufflé au fil des séismes et des éruptions. Moi, je l'ai vu jaillir presque toutes les heures à plus de soixante mètres à l'époque. Aujourd'hui, il faut se contenter de celui-ci, pas vraiment artificiel comme celui de Reykjavik, mais comme on dit aujourd'hui, du genre naturel augmenté.

Ils rejoignent la foule des curieux et Beckie se glisse entre les touristes pour apercevoir la mare translucide qui fume, réceptacle du ruissellement de l'eau que le trou crache au ciel avec régularité.

– Je vais de l'autre côté pour mieux voir, dit-elle sans attendre la réponse de Soulniz.

Le terrain est en légère pente, et de l'autre côté on domine un peu mieux le trou d'eau chaude.

– Tu ne devrais pas rester là, dit une voix en français dans son dos.

C'est un homme à la tignasse rousse sous un K-Way rouge. Ses lunettes en miroir reflètent le ciel défait à la place de son regard. Beckie sourit poliment puis l'ignore.

– Vraiment, tu ne devrais pas.

– Hé, tu me lâches deux secondes, ouais ?

– Non, je dis ça parce que tu n'es pas vraiment habillée pour.

– Pas habillée pour quoi, bouffon, une baston peut-être ?

– Ce que je veux dire, c'est qu'à Geysir il faut s'habiller en fonction du vent.

Beckie ne répond pas mais regarde au loin un drapeau islandais qui flotte au-dessus d'une cafétéria.

– Toute cette flotte en l'air, il faut bien qu'elle retombe quelque part, non ? reprend l'homme en souriant. Viens par là, un quart de tour et on est à l'abri de la soupe que vont se prendre tous ces imbéciles.

Beckie regarde autour d'elle les péquins qui vont se faire saucer, certaine qu'une bonne partie sait très bien à quoi s'attendre et est là pour ça, équipée pour. Elle sourit et suit le rouquin vers un rocher plat diamétralement opposé à Soulniz, qui cherche sa fille des yeux.

– Si tu veux, je te fais une photo avec le geyser qui jaillit dans ton dos.

Beckie accepte et lui donne son smartphone. L'homme sort aussi son propre appareil et la cadre pendant qu'elle prend la pose. Il fait d'abord deux photos de la bulle qui enfle, prête à éclater. La foule murmure d'excitation.

– Attention, dit-il, ça vient…

Alors il enlève ses lunettes et elle le reconnaît.

– P'pa, c'est lui !

Soulniz se tourne vers son cri et aperçoit le rouquin qui s'enfuit. Il s'élance aussitôt, bousculant les touristes figés dans des poses de selfie et se précipite vers Beckie. Mais la bulle explose et la colonne de vapeur jaillit dans le ciel. Le souffle brûlant le projette de côté. Il trébuche dans les roches et manque de tomber dans la mare bouillante. Des mains le retiennent de justesse. Des voix étrangères crient de terreur, d'autres l'injurient. Il se débat, se dégage en jurant, et court en trébuchant à la poursuite du rouquin qu'il ne quitte pas des yeux. Puis soudain la colonne

d'eau retombe et s'effondre sur lui. Il en est presque assommé.
Il suffoque sous le poids de l'eau qui ruisselle sur son visage.
Des mains l'arrachent au danger encore une fois, mais il se
dégage à nouveau malgré le poids de ses vêtements gorgés d'eau.
C'est la confusion autour de la mare. Les touristes paniquent
dans tous les sens. Certains cherchent à le secourir malgré lui,
d'autres à le fuir, comme un danger qu'ils n'ont pas vraiment
compris. Seule Beckie est immobile, sidérée, à le regarder venir
à elle. Dans la foule, le rouquin a disparu.

— Mais tu es con ou quoi ? demande Beckie, incrédule, traverser un geyser en éruption !

— C'était lui, n'est-ce pas ? Où est-il ? Qu'est-ce qu'il te voulait ?

— Oui c'était lui, je crois, l'homme du pendentif, je suppose,
peut-être. Il lui ressemblait, mais il ne m'a rien fait. Il m'a juste
prévenue que si je restais là où j'étais, j'allais me faire tremper.
Et puis il a proposé de faire une photo de moi avec le geyser
derrière, c'est tout.

— Mais tu as crié !

— Bien sûr, mais juste pour te dire qu'il était là, pas pour
t'appeler au secours.

— Et il est où maintenant ?

— Comment veux-tu que je le sache ! Tu as foutu la trouille
à tout le monde. Tu as vu la panique que tu as semée ? Viens
plutôt te changer dans la voiture avant d'attraper la mort.

Soulniz hésite, cherche du regard le rouquin, puis se résigne.
Ils regagnent le parking sous le regard indigné des touristes qui
ont raté leurs selfies par sa faute.

— Je suis sûr que c'était lui aussi au Blue Lagoon.

Il se déshabille et se change dans la voiture puis démarre.

— S'il est à Thingvellir, je le fracasse !

Mais personne ne les suit jusqu'à la vallée sacrée, même si l'obsession du rouquin réduit Soulniz au silence pendant les deux heures de route jusqu'à Thingvellir. Une vaste plaine d'effondrement cernée de basses montagnes érodées, encore enneigées çà et là ; de longues et profondes failles, comme des balafres telluriques. Et les autres en gradin, étagées dans le basalte noir. Rien à voir avec la passerelle de Gunnuhver. Cette fois, la dérive des continents a écartelé tout le paysage et la faille d'Almannagjiá, celle de *tous les hommes*, décale en hauteur ses deux rebords. Falaises jusqu'à quarante mètres d'un côté, blocs effondrés de l'autre. Beckie reçoit tout ça en silence, plus impressionnée qu'elle ne veut bien le laisser paraître. L'immense lac au sud, façonné il y a dix mille ans par le barrage de lave d'une infernale éruption et que n'alimente aucune rivière, mais des centaines de sources chaudes dans ses profondeurs. Ou cette forêt, inattendue dans ce pays de landes, ronde de bouleaux et hérissée de conifères et que tapissent des géraniums des bois.

Quand ils quittent le silence minéral de Thingvellir, c'est pour Beckie avec un dernier regard ému sur le tumulte immobile de ce chaos tectonique. Pour Soulniz, c'est avec la rage de se sentir paranoïaque à force de se croire épié.

# 11

# Reykjavik

*... si tu arrives avant moi.*

Des touristes qui s'en vont de bonne heure le tirent d'un mauvais sommeil. Toute la nuit, l'idée de se débarrasser de sa dette
l'a disputé au déshonneur de servir Simonis. Kornélius se réveille
triste comme le temps. Une grisaille à assumer. L'ami qui l'a
hébergé veut l'entretenir d'un incident de la veille. Une histoire
de pétards d'artifice et d'un type qui voulait le fracasser à coups
de tabouret dans la nuit. Mais il prétexte une urgence pour rentrer à Reykjavik sans même partager le petit-déjeuner. Il attrape
juste une banane dans la corbeille de fruits et prend la route. Il
a besoin de se décrasser la tête et les muscles, alors il file et,
une heure plus tard, il est à la salle de force, dans le quartier
de Hvaleyri. Rien d'une salle de gym. Juste un entrepôt anonyme
dans une zone industrielle. Kornélius reconnaît trois ou quatre
voitures sur le parking. Plus jeune, il a fréquenté la célèbre salle
du Nid des Anges où se sont forgées les légendes de deux athlètes
qui cumulent aujourd'hui huit titres d'homme le plus fort du
monde. Mais très vite le sport de force est devenu pour lui un
spectacle de foire où les champions s'affrontent dans des courses
à pied habillés de carcasses de voiture ou en déplaçant des Boeing
avec les dents devant des caméras de télévision nippones. Pour
Kornélius, ces épreuves ne devraient pas avoir pour but d'acqué-

rir de la force, mais au contraire d'expulser celle qui bouillonne en nous et nous pèse. Les hommes de force hurlent leur victoire dans la gloire après l'épreuve, la gueule grande ouverte comme avec la rage d'avaler le reste du monde. Kornélius, lui, hurle sa rage pendant l'effort, pour expulser justement toute cette force qui l'habite déjà et le cloue au sol. Pas besoin de public dans ce gymnase qui n'en est pas un. Juste quelques athlètes solitaires, concentrés sur ce qui va jaillir d'eux pour se vider de leur hargne. Se vider. Rester sans forces à la fin de l'effort. Rendre au monde l'énergie qui les sature de l'intérieur. Et pas besoin d'haltères ni d'engins en fonte pour ça. La tradition des anciens leur suffit. Ils ne manipulent que les quatre lourdes pierres rondes au nom de légende qu'on trouve encore sur la plage de Djúpalónssandur. Elles servaient à l'époque à jauger la force des marins à l'embauche. Des cent cinquante-cinq kilos de « pleine puissance » aux quarante-neuf kilos de « faible », que même les moussaillons devaient pouvoir soulever jusqu'aux hanches pour espérer embarquer. Et des troncs aussi, en mémoire de ce Viking qui, mille ans plus tôt, aurait déplacé les six cent cinquante kilos du mât d'un drakkar sur trois pas. Mais les troncs que manipule Kornélius ne s'échelonnent qu'entre quatre-vingts et deux cent vingt kilos et c'est bien suffisant pour exulter sa force mauvaise. Ce soir plus que jamais il les retourne, les empile, les traîne et les redresse à bras-le-corps encore et encore, dix, quinze, vingt fois pour se vider de ce qu'il est devenu la veille. Un pourri. Un vendu. Quand il entonne le *krummavisur* dans un souffle rauque étouffé par l'effort, les autres athlètes s'éclipsent en silence par respect. Pour sa souffrance.

– Hafnar n'est pas là ?

– Non. On ne l'a pas vu depuis quelques jours.

– Son pick-up est sur le parking pourtant.

– En panne sûrement. Tu sais, Hafnar, c'est Hafnar !

Hafnar n'est plus très assidu à la salle de force depuis qu'il traîne un peu la jambe, et il roule toujours à bord d'improbables véhicules. Kornélius avait pensé qu'il pourrait lui être utile dans sa quête de la cocaïne. Mais peut-être vaut-il mieux qu'il s'en occupe seul. Pas besoin d'entraîner Hafnar dans sa propre déchéance. Alors, il enlace « pleine puissance » de ses bras, la soulève en cambrant les reins, et la porte en hurlant jusqu'à l'autre bout de la salle.

Quand il ressort, douché d'une eau bouillante et soufrée, un nouveau soleil a déchiré brumes et crachin et la journée s'annonce belle. Il reprend sa voiture pour rejoindre le bâtiment de la police, à un bloc du bureau de Simonis. La ville s'apprête à profiter de ce jour d'été. Déjà dans les squares et les parcs les employés s'attardent. Des discussions perdurent à l'extérieur. Des réunions s'improvisent sous le soleil. Certains ressortent des bureaux, des dossiers à la main, pour les étudier sur un banc. Kornélius aime ce côté-là de son Islande, ces journées volées au soleil où chacun s'autorise à travailler dehors pour en capter le moindre rayon. Les quartiers prennent alors des allures de campus, avec des hommes en bras de chemise et des femmes décolletées pour offrir leurs rondes épaules à la tiédeur du jour. C'est devenu une tradition aux premiers jours de soleil, et cet après-midi, si le temps se maintient, tout le monde sera dehors.

Sauf les policiers, bien entendu, qui se contentent de fumer plus longtemps sur le parking. Ou de partir en mission. Dans les couloirs presque vides, Kornélius croise un supérieur qui s'interroge sur l'avancée de l'enquête concernant le corps retrouvé dans la solfatare. Kornélius le rassure. Les choses avancent. On attend le dernier topo de la légiste.

— C'est vrai qu'on lui a taillé un nécropant ?
— Il semblerait.
— Bon Dieu, qui peut encore croire à cette légende du Nábrók

de nos jours ? Essayons d'éviter que la presse s'empare de cette affaire, d'accord ?

Kornélius est d'accord, même s'il se doute bien qu'un policier, un ambulancier, un employé de la morgue ou un brancardier de l'hôpital a déjà raconté par le menu l'horrible découverte à une amie, un compagnon, un collègue, un parent, et que l'affaire, comme dit son supérieur, sera probablement à la une d'un quotidien dans les deux jours qui viennent. À moins qu'elle ne fasse déjà le buzz sur les réseaux sociaux, dont les Islandais se reconnaissent eux-mêmes les pires addicts au monde.

Il organise une réunion avec quelques inspecteurs disponibles et tente de sérier certains problèmes.

— D'abord, nous établissons une liste de disparus de grand gabarit. Disons à partir d'un mètre quatre-vingt-dix et cent kilos. Si le tueur s'inspire du Nábrók, il cherche à s'approprier la force de sa victime. Il lui faut donc une proie puissante et, à première vue, le corps sorti de la solfatare correspond à ça.

Parmi les quelques policiers qui notent la recommandation sans enthousiasme, une jeune femme, toute nouvelle recrue, lève la main.

— C'est quoi ton nom déjà ? demande Kornélius.

— Botty, monsieur.

— Botty ? Ils ont vraiment accepté ça au bureau des prénoms ?

— Non monsieur, en fait, officiellement, pour le bureau des prénoms, c'est Bóthildur. Mais je préfère Botty.

— Alors va pour Botty. Mais, Botty, tu n'es plus à l'école ici. Tu es flic. Si tu as quelque chose à dire, tu prends la parole, et je te dispense du monsieur.

— Je voulais juste souligner qu'il ne faudrait peut-être pas parler de victime ou de proie ici. Dans la tradition du Nábrók, il faut un accord entre celui qui cède son nécropant et celui qui le prend.

– Comment tu peux savoir ça, toi ? s'étonne un des policiers.

– J'ai visité le musée de la Sorcellerie à Hólmavík l'été dernier. Ils ont un nécropant exposé dans un cadre avec toutes les explications.

– Ils ont un nécropant ! Tu veux dire que toutes ces moyenâgeries ont vraiment existé ? s'étonne un inspecteur.

– Oui, et l'accord du donneur était une condition indispensable pour que la magie fonctionne.

– Ce qui voudrait dire, intervient Kornélius, que si nous identifiions des victimes potentielles dans la liste des disparus, il faudrait chercher dans leur proche entourage.

– En tout cas, quelqu'un qui aurait d'abord approché la victime sur un plan amical, reprend la jeune flic, pour la convaincre peut-être.

– Quoi, du genre : bonjour monsieur, pouvons-nous être amis s'il vous plaît, que je vous tue et vous fasse la peau ?

– Ce que je veux dire, c'est que ça ressemble à la sorcellerie du Nábrók, mais que ça n'en est pas. Normalement le deal, c'est d'attendre la mort naturelle du donneur. Et d'ailleurs, pour éviter toute tentation, il était exigé que la peau soit intacte, sans blessure ni trou.

– Or notre « donneur », comme tu dis, présente un trou béant dans le dos. Donc, tu penses que ce n'est pas de la sorcellerie.

Botty réfléchit avant de répondre, comme si elle soupesait plusieurs possibilités.

– Non, mais j'ai deux hypothèses. Je dirais plutôt que c'est l'œuvre d'un psychopathe qui a, soit mal assimilé la légende du Nábrók, soit pris quelques libertés avec ses exigences.

– C'est un peu la même chose, non ? se moque le policier.

– Pas vraiment, répond Kornélius à la place de Botty. S'il a mal assimilé la légende, alors nous sommes face à un détraqué sans véritable logique. Si, par contre, il connaît la légende mais s'est autorisé quelques libertés, alors nous courons après un homme qui agit dans l'urgence en fonction d'un but, et c'est différent.

— Et c'est quoi le but du Nábrók ?

— S'approprier la force physique du donneur et s'attirer la fortune.

— Et il faut porter le nécropant en permanence ?

— Oui, jusqu'à sa mort.

— Et ensuite, que devient-il ?

— Avant de mourir, on peut le transmettre à un fils, à condition qu'à aucun moment le nécropant ne soit vide. L'homme enlève une jambe et son fils glisse aussitôt la sienne, puis l'homme enlève l'autre et son fils enfile l'autre.

— Et à quoi sert tout ça dans notre enquête ?

— Disons que ça dessine le profil de quelqu'un d'un peu mystique, reprend Kornélius, plus ou moins bien imprégné des légendes anciennes, probablement d'une grande force physique, non pas pour posséder le nécropant, mais pour avoir été capable de tuer un homme fort pour se le procurer. Il faut chercher dans ce sens. Interroger le musée de Hólmavík, éplucher leur livre d'or, faire pareil pour les autres lieux liés à la sorcellerie.

— Il faudrait aussi interroger les églises, précise Botty.

— Pourquoi les églises ?

— Parce que s'il suffisait de porter le nécropant sur soi pour acquérir de la force physique, pour la richesse il fallait autre chose.

— Une pièce, coupe Kornélius, une pièce de valeur qu'il fallait glisser entre son scrotum et celui du nécropant.

— Le scrotum ? Tu parles bien des… enfin, tu vois ce que je veux dire.

— Oui, confirme Botty, les testicules et tout le paquet.

— Tu veux dire que le nécropant exposé à Hólmavík a toute

la peau intacte d'un seul tenant de la taille jusqu'aux pieds, y compris la peau des testicules et de la verge ?

– C'est exactement ça. Va visiter ce musée à l'occasion, tu verras, c'est impressionnant la dextérité que cela a dû demander.

Un moment de silence plane sur le petit groupe pendant que chacun imagine l'opération dans sa tête.

– Mais pourquoi les églises ? demande Kornélius.

– Parce que, selon la légende, la pièce devait avoir été volée dans une église. Certains disent à une veuve, mais je penche plus pour l'église. Si nous avons un tronc pillé quelque part, ça pourrait être le début d'une piste.

– Elle a raison, approuve Kornélius, et comme la présence du corps dans la solfatare ne peut remonter à plus de quelques jours, ne nous inquiétons que des vols sur les deux dernières semaines.

– Sans compter que le dépeçage a probablement été commis dans les heures qui ont suivi la mort.

– Comment peux-tu dire ça ?

– À cause de la rigidité cadavérique qui commence trois heures après la mort et atteint les membres inférieurs trois heures plus tard.

– Donc, résume Kornélius, un malade obsédé par la légende du Nábrók dont il maîtrise plus ou moins bien les subtilités, volontairement ou pas, qui se lie d'amitié ou cherche à le faire avec un homme costaud, et qui dépiaute cet homme moins de six heures après l'avoir tué avant de le balancer dans une solfatare à Seltún. Le tout dans les deux semaines qui précèdent la découverte du corps. Eh bien, on avance ! Toi, tu t'occupes des musées et de la sorcellerie, toi, tu téléphones aux églises, et c'est notre petite nouvelle qui coordonne tout ça. Des questions ?

– Oui, tu fais quoi, toi ?

– Moi, je fais ce que je veux parce que je suis le chef, et je vais éplucher quelques fichiers.

Kornélius les abandonne et s'assoit à un bureau devant un ordinateur. Il entre d'abord dans le fichier des personnes disparues. Les disparitions sont une spécialité islandaise. Les vraies disparitions, pas les corps disparus dans des affaires criminelles. Juste des gens ordinaires qui disparaissent. Il y avait même encore, au siècle dernier, un désert des disparus au cœur de l'île où les brigands et les bannis pouvaient se faire oublier du monde. Il fallait aussi compter avec les disparus en mer, qu'ils tombent d'un pont de pêche ou sombrent au large. Et les solitaires imprudents que les glaciers avalent et recracheront intacts quelques siècles plus tard. Ceux aussi dont le corps en décomposition s'enfonce lentement dans les boursouflures de la mousse qui s'en nourrit dans les failles des vieux champs de lave. Ou ceux qui fuient en silence cette île trop petite malgré ses horizons immenses.

Il parcourt le fichier et relève le nom de trois personnes dont il imprime les photos. Un colosse biélorusse de trente-neuf ans qui n'a jamais repris l'avion à Keflavík, un instituteur de Húsavík disparu à Bíldudalur dans les fjords de l'Ouest, et un tatoueur de Borgarnes disparu à Borgarnes. Sur les photos, il devine que le Biélorusse et l'homme de Borgarnes sont tatoués. Le tatoueur de tout et de n'importe quoi, comme un catalogue vivant de son art, et le Biélorusse d'un tatouage dans le cou que Kornélius reconnaît aussitôt comme un *ginfaxi*, le talisman qui donne du courage au combat, mais dont le graphisme rappelle étrangement le svastika nazi. Kornélius se demande quelle chance il pourrait y avoir que le tatoué et le tatoueur soient liés dans leur disparition. Mais il écarte pour l'instant cette option pour se concentrer sur le Biélorusse. Il appelle Botty et lui donne quelques ordres.

– Vois ce que tu peux trouver sur ce Biélorusse. Quand il est arrivé, quand il devait repartir. S'il était capable de croire aux pouvoirs du *ginfaxi*, il était peut-être assez mystique pour croire au Nábrók. Nous voulons savoir où il a été vu vivant pour la dernière fois et toutes ses étapes depuis son arrivée chez nous. Si ça n'a pas déjà été fait, trouve sa banque là-bas et essaye d'avoir accès à ses derniers relevés de carte. Cherche une voiture aussi, pas le genre à se déplacer à pied ou à vélo. Regarde les locations. À la limite cherche une moto.

– D'accord. Rien d'autre ?

– Si, peut-être, tentons le coup de chance. Demande au collègue qui s'occupe du musée de commencer par voir si son nom n'apparaît pas dans le livre d'or. On ne sait jamais.

Le jeune femme le laisse, heureuse de sa confiance, et il passe sur un autre fichier dans lequel il entre le nom inscrit au dos d'une des photos que lui a remises Simonis. Il ne trouve rien dans aucun fichier. Alors, il entre le nom dans les moteurs de recherche de différents réseaux sociaux et affiche toute une série de photos. Il y découvre un gamin joyeux entouré d'amis et de jolies filles, inséparable d'un frère jumeau qui lui ressemble à s'y méprendre. Sur une série de photos prises en hiver au Blue Lagoon, on les voit tous les deux torse nu dans l'eau qui fume sous la neige qui virevolte. Ils ont les cheveux perlés de givre, mais ce qui attire l'œil de Kornélius, ce sont leurs tatouages presque identiques. L'étrave d'un navire fendant des vagues qui deviennent les pages d'un livre ouvert et un texte en latin en dessous. *Fluctuat* pour l'un, et *Nec Mergitur* pour l'autre. Kornélius vérifie sur la photo fournie par Simonis : le sien, c'est Galdur et son tatouage c'est *Fluctuat*. Le jumeau, c'est Arnald avec *Nec Mergitur*.

Il prévient à la cantonade qu'il s'absente et décide d'aller voir au domicile de Galdur pour poser quelques questions à son entourage. Puis il se reprend, revient sur ses pas, et vérifie l'adresse du jumeau. Bingo, apparemment les frères partagent le même appartement sur Hávallagata, de l'autre côté du lac, à côté de la petite cathédrale du Christ-Roi. Deux kilomètres à peine. En voiture toutes vitres ouvertes.

Cette fois, c'est vraiment l'été, et dans toute la ville c'est pique-niques de travail dans les squares et les parcs. Des directeurs dictent des courriers en léchant des glaces et des archivistes classent leurs dossiers sur des plaids étendus sur l'herbe ! C'est l'affluence autour des vendeurs de hot-dogs et il regarde l'heure. L'occasion est trop belle et il appelle Ida.

– Salut, tu as pris ta pause déjeuner ?

– Je rentre chez moi pour en profiter, pourquoi ?

– Parce que je suis là dans cinq minutes. Ça tient toujours pour ce café ?

– Ça tient. Tu sais où est la clé si tu arrives avant moi.

# 12

# Hávallagata, Reykjavik

*… Rouge.*

Galdur a appris pour le *Loki*. Le chalutier n'est pas encore porté disparu. Manquant pour l'instant, selon la capitainerie de Grindavík, mais il ne se fait guère d'illusions. Ce n'est sûrement pas la marine islandaise, avec ses trois garde-côtes qui l'a arraisonné dans la nuit. Il est passé au port de Reykjavik, tôt ce matin, pour humer les rumeurs. La houle qui se formait la veille au soir était peut-être de nature à chahuter le *Loki* en fin de nuit, mais pas à le mettre en danger. Kort est un bon capitaine, et le *Loki* un solide navire. Bien sûr on pouvait imaginer un accident de pêche. Un chalut qui s'accroche et vous fait chavirer, mais dans ces eaux profondes il faudrait un sous-marin pour vous entraîner par le fond. Ou le choc contre un objet flottant non identifié, mais les lourds porte-conteneurs sont rares si haut dans l'Atlantique. Et puis, ils auraient eu le temps de lancer un appel de détresse à la radio.

— T'étais pas supposé être à bord, toi ? lui lance un marin, penché au bastingage à repeindre à l'envers la coque de son chalutier.

Il ne sait pas quel instinct le pousse à mentir sans réfléchir.

— C'est Galdur, mon jumeau, qui travaille sur le *Loki*, moi je suis Arnald, je bosse au Blue Lagoon.

– Alors, prie pour ton frère, Arnald.

Mais il n'a pas pris le temps de prier. Il a couru jusqu'à leur appartement récupérer la cocaïne et préparer son sac. Le strict minimum, pour ne pas laisser à penser qu'il s'est enfui. Si quelqu'un est après lui, autant lui faire croire qu'il est toujours en ville. Lui faire perdre du temps à l'attendre. Avec un sang-froid qui l'étonne et lui fait honte à la fois, il essaye de penser à tout, lui qui devrait être ravagé par le chagrin. Arnald est mort par sa faute. Pour cette incommensurable bêtise qui lui a fait voler la drogue. Comme ça. Sur un coup de tête. Parce que l'occasion s'en était présentée. Trop belle. Trop conne. Ensuite, il avait été surpris par cette nouvelle livraison si peu de temps après la dernière. S'il a demandé à Arnald de le remplacer à bord du *Loki*, c'était juste pour prendre le temps de réfléchir et de mettre la cocaïne à l'abri. Après, il aurait repris son poste à bord du chalutier. Mais les autres ne lui en ont pas laissé le temps et Arnald en est mort maintenant. Un sanglot inattendu le surprend. Il titube, tombe à genoux et pleure des heures en gémissant.

Puis le chagrin se retire, longtemps après, comme une marée qui reflue, et les choses de sa vie réapparaissent, rochers dispersés parmi les flaques. Son enfance. Son frère. Ses parents disparus en mer il y a si longtemps. Ce pays si petit. La cocaïne. La Française…

Il revient à lui, à ce qu'il a fait, à ce que d'autres vont chercher à lui faire et se reprend. Il cherche l'argent et les papiers, les siens et ceux d'Arnald, cache la cocaïne dans son sac et récupère au fond du tiroir d'une commode l'arme qu'il a achetée à un marin il y a quelques semaines à peine. Dans l'idée d'aller faire des cartons dans les déserts de lave avec son frère un de ces jours. Sur des cannettes de bière. Ou des corbeaux, pourquoi pas ? Mais ils n'ont jamais eu l'occasion de le faire. Et voilà maintenant qu'il ne voit plus dans ce flingue un simple jouet, mais un objet de défense. Une chance de survie.

Il quitte l'appartement de Hávallagata dans un calme qui le panique encore plus et s'enfuit sans se presser ni vraiment savoir où aller, à part la rejoindre. Il n'a pas fait vingt mètres qu'une voiture se gare devant chez lui. Rouge.

# 13

# Maison d'hôtes 101, Reykjavik

*En colère.*

La maison d'hôtes est comme un château miniature voulu par un artiste peintre, au cœur de Reykjavik, tout en verrières et vérandas entre ses murs blancs à créneaux. On s'y déchausse sur du parquet ciré pour rejoindre la salle à manger commune où se rencontrent les voyageurs. Soulniz et Beckie, fatigués par une longue journée, y dînent en silence d'une soupe de viande à l'agneau où baignent du chou, des carottes, des pommes de terre, des navets et du riz. En dessert, ils choisissent une banane et un carré de *mariage heureux*, lourd gâteau aux flocons d'avoine, au sucre roux et à la confiture de rhubarbe. Puis ils montent dans leur chambre en laissant les autres préparer entre eux leur étape du lendemain.

— Tu devrais prendre une douche, dit Beckie.

— Tu crois que je n'ai pas été assez douché comme ça ?

— C'était de l'eau chargée de soufre, de sel et de je ne sais quoi encore, pas sûr que ce soit bon pour ta peau.

Mais Soulniz n'a aucun besoin d'être convaincu. Une douche bouillante le laverait de toute fatigue et le préparerait à une bonne nuit. Il se déshabille et referme la porte en verre dépoli de la salle de bains. Quand elle entend l'eau couler, Beckie roule aussitôt les vêtements de son père sous un des lits, attrape son sac et son téléphone et frappe à la porte de la salle de bains.

– Hé, je vais faire un tour en ville pendant que tu te douches, d'accord ?

– Hein ? Quoi ?

– …

– Beckie, tu as dit quoi ? Tu vas où ?

– …

– Beckie, attends-moi, tu ne connais pas cette ville et…

Il entend claquer la porte de la chambre.

– Beckie !

Il coupe l'eau, attrape en vitesse une serviette qui lui échappe et sort de la salle de bains en inondant le parquet. Chambre vide. Il court vers la porte d'entrée et l'ouvre à la volée. Un couple de touristes sursaute sur le palier et se fige de stupeur. Il referme aussitôt et cherche des yeux ses vêtements.

– Merde, merde, merde !

Il se précipite à la fenêtre et tente d'apercevoir Beckie parmi les badauds qui déambulent dans la nuit. Il ne la voit pas mais aperçoit leur Toyota garé devant la maison d'hôtes. Et le bout de papier sur le pare-brise.

– Nom de Dieu, jure-t-il en jetant sa valise sur le lit.

Il attrape quelques vêtements au hasard, s'habille n'importe comment, et se précipite dehors. En colère.

# 14

# Laugavegur, Reykjavik

*... ou de Beckie.*

— Vous l'avez vue ?

Le barman jette un coup d'œil à la photo que Soulniz glisse sur le bar. On y voit Rebecca, un téléphone à tête de mort à l'oreille et une petite peluche de manga en breloque à la lanière de son sac.

— Elle n'est pas un peu trop jeune pour vous la Pikachu ? insinue le type qui continue de jongler avec son shaker.

— C'est ma fille, explique Soulniz.

— D'habitude, ils disent plutôt que c'est leur nièce, et qu'ils sont leur gentil tonton.

Il ne s'attend pas à un réflexe aussi vif ni à une poigne aussi forte. La main de Soulniz saisit au vol le poignet du barman. Le shaker part en vrille dans les bouteilles et explose son cocktail contre un miroir. Puis Soulniz lui plaque la main sur le bar et saisit son majeur et son annulaire à l'équerre dans son poing.

— Je me trompe ou c'est un métier pour lequel on a besoin de tous ses doigts ?

— Hé, qu'est-ce qui vous prend, espèce de…

— C'est vraiment ma fille, tu vois, et elle vient vraiment de disparaître dans cette ville où nous venons vraiment juste d'arriver.

– Ouais, ben si vous la cherchez dans un bar, c'est qu'elle vous a…

Soulniz cambre un peu plus les doigts du barman qui se couche de côté sur le bar en grimaçant pour échapper à la torsion. Il tape du plat de son autre main comme un lutteur qui abandonne.

– Je veux juste savoir si tu l'as vue. Je n'ai pas besoin d'autres commentaires.

– Je peux voir la photo ? demande une voix d'homme dans son dos.

Soulniz se retourne sans lâcher le barman. Un géant taillé comme un troll lui sourit, la main tendue. Soulniz récupère la photo de sa main libre et la lui montre. Le géant observe un instant le portrait de Beckie puis hoche la tête.

– Oui, je connais…

– Vous l'avez vue ? demande aussitôt Soulniz, intéressé.

Il relâche le barman qui court plonger ses doigts bleuis dans un bac à glaçons.

– Non, répond l'homme, je veux dire que je connais le genre. Ce genre de fille. J'ai la même à la maison. Enfin, j'avais la même.

– Quoi, quel genre, que voulez-vous dire ? se fâche Soulniz.

– Chieuse, fugueuse, colérique, boudeuse, rebelle, ce genre-là.

– C'est un peu ça, c'est vrai, mais c'est ma fille et je veux la retrouver. Alors, vous l'avez vue ou pas ?

– Non, mais je peux vous aider. Dites-moi, elle est plutôt quoi côté gourmandise, hamburger, pizza, hot-dog ?

– Quelle importance ? s'impatiente Soulniz.

– Parce que si elle est hamburger, elle finira par atterrir au Kex. Ou bien au numéro 12 de Hverfisgata si elle est pizza. Ou chez Gudrun pour un hot-dog de légende.

– Et si elle veut juste boire ?

– Si elle veut juste se saouler, tous les bars de la ville sont sur cette rue, Laugavegur, ou dans des petites rues adjacentes. Une affaire de quelques centaines de mètres. Laissez-moi photographier son portrait et passer un coup de fil.

Il le fait puis compose un numéro sur son portable.

— C'est moi, je t'envoie le portrait d'une gamine qui doit boire quelque part pour oublier un père possessif, tu peux la localiser et me rappeler ?

Il raccroche et sourit à Soulniz.

— C'est tout ? s'agace le Français.

— Oui, ça devrait le faire, aujourd'hui, c'est jeudi, le « petit samedi », comme on dit ici, mais l'affluence n'est pas encore trop grande. En plus, le temps est clément, il fait au moins douze degrés et les filles de chez nous vont sortir en jupette, jambes nues et le nombril à l'air. Pas difficile de repérer une touriste étrangère engoncée dans sa parka, le bonnet par-dessus les oreilles. Et puis il est tôt, ça reste encore gérable.

— Comment ça gérable ?

— C'est qu'ici l'alcool est si cher dans les bars qu'on s'imbibe à moindres frais chez soi avant de sortir. Du coup, tout le monde est bien chargé en arrivant en boîte et les afters s'organisent assez vite. C'est là que ça nous échappe souvent, parce que ça finit toujours quelque part en ville chez des particuliers.

— Et... ? s'alarme Soulniz, qui redoute la suite de l'explication.

— Et comme tout le monde est rond défoncé et que chez nous le sexe est plutôt libre et décomplexé...

Soulniz va hurler de colère, mais l'homme le coupe avec un argument qu'il pense rassurant.

— De toute façon, elle a l'air un peu gothique, non ? Alors, ça facilite les choses parce qu'il n'y a que le Goth Night dans ce genre en ville, et les gothiques ne sont pas très partouze en général, n'est-ce pas ?

Cette fois Soulniz va exploser mais le portable de l'homme se met à vibrer.

– Tu l'as ? Où ça ? Ah oui ? J'aurais plutôt dit au Goth Night, mais bon, l'essentiel, c'est que nous sachions où elle est. Fais-moi suivre une photo pour confirmer, d'accord ? Merci. À plus.

– Alors ?

– Je sais où elle est.

– Où ça ?

– Dans un bar plutôt hippie baba cool.

– Lequel ?

– Ça par contre, je ne vous le dirai pas.

– Comment ça, vous ne me le direz pas ? répète Soulniz, sidéré, je suis son père, bordel de merde, vous allez me dire où est ma fille. Elle est mineure, elle n'a pas encore dix-huit ans !

– Désolé mais je ne vous dirai rien, parce que, en toute franchise, ça ne serait vous rendre service ni à l'un ni à l'autre. Si elle ne vous a pas attendu pour sortir, c'est qu'elle voulait le faire sans vous. Laissez-la tranquille et demain matin, même si elle ne vous le dit pas, elle vous sera reconnaissante de l'avoir laissée vivre sa nuit.

– Ah oui ? Et c'est cette psychologie à deux balles qui a fait revenir la vôtre peut-être ? Vous êtes qui pour me donner des leçons sur comment élever ma fille ? Et si c'était justement un test pour savoir si je m'inquiète pour elle ? Si elle voulait me pousser à sa recherche pour se convaincre que je tiens quand même à elle ? Je veux savoir où elle est, tout de suite, sinon j'appelle la police.

– Quoi, vous n'avez pas compris que la police, c'est moi ? répond le géant en montrant une carte sur laquelle Soulniz ne retient que le prénom de Kornélius. Vous pensiez qu'en Islande tout le monde a un réseau d'informateurs à qui il suffit de télé-phoner pour retrouver quelqu'un ? Ou que c'est un pays petit comme un village où tout le monde se croise et se connaît ? Ou bien vous m'avez pris pour un petit truand de la pègre locale attendri par la triste histoire d'un père meurtri ?

— Si vous êtes de la police, alors vous avez l'obligation de me dire où est ma fille.

— Non, tranche Kornélius. Profitez plutôt de votre soirée autant qu'elle va profiter de la sienne. On va garder un œil sur elle, ne vous en faites pas, il ne lui arrivera rien. Bon alors, qu'est-ce que vous buvez ? C'est moi qui paye le premier verre.

Soulniz le fixe, incrédule.

— Je vous garantis que c'est la meilleure chose à faire. Alors, vous buvez quoi ?

Soulniz hésite encore, éberlué par la résolution du troll, puis cède soudain en secouant la tête pour bien montrer qu'il ne croit pas lui-même à ce qu'il fait.

— Lagavulin sans eau sans glace.

— À la bonne heure, pareil pour moi.

Il fait signe au barman qui les sert sans sourire et chacun laisse la chaleur tourbée du malt fondre en lui.

— Vous voulez que je vous raconte ce que je fais en ce moment ? demande soudain l'Islandais.

Soulniz hausse les sourcils pour dire qu'il ne voit pas comment il pourrait l'en empêcher.

— Hier par exemple, j'ai repêché un homme dans la marmite de boue d'une solfatare. Son corps bouilli avait préalablement été dépiauté du ventre jusqu'aux pieds.

— Du côté de Seltún ?

— Oui, comment savez-vous ça ? s'étonne Kornélius.

— Je voulais montrer le site à ma fille justement, mais des policiers nous ont fait rebrousser chemin en nous parlant d'un homme tombé dans la silice.

— Ah ! lâche Kornélius. C'est un tout petit pays ici et les

nouvelles vont vite. Et les flics ne sont pas les derniers à se montrer trop bavards.

– Pas tous, apparemment, répond Soulniz en levant son verre pour trinquer.

Alors ils parlent. Kornélius de son métier et Soulniz du sien, du journaliste qu'il était et du romancier qu'il voudrait devenir. Kornélius le fait sourire en lui racontant que l'Islande est le pays qui compte le plus grand nombre d'écrivains en proportion de sa population.

– Chaque Islandais écrit, dit-on. On a même créé un prix pour récompenser le seul Islandais qui n'écrit pas.

– Qui l'a reçu, vous ?

– Non, ils n'ont trouvé personne à qui l'attribuer !

– Donc vous écrivez.

– Un peu. Mais je chante surtout.

– Vous ?

– Oui, des trucs du Moyen Âge dans une chorale de vieilles filles…

Et donc ils parlent. De leur femme, enfuie vers une autre vie pour Kornélius, disparue dans la mort pour Soulniz.

– Ma femme m'a poignardé à l'amiable, raconte Kornélius. Un matin inoubliable. Ce jour-là, j'ai réalisé que ma vie n'était qu'un joli temps de fenêtre, comme nous disons ici. Chaud et lumineux derrière la vitre, mais venteux et glacial malgré le soleil dès que vous mettez le nez dehors. Ma femme et ma fille s'étaient réveillées tôt. Quand je me suis levé à mon tour, elles déjeunaient comme des copines à la cuisine, des valises à leur côté. Le temps que je demande quel voyage elles avaient prévu et que j'avais oublié, une voiture s'est garée devant chez nous et a klaxonné. Elles ont reposé leur tasse, avalé leur dernier bout de pain de seigle en se levant et sont sorties le rejoindre.

– Un taxi ?

– Le nouvel homme de leur vie.

– Merde alors, et vous ne le connaissiez pas ?

– Si, je l'avais vu deux ou trois fois. Un Néo-Zélandais, un type dans le cinéma. Ils ont tourné *Le Seigneur des anneaux* là-bas, mais quelques scènes ici aussi. Il repérait pour un autre film. Je ne sais pas comment ils se sont connus.

– Un producteur ?

– Même pas. Un éclairagiste. Enfin, elles disaient plutôt directeur de la lumière. Il a chargé leurs valises et elles sont montées dans la voiture.

– Et vous n'avez rien dit ? s'étonne Soulniz.

– Si, malheureusement. Tout ce que j'ai trouvé à dire c'est : « Pas au pays des Hobbits tout de même ! » Du coup, le dernier souvenir que j'ai de ma fille, c'est un doigt d'honneur par la vitre arrière. Le même jour, deux heures après leur départ, un avocat est venu me faire signer les papiers du divorce. Ça fait cinq ans aujourd'hui…

– Comme ça, du jour au lendemain, sans aucun signe annonciateur ?

– Je vous garantis que je suis tombé de ma montagne, je ne m'y attendais pas. Bien sûr, il a dû y avoir des signes que je n'ai pas su déchiffrer…

– La mienne est morte il y a trois ans, confesse Soulniz.

– Par le Diable ! jure Kornélius. Accident, maladie ?

– Maladie de la vie. Elle s'est donné la mort…

– À cause de vous ?

– Pourquoi dites-vous ça ?

– Parce que c'est toujours à cause de celui qui reste. Qu'il l'ait provoqué, qu'il ne l'ait pas vu venir, qu'il n'ait pas su l'empêcher…

– Aujourd'hui encore, je n'en sais rien et ma fille m'en veut.

– Elle vous en voudra toujours, et tout le monde autour de

vous aussi. Vous serez toujours coupable, forcément coupable, d'avoir survécu.

— Merci, ça me réconforte beaucoup.

Au troisième Lagavulin, ils parlent de leurs filles. De la colère qu'ils n'ont pas vue naître. De cette petite haine quotidienne contre eux qu'ils ne s'expliquent pas. De la vie qui n'apprend pas à être père.

— Rebecca a fugué le lendemain des obsèques de sa mère. Elle avait à peine quinze ans.

— Combien de temps ?

— Trois ans. Je ne suis allé la récupérer que quelques semaines avant ce voyage en Islande.

— Comment avez-vous fait ? demande Kornélius dans un réflexe de flic.

— Je suis chroniqueur judiciaire, j'ai des amis dans la police, des copains flics ont toujours su où elle était. Je me suis dit que si elle voulait être libre, la laisser tranquille était le plus beau cadeau que je pouvais lui faire. J'ai gardé un œil sur elle. Quand elle a trouvé un petit boulot, j'étais derrière. Je me suis porté garant en secret pour le studio qu'elle louait avec son copain. Je pensais que sa liberté était la meilleure preuve de mon amour. Elle a pris ça pour de l'abandon. J'aurais dû m'en douter. Dans toute autre chose de la vie on apprend de ses erreurs. Pas avec les enfants. Personne ne nous enseigne ça. Lorsqu'on comprend, c'est trop tard. On a fait les erreurs et c'est trop tard...

Au quatrième whisky, ils prennent tous les torts à leur charge et les justifient par leur maudit métier qui a tourmenté leurs amours et délité leur vie personnelle.

— C'était quoi ce numéro à la Bruce Willis avec le barman ?

— Tous les flics font ça, non ?

— Dans les films, oui, mais pas chez nous. Ici, nous aidons

les gens à traverser la rue et nous prenons des selfies avec les touristes. Je tords un doigt, c'est ma carrière que je brise.

— Ce petit con de barman était arrogant et insinuait des choses désobligeantes sur Beckie et sur moi. C'est parce que vous êtes flic que votre femme vous a quitté ?

— Flic, ce n'est pas un métier pour ceux qu'on aime.

— Rassurez-vous, journaliste non plus.

— Oui, je suppose qu'avocat, entrepreneur, golden-boy, boucher ou assureur non plus.

— Pas plus que professeur, artiste, écrivain, ingénieur, plombier...

— Et les tailleurs n'en parlons pas !

— Ou les pompistes, les camionneurs, les marins-pêcheurs...

Au cinquième Lagavulin, Kornélius entonne un puissant *krummavisur* qui laisse indifférents les jeunes qui boivent autour d'eux. Ils tombent alors d'accord sur le constat qu'ils sont ronds défoncés et qu'ils feraient mieux de s'en fumer une petite avant de rentrer.

— Je ne fume pas, bégaye Soulniz, et vous ne devriez pas non plus. Ce n'est pas terrible pour vos poumons de chanteur.

— Je ne fume presque plus, reconnaît Kornélius, mais c'est bon pour ma voix. Je chante des trucs macabres, j'ai besoin d'une voix d'outre-tombe...

Sur le trottoir, dans la cohue des jeunes qui vont boire et s'amuser beaucoup plus qu'eux pendant toute la nuit, Soulniz parle à Kornélius des mots bizarres sur son pare-brise, du type aperçu au Blue Lagoon et à Geysir et du voyeur du chalet.

— Tout à l'heure, en venant ici, j'ai trouvé ça sous mon essuie-glace.

Il tend à Kornélius une photo. On y voit Soulniz bousculé par le souffle du geyser parmi la foule affolée et furieuse. Il raconte l'incident à Kornélius qui lui tend sa carte et l'invite à l'appeler si ces petites persécutions persistent.

– Quelqu'un qui vous connaît, sans doute, un mauvais plaisantin qui vous suit. Vous ne vous êtes embrouillé avec personne à l'aéroport ou dans l'avion ?

Soulniz se rend compte qu'il a oublié de parler du pendentif mais décide de ne pas faire référence au passé.

– Pas que je sache, non, réfléchit-il.

Puis ils se séparent et Kornélius s'éloigne. Soulniz le regarde faire quelques pas avant de s'arrêter devant le bar suivant. Il hésite un instant à le rejoindre. Ce type est aussi seul que lui. Mais il fait demi-tour et décide de marcher jusqu'à la maison d'hôtes pour y attendre Rebecca. Toute la nuit s'il le faut. Quand il se retourne une dernière fois, Kornélius vient de recevoir un appel. Il scrute l'écran de son téléphone, porte l'appareil à son oreille, puis regarde Soulniz de loin en parlant à son interlocuteur. Et Soulniz a la dérangeante sensation que c'est de lui qu'il parle. Ou de Beckie.

# 15

# Reykjavik

*... enculé de sa race !*

— Tu étais où cette nuit ?

Il parle à voix basse parce qu'ils partagent leur petit-déjeuner à la table avec tous les autres.

— Avec des potes.

— Depuis quand tu as des potes ici ?

— Depuis que je m'en suis fait.

— Moi, c'est du souci que je me suis fait.

— T'aurais pas dû. T'aurais dû profiter de ta nuit pour te faire une copine.

— C'est ce que tu t'es fait, un petit copain ?

— Encore un peu de café ? demande poliment une vieille Allemande aux mollets secs et noueux de randonneuse, et qui fait le tour de la table en jouant les serveuses.

Beckie se retient de rire.

— Qu'est-ce qui t'amuse ? s'énerve Soulniz.

— En Islande, quand on te propose un café, ce n'est pas pour te draguer en espérant te sauter, c'est juste pour le boire ensemble après t'avoir sauté.

— Et depuis quand tu sais ça, toi ?

— Depuis cette nuit, répond Beckie sans honte en trempant

une tranche de cake à la banane dans son café. C'est bien ce soir qu'on dort à Ólafsvík ?

— Oui pourquoi ?

— Pour rien, comme ça…

Une heure plus tard, ils remontent la route numéro 1 vers le nord en direction du fjord aux baleines et Soulniz décide de ne pas prendre le tunnel qui passe sous les eaux à son embouchure. Beckie aurait bien goûté au frisson de se savoir sous la mer pendant six kilomètres, mais Soulniz est sur la piste de ses souvenirs et à son époque, ce tunnel n'existait pas. Alors ils longent la côte sud du fjord, surplombant les eaux bleues depuis une route à flanc de montagne, à travers des pentes escarpées et verdoyantes plantées çà et là de moutons immobiles dont le vent ébouriffe à rebrousse-poil l'épaisse toison. L'asphalte épouse les courbes et les reliefs et souvent, par un effet d'optique, la route au-delà de la colline à venir semble monter vers le ciel et s'arrêter net en surplomb du vide. Toute cette beauté échappe un peu à Beckie, mais elle devine une telle émotion chez son père qu'elle garde le silence. Quand une petite presqu'île se détache de la berge, sur la gauche, alors qu'on devine déjà au loin le cul-de-sac du fjord contre les montagnes érodées, Soulniz ralentit et redouble d'attention.

— C'est par ici, si je me souviens bien…

— Quoi ?

— Tu verras…

Il cherche des yeux un chemin qui descendrait jusqu'au fjord. Hésite sur un premier, en passe un autre, puis soudain met son clignotant et tourne aussitôt.

— C'est ici !

La voiture bascule sur le bas-côté et s'engage sur une piste étroite, entre des pâtures d'où des chevaux roux et échevelés la regardent cahoter. Quelques centaines de mètres plus loin, au

détour d'un repli d'herbes folles, ils sont face à la maison de
*Psychose*, plantée sur une colline, dans le violent contre-jour
d'un ciel tout blanc.

– C'est ça, je me souviens de cette maison...

Un chemin part sur la gauche vers d'autres bâtiments en bois,
et un autre sur la droite dans lequel Soulniz engage le Toyota.
Cent mètres plus loin, ils sont au niveau des eaux du fjord sur
une plage de galets noirs qui court loin sous une onde transparente
et lisse. En face de la voiture, un long ponton de bois gris ajoute
sa perspective immobile à la sensation d'éternité qui fige le décor.

– Et ? demande Beckie.

Soulniz coupe le moteur, saisit deux serviettes dans un des
sacs à l'arrière et descend de la voiture sans répondre. Beckie
le suit en soupirant.

– Si tu crois que je vais me baquer là-dedans, je me les gèle
déjà rien qu'à regarder cette flotte !

Il ne répond pas. Il s'éloigne de la plage par un sentier qui
longe la rive de la presqu'île à travers des dunes cendrées parsemées d'herbes maigres. Beckie le suit en levant les yeux au
ciel, jusqu'à ce qu'ils aperçoivent un bassin de pierre circulaire,
à peine plus large que la margelle d'un puits, et dont l'eau fume
dans l'air frisquet.

– Putain, ça pue !

– Toujours ce bon vieil hydrogène sulfuré, sourit Soulniz qui
se déshabille. En direct des profondeurs de la Terre, alors sois
prudente, cette eau doit approcher les quarante degrés.

– Tu crois vraiment que je vais entrer là-dedans ? Je te préviens, si tu te baignes dans cette puanteur, je ne remonte pas en
voiture avec toi. Je continue en stop.

– Je ne sais pas par quel miracle, mais crois-moi, cette puanteur ne laisse aucune odeur sur la peau.

Soulniz a déjà passé les pieds de l'autre côté de la margelle.

L'eau lui pique aussitôt les chevilles et il laisse à sa peau le temps de s'y habituer. Puis il se met debout dans le bassin peu profond, de l'eau brûlante jusqu'aux genoux. À l'intérieur du puits, des pierres font office de sièges. Soulniz s'assied tout doucement, suffoquant quand l'eau atteint son ventre, en apnée quand il y entre jusqu'à la poitrine.

– T'es fêlé, ma parole ! lâche Beckie.

Tout autour du bassin, la terre est chaude et de la moindre fissure fusent de petites fumerolles qui dansent aussitôt dans l'air qui les chahute. Un tuyau sort du sol par un trou pas plus large que deux doigts et remonte sur la margelle. Bloqué entre deux pierres, il remplit en permanence le bassin d'eau bouillante.

Beckie se laisse prendre par la beauté des lieux. Le fond du fjord dont l'eau translucide devient par reflet un marbre lisse et noir. Les montagnes érodées qui l'enchâssent, tapissées de mousses orangées et d'herbes vertes où paissent des moutons blancs et noirs disséminés sur des pentes improbables. Et surtout le calme vertigineux qui fige tout ce paysage démesuré dans un sentiment de solitude qui l'étreint soudain. Alors, elle se déshabille à son tour et entre avec prudence dans l'eau trop chaude, comme l'a fait Soulniz, pour s'asseoir à ses côtés et contempler, immobile et silencieuse, la force calme et minérale du monde.

C'est Soulniz qui aperçoit la voiture. Loin sur la route en corniche, à flanc de montagne, un peu en aval du chemin qu'ils ont pris pour venir au bassin. Arrêtée. Rouge. D'aussi loin, il croît à une Porsche d'abord, puis à un vieux modèle de Saab peut-être. Et quelque chose, dans la façon dont elle est arrêtée du mauvais côté de la route, lui dit que le chauffeur s'est garé là pour les observer. Même si la voiture est trop loin pour deviner l'homme derrière le volant, il en est convaincu.

Beckie surprend son regard et le suit.

– Qu'est-ce qu'il fout celui-là, il nous mate ?

– On dirait bien…

Beckie se lève aussitôt, monte debout toute nue sur la margelle, prend son pouce entre ses doigts pour n'en laisser dépasser que le bout, plaque son poing contre son sexe et se cambre comme le Manneken-Pis.

– Je te pisse à la raie, connard de voyeur ! hurle-t-elle en pointant de l'autre main un majeur rageur vers la voiture rouge.

Là-haut, le chauffeur comprend, sinon le message, du moins le geste. La voiture manœuvre en marche arrière pour revenir sur l'asphalte puis disparaît très vite derrière le premier virage.

Beckie se laisse à nouveau glisser dans le bassin.

– Il faut être sacrément con pour jouer les voyeurs avec une caisse aussi voyante, bougonne-t-elle en reprenant son calme, il nous matait depuis longtemps ?

– Je ne sais pas, mais j'ai déjà vu cette voiture quelque part. Je me demande si je ne l'ai pas aperçue derrière un des chalets le lendemain matin du feu d'artifice.

– Tu crois que c'est le type qui cherche à nous pourrir la vie ?

– Peut-être bien…

– Et c'est quoi comme caisse, tu connais ?

– Une Saab. Une 92 peut-être bien. Une voiture de collection, vu qu'ils ont arrêté de la fabriquer au milieu des années cinquante, si je me souviens bien.

– Tu étais déjà né au milieu des années cinquante ?

– Je suis né dans la première moitié du dernier siècle du millénaire précédent, Beckie.

– Putain, ah oui, quand même !

Ils laissent le silence figer le paysage à nouveau. Ils étaient seuls au monde tous les deux, et Beckie en veut à cet inconnu à la voiture rouge de leur avoir volé un peu de cette éternité passagère qu'ils s'apprêtaient à partager. Maintenant la magie est rompue et Soulniz le devine. Il se lève, enjambe la margelle, se brûle la plante des pieds dans la boue fumante et sautille jusqu'aux galets pour entrer dans l'eau claire et glacée du fjord. Il marche sans s'arrêter, se mouille la nuque et, quand il est dans l'eau jusqu'aux hanches, s'y glisse en souplesse d'une brasse élégante et nage sans remous loin de la rive.

Beckie le regarde faire, étonnée de voir son père en telle symbiose avec cette terre qu'elle découvre et que lui semble si bien connaître. Alors, elle le rejoint et nage jusqu'à lui, et, sous le ciel argenté, sur l'eau noire et froide du fjord des baleines, ils se laissent flotter sur le dos en espérant que cet instant privilégié est un de leurs premiers bonheurs partagés.

Cette fois, c'est elle qui aperçoit la Saab rouge garée deux virages plus loin.

– L'enculé de sa race !

Au même instant, une famille apparaît sur le sentier dans les dunes. Un jeune couple très blond et deux enfants aux cheveux presque blancs qui gambadent autour d'eux. Soulniz fait signe à Beckie de regagner la rive. Ils récupèrent leurs serviettes en même temps qu'arrive la petite famille. Les enfants sont déjà nus, et les parents se déshabillent eux aussi en échangeant quelques politesses.

Soulniz et Beckie reviennent en silence vers la voiture, mais comme il se dirige vers le Toyota, Beckie s'éloigne sur la gauche pour rejoindre le ponton. Elle marche jusqu'au bout, nue dans sa serviette, et il finit par la rejoindre. Et les voilà assis côte à côte, les pieds dans l'eau.

– Derrière cette montagne, au fond du fjord, se cache la cascade de Glymur. Des torrents qui rebondissent dans une large faille depuis un plateau. J'y suis allé à l'époque. J'ai crapahuté plusieurs heures pour voir ce qui était la plus haute chute du pays. Cent quatre-vingt-seize mètres. Eh bien, imagine-toi qu'ils viennent de découvrir une autre cascade encore plus haute, dans le Sud. Deux cent vingt-sept mètres. Peut-être même deux cent quarante ! Tu te rends compte, découvrir encore des cascades de nos jours dans un si petit pays, une île de surcroît, tu comprends pourquoi j'aime l'Islande ?

Beckie ne voit pas très bien le rapport, mais devine l'émotion de son père.

– Et puis sur l'autre rive, là-bas, un peu plus à l'ouest, il y a l'usine à baleines. Je me souviendrai toujours du dépeçage. Nous longions la côte quand nous avons aperçu la baleine qu'un treuil hissait par la queue sur un large plan incliné en béton. Le monstre n'était pas encore immobile que déjà des hommes bottés jusqu'aux hanches grimpaient dessus, armés de longues gaffes terminées par des tranchoirs, comme des hallebardes. Ils taillèrent aussitôt dans la peau de l'animal qui se fendit et s'écarta en larges balafres blanches. Puis, pressés et fébriles, les hommes tranchèrent plus profond encore dans la graisse épaisse. Jusqu'à un mètre de profondeur avant d'atteindre les muscles et de faire jaillir des flots de sang foncé qui ont rougi les eaux du fjord. Et ce fut comme le signal de la curée. À coups de hache et de hachoir ils se précipitèrent pour dépecer la bête éventrée. Quand les entrailles se dévidèrent pour se répandre en fumant à même le ciment, tu ne peux imaginer la puanteur dans laquelle ces hommes fiers de ce qu'ils faisaient pataugeaient. Jamais au cours de tous mes autres voyages je n'ai connu quelque chose qui pue autant que les entrailles déchirées d'une baleine. Pas même la pulpe du durian en Asie. À cent mètres de là, j'étais au bord de vomir. Mais pas ces hommes, tout ensanglantés qu'ils étaient de leur carnage, et qui entraient presque à l'intérieur de la carcasse sanguinolente pour la dépecer. Et tu sais pourquoi ? Parce qu'ils avaient évité que la baleine ne leur explose au visage. Les viscères de ces monstres marins se décompensent si vite en gaz après leur mort qu'ils peuvent faire exploser la baleine si on ne l'éventre pas dans les justes délais.

– C'est dégueu, pourquoi tu me racontes des trucs pareils ?

– Parce que c'est l'Islande. Une île où on découvre encore des cascades nouvelles, et où en même temps on massacre des monstres inoffensifs. Une allégorie de la vie où on enchaîne les bonheurs et les conneries.

– C'est censé être un message ?

– Non, juste une réflexion. Te voilà dans un pays où les routes contournent certains rochers parce que les elfes du Peuple Caché y vivent peut-être et où on découvre encore de nouvelles cascades, et dans le même temps on y chasse la baleine avec des harpons explosifs dont la charge perce l'animal pour y enfoncer un tripode qui se déploie dans son corps et le ferre à mort. Comme quoi on peut aimer quelque chose d'odieux et de généreux à la fois.

– Et je suis censée penser à toi, peut-être ? lâche Beckie avec un brin d'insolence.

– Peut-être, qui sait ? répond Soulniz en souriant.

Puis il se lève, tend la main à Beckie pour l'aider à se relever et ils regagnent la voiture pour reprendre leur route. Quand ils remontent sur l'asphalte, Soulniz conduit jusqu'au virage d'où les épiait l'homme à la voiture rouge et ralentit.

– Qu'est-ce que tu fais ? Tu vérifies s'il pouvait nous voir ?

– Non, répond Soulniz, je regarde cette heureuse famille.

Beckie se penche par-dessus son épaule pour regarder elle aussi. Tout en bas, la famille blonde et nue joue à s'éclabousser d'eau glacée. Elle devine qu'ils rient et crient à tue-tête.

– Une petite famille heureuse, dit-elle en reprenant sa place.

– Oui, confirme Soulniz, peut-être que…

Mais Beckie le coupe.

– Si on le rattrape, tu le balances dans le ravin, cet enculé de sa race !

# 16

# Ólafsvík

*... de la cocaïne à la fille au nez rouge.*

– Rassure-toi, je ne suis pas née comme ça ! dit la serveuse au nez rouge.

– Comme ça comment ? demande Galdur.

– Comme ça avec un nez en plastique rouge, s'excuse la longue fille dégingandée dans une grimace de manga.

Il est monté en stop jusqu'à Ólafsvík. En trois voitures seulement, pour le plus grand bonheur des touristes trop heureux de profiter de ses récits de marin-pêcheur et de sa connaissance du pays. Même s'il leur ment un peu pour arriver plus vite, leur vantant l'expérience des six kilomètres de tunnel sous la mer pour éviter de perdre du temps à contourner le magnifique fjord des baleines avec son bain chaud de Hvammsvík et l'élégante cascade de Glymur. Même s'il leur conseille de rejoindre directement Ólafsvík par la 54 plutôt que de contourner par la côte l'impressionnant glacier du Snæfellsjökull, délaissant au passage les sources chaudes de Landbrotalaug, la crique aux phoques de Ytri Tunga et la statue géante du troll Baldur, et les sévères falaises de basalte à Arnastrapi. Tout ce qu'il voulait, lui, c'était arriver à Olafsvík avant la Française.

– Ta Daaaammm ! C'est pour mon spectacle, explique la serveuse en sortant d'un geste théâtral un prospectus de son corsage.

« L'invention de l'Enfer, ou les monologues de Lucifer », coé-crit par Dieu et Ragnadottir, les mardis et vendredis tout l'été à dix-neuf heures au Fridge d'Olafsvík. »

— Ragnadottir, c'est moi ! jubile-t-elle en écarquillant des yeux quémandeurs de compliments, les genoux pliés, mains entre les cuisses. Dieu n'a pas pu venir, il s'excuse. Sinon mon prénom, c'est Anita. Et toi ?

— Je m'appelle Arnald, ment Galdur.

C'est un *kaffi* au pied d'un immeuble de béton bas et gris, à la frontière du bourg, sur les hauteurs du port. La dernière voi-ture l'a laissé à un carrefour battu par un vent mouillé, et il y est arrivé à pied en traversant un parking dans la bruine glacée. Mais comme souvent en Islande, l'intérieur est douillet et cossu, confortable, chaud comme une bonbonnière, et embaume la can-nelle, le gingembre et le café.

— Bon, vu que Dieu s'est encore débiné sur ce coup-là aussi, je vais prendre ta commande. Qu'est-ce que je te sers ?

En deux mimiques elle est Betty Boop et ça fait rire les tou-ristes allemands de la table d'à côté.

— Un café…

— Expresso, allongé, américain, latte, cappuccino, macchiato, turc ?

— Expresso.

— Percolateur, pression, filtre, capsule, djezvé…

— Perco.

— Aguada Rain de Colombie, Sidama d'Éthiopie, Santa Teresa du Salvador, Jumboor Estate d'Inde, Tarrazu du Costa Rica…

— Jamaïcain ?

— Jamaïcain, oui mon gars, on a, Blue Mountain même, mais attention, à ce prix-là tu le bois, tu le fumes pas, d'accord ?

— D'accord, concède-t-il en souriant.

— Et pour manger : meringué de banane, *randalin* à la rhubarbe, *mariage heureux*, gâteau français au chocolat, cheese-cake aux myrtilles ?

– Meringué.

– Ouf ! soupire la fille qui froisse son carnet de commandes sur ses petits seins de grande gigue en prenant la salle à témoin, j'ai vraiment eu peur qu'il exige de moi un *mariage heureux* !

Et elle file vers la cuisine en marchant genoux fléchis à la Groucho Marx. Cinq minutes plus tard, elle lui apporte sa commande au ralenti, lascive, ondulant ses maigres hanches à la Tex Avery, et s'assied à la Marlène Dietrich sur l'accoudoir de son fauteuil en bois.

– Assister à mon spectacle ce soir tu dois, *Liebling*, si boire un café avec moi tu veux !

Et elle l'abandonne en boitant pour aller faire des courbettes de geisha débutante à une table de Chinois circonspects.

Il reste une petite heure à profiter du café délicieux, des pâtisseries et des pitreries de la fille au nez rouge. Quand il paye, elle est raide et austère comme une caissière de musée. Quand il sort, elle s'effondre de chagrin comme une jouvencelle dont le puceau part aux croisades. Quand il est dehors, elle court après lui sous la pluie et lui rajuste son sac et ses vêtements comme une mère juive au départ de son fils unique. Puis elle s'arrête net, soudain hautaine, vexée comme une gouvernante anglaise, et le regarde descendre vers le port et le Fridge, le seul hôtel de la ville.

C'est un ancien entrepôt frigorifique du temps des pêches miraculeuses. Une famille nostalgique des temps hippies l'a transformé en auberge de jeunesse bohème. Les chambres sont des dortoirs et le grand salon un sympathique foutoir de vieux sofas, de fauteuils défoncés et de tables basses en palettes de récupération. Un piano plus si droit que ça sur une estrade, des bibliothèques de romans dans toutes les langues et de jeux de société, et une réception comme un bar de port emmêlé de filets de pêche et d'accessoires d'accastillage. La plupart des hôtes se douchent au retour d'une randonnée mouillée sur le glacier, ou s'affairent dans une cuisine collective.

Il jette son sac sur un lit, puis le reprend et sort fumer un joint. De l'autre côté, un bâtiment jumeau a été aménagé en box à tout et n'importe quoi, mais sur la droite, au bout du terrain qui sépare les deux bâtiments, un petit bateau de pêche en bois a été calé sur des étais et repeint de couleurs vives. Une guirlande électrique de lampes nues court de la proue au sommet de la guitoune qui servait de cabine de pilotage. Il remarque alors une échelle de coupée et s'en approche quand la guirlande s'éteint et qu'un couple sort de la cale et saute à terre. Ils passent devant lui en souriant et il les salue d'un geste. Il s'adosse alors à la coque et tire sur son joint pincé dans ses doigts pour le faire durer plus longtemps, puis il va dormir un peu, son sac entre les jambes, sans s'inquiéter de ceux qui entrent et sortent bruyamment du dortoir. Lorsqu'il se réveille, la chambrée est vide et il devine une certaine animation dans le salon. Des gens patientent en plaisantant devant un grand rideau noir derrière le piano. La grande bringue au nez rouge du *kaffi* est là et accueille tous ceux qui passent derrière le rideau d'une voix de dessin animé qui les fait rire. Elle porte sur ses cheveux courts un diadème en plastique rouge lumineux qui lui dessine deux petites cornes de diablotin. Quand elle l'aperçoit, elle se pâme, s'évanescente, se jouvencellise, et tombe à ses genoux en s'accrochant à son jean qu'il retient des deux mains.

– *Ach, mein Hertz* tu chavires, puisque venu tu es.

Puis elle se redresse, châtelaine et radieuse, prend sa main à hauteur de son épaule et l'entraîne derrière le rideau d'un pas glissé de mariage en entonnant la *Marche nuptiale* d'une voix à la Donald Duck. La foule se fend pour les laisser passer et ils entrent dans un minuscule théâtre où elle l'installe au tout premier rang en papillotant des yeux.

Le spectacle est hilarant. L'humour de la fille sur les religions et l'hypocrisie humaine est bien plus incisif que ne le laissent supposer ses mimiques de clown. C'est un vrai texte, écrit, construit, et qui ne s'embarrasse d'aucun tabou sur ce pour quoi le Diable a été inventé. Une jolie performance pendant une heure sans temps mort. Un succès mérité, salué par une longue ovation et des sifflets admiratifs. Quand il quitte le petit théâtre, la fille est entourée de spectateurs qui la félicitent.

Il ressort fumer un autre joint pour prolonger son plaisir. La bruine a délavé les nuages qu'un soleil encore haut évapore. La lumière est belle. Jaune. Chaude malgré l'heure tardive. D'autres spectateurs sortent fumer en parlant du spectacle, alors il s'éloigne pour s'isoler un peu et finit par monter à bord du petit bateau pour s'accouder au bastingage. Perdu dans les volutes apaisantes de sa cigarette chaleureuse, il pense à la Française. Et à son frère aussi. Il ne voit pas la fille venir vers lui.

– Alors, je te l'offre ce café ?

Il sort de son rêve et l'aperçoit, au pied de l'échelle, qui lui sourit, bras croisés, en tendant vers lui son nez de plastique rouge.

– Où ça ?

– À l'intérieur, dit-elle en grimpant à l'échelle.

Elle le rejoint sur le pont et ouvre l'écoutille en bois de la cale à poisson. L'intérieur n'est qu'un grand matelas couvert de couettes et de coussins. Elle se déchausse, laisse ses chaussures sur le pont et saute dans la cale en l'invitant d'une main à la rejoindre. Il saute à son tour et découvre le petit lupanar décoré de babioles et de lampes, douillet comme un boudoir, secret comme une alcôve. Le temps qu'il s'en étonne, elle a déjà passé ses vêtements par-dessus sa tête et, de dos sur le lit, retire d'un seul geste son pantalon et sa culotte. Puis elle le pousse à s'asseoir, s'agenouille devant lui et le déshabille de la même façon, le bousculant sur le dos pour le détrousser du bas. Elle est toute maigre, avec de larges gestes désarticulés d'insecte. Il découvre son sexe tout épilé. Ses seins aux tétons cambrés vers le haut. Ses fesses de garçon manqué. Mais quand elle l'embrasse et le caresse, malgré son nez rouge, il s'abandonne à une douceur inespérée et à un long amour silencieux et inattendu.

Plus tard, serrés l'un contre l'autre, ils ne disent rien pendant longtemps avant qu'il ne s'inquiète.

– Tu n'as pas peur que quelqu'un vienne ?

– Non. Quand on éclaire ici, la guirlande s'allume dehors et c'est le signal de ne pas déranger.

– Cool, qui a eu cette idée géniale ?

– Devine…

Elle, bien entendu.

– Pourquoi tu gardes toujours ton nez rouge ?

– Parce que la vie n'est qu'une comédie.

– Même ce que nous venons de faire ?

– Surtout ce que nous venons de faire.

– Tu l'enlèves quelquefois ?

– Oui. De temps en temps, quand je suis seule…

– Pourquoi ?

– Parce qu'il me gêne pour pleurer.

– Tu n'as pas l'air de quelqu'un qui pleure.

– Détrompe-toi, je ne suis qu'un clown. C'est toujours triste et seul un clown, dans la vraie vie.

– Et tu as toujours fait ça, clown ?

Elle ne répond pas tout de suite et marche à quatre pattes sur le matelas jusqu'à une machine à café. Elle prépare deux expressos et revient lui en offrir un. Elle sirote le sien bouillant avant de répondre :

– Non. Avant je travaillais dans la banque. Je gérais des fonds d'investissement. C'était la belle époque : coke, dernière BMW, maison sur le lac Tjörnin, hélico pour des parties de jambes en l'air devant la cheminée dans des chalets de luxe sur les glaciers. La première fois que j'ai mis mon nez rouge, c'était pour fêter mon premier million de dollars. Une jolie fête, dans la maison d'un ministre. Comme il fallait être costumé, j'y suis allée déguisée en clown, toute nue avec mon nez rouge. Tout le monde a beaucoup apprécié.

– Et pourquoi tu fais le clown pour de vrai, maintenant ?

– Parce que j'ai poussé tant de pauvres gens à la faillite quand la crise est venue. Tant de gens au suicide. Nous étions ivres de coke et de profits, mais nous connaissions le danger qui nous guettait. Nous savions. Par contre, j'ai fait tout perdre à des gens qui ne savaient pas, qui m'avaient confié leur argent, et j'ai tout perdu. Le leur et le mien. On m'a arrêtée avec mes patrons. J'ai fait un peu de prison.

– À Kvíabryggja ?

– Oui…

– C'est vraiment comme on dit, une jolie ferme de luxe au milieu de trente-cinq hectares dans un des plus beaux paysages du pays, au pied du Snæfellsjökull, avec un golf et une salle de billard, sans serrures ni barrières ?

– Oui. Mais c'est une prison quand même.

– Et c'est vrai qu'on vous obligeait à vous occuper des bêtes de la ferme pour rembourser vos dettes ?

– Non. Ceux qui le voulaient le pouvaient, mais ce n'était pas une obligation. Je crois que tu n'as pas bien compris ce qu'a été cette crise. Nous avons fait perdre des centaines de millions aux gens. Tu crois que c'est en nous occupant des moutons pour deux cent cinquante couronnes de l'heure que nous aurions pu rembourser ?

– Ç'a été dur ?

– Ne plus être libre de sa vie, oui. Prendre conscience du mal qu'on a fait, aussi. Voir les plus gros que nous s'en sortir, récupérer leur fortune, revenir dans le système, bien sûr. Mais le plus dur, c'est que de temps en temps quelqu'un me reconnaît pendant le spectacle et m'insulte en pleurant. Et toi ?

– Moi, je crois bien avoir perdu mon frère jumeau.

– Comment ça, tu crois ?

– Son chalutier n'est pas rentré au port de Grindavík. On pense qu'il a coulé au large. Mon frangin m'avait remplacé à bord.

– Pourquoi ? Tu n'as pas l'air très malade.

– Non, c'est plutôt parce que j'avais fait une grosse connerie.

– Grave ?

Et c'est là que Galdur parle de la cocaïne à la fille au nez rouge.

# 17

# The Fridge

*– Tu te quoi ?*

– C'est quoi cette cocaïne ? demande Beckie.

Ils sont arrivés une heure après que Nez-Rouge a quitté Galdur pour retourner travailler au *kaffi*. Dès qu'ils ont pu s'isoler de Soulniz, Galdur l'a attirée dans le petit bateau, trop fier de lui faire découvrir à son tour ce nid d'amour.

Il éteint la lumière. Tant pis pour la guirlande à l'extérieur. De toute façon, il a condamné l'écoutille de l'intérieur. Maintenant, dans le noir, il cherche ses seins avec ses mains et lui murmure à l'oreille :

– C'est un trafic, dans le nord de l'Atlantique. Un chalutier part des États-Unis avec la drogue, il rejoint en haute mer un chalutier canadien, qui rejoint un chalutier islandais, qui rejoint un chalutier anglais, ou français, ou néerlandais. Qui va fouiller un chalutier de retour de la pêche ? La drogue est débarquée dans les caisses de poisson, sous le lit de glace, et vendue au nez et à la barbe de tout le monde aux enchères à la criée. Les acheteurs savent quel lot réserver.

– Je croyais que le trafic se faisait plutôt dans l'autre sens avec de la came qui rentrait aux États-Unis.

– Disons que c'est un trafic de niche. C'est comme du cabotage. Une livraison dans chaque port.

Ils aiment le contact de leurs peaux dans l'obscurité. Ils s'abandonnent plus facilement, s'ouvrent aux caresses et aux baisers de l'autre. Sans se voir.

— Et toi alors ?

— J'ai piqué un paquet de deux kilos pendant la dernière livraison.

— Merde…

— Je ne pensais pas qu'ils s'en apercevraient aussi vite. Je pensais leur donner le change avec mon frère sur le bateau pendant que je quittais le pays. Deux kilos sur une tonne, je pensais que ça ne se verrait pas tout de suite. Maintenant, je crois qu'ils ont coulé le bateau pour punir l'équipage et qu'ils cherchent à récupérer la coke.

— Je croyais que tu travaillais au Blue Lagoon.

— Mon frère y travaille, mais de temps en temps nous échangeons nos boulots. Histoire de nous amuser.

— Et là ?

— Là rien, le bateau n'est pas rentré au port. Pas de nouvelles.

— Qu'est-ce que tu vas faire ?

— Fuir, me planquer, et trouver un moyen de sortir du pays.

— Avec deux kilos de coke, dans une île où tout le monde se connaît ?

— Oui, je sais, ce n'est pas très malin, mais je n'ai pas d'autre solution.

Elle le prend dans ses bras et le serre contre elle, embrasse sa nuque, son cou, son oreille jusqu'à ce qu'il gémisse. Elle caresse longtemps son visage avant de parler à voix basse :

— Ça représente quoi deux kilos de coke ?

— Quelque chose comme douze millions de couronnes.

— En vrai argent civilisé, je veux dire.

— Entre cent et cent cinquante mille euros.

– Alors monnaye-la. Bazarde-la à moitié prix. Prends cinquante mille et tire-toi d'ici.

– Et à qui veux-tu que je la revende ? C'est un pays tout petit ici, les seuls qui seraient capables de me la racheter sont sûrement ceux à qui je l'ai volée. Avant la crise, j'aurais pu la revendre au détail aux banquiers, sans problème, ils en sniffaient des pipe-lines entiers, mais maintenant il n'y a que les Lituaniens sur le marché.

Beckie ne dit rien, trop heureuse de le tenir contre son ventre. Elle cherche sa tête dans le noir et le force à l'enfouir entre ses seins.

– Tu aurais dû y penser avant de la voler.

– Merci, je sais. J'aurais dû penser à beaucoup de choses dans ma vie avant de les faire.

– Comme de faire l'amour avec moi ?

– Non, ça, je ne le regrette pas.

– Comment tu as connu cet endroit ?

– Le Fridge ? C'est toi qui m'as dit à Reykjavik que ton père avait réservé ici pour vous.

– Non, je veux dire ce petit bordel de bateau ?

– Ah, ça ? C'est une fille qui me l'a fait connaître un peu plus tôt dans la soirée. Tu verras, on l'appelle Nez-Rouge. Elle a un spectacle au Fridge. De l'humour…

– Elle baisait aussi bien que moi ?

– …

– Tu peux me le dire, tu sais, je ne suis pas jalouse.

– Je préfère le faire avec toi. Tu veux du café ?

Il se dégage de Beckie d'un baiser sur le nez et allume pour trouver la cafetière. Il leur prépare deux expressos qu'ils boivent en tailleur l'un en face de l'autre.

– Qu'est-ce que tu fais s'ils te retrouvent ?

– Qui ça ?

– Les Lituaniens.

– Je verrai. Je peux me défendre.

Il tire à lui le sac à dos dont il ne se défait jamais, l'ouvre et montre l'intérieur à Beckie. Elle y voit le paquet de cocaïne et un pistolet automatique.

– Qu'est-ce que tu fous avec une arme ?

– Je l'ai achetée à un marin canadien. Il me l'a livrée discrètement pendant un transbordement. C'était pour nous amuser, mon frère et moi. Maintenant, c'est juste pour me défendre, au cas où. Je peux te confier un secret ?

– Si c'est pour me faire croire que tu es le fils de la reine d'Angleterre, t'as pas les oreilles pour.

– Mon vrai nom, c'est Galdur, comme je te l'ai dit au Blue Lagoon, mais pour l'instant, je préfère que tu m'appelles Arnald.

– À cause de la coke ?

– À cause de la coke.

Elle va dire quelque chose de méchant quand on frappe à la coque du bateau depuis l'extérieur.

– Beckie ? On m'a dit que tu étais là-dedans, tu viens ! On va essayer de dîner quelque part.

– D'accord, je me rhabille et j'arrive.

– Tu te quoi ?

# 18

# Ólafsvík

*... si c'est Arnald qui reste avec moi ?*

Il attaque son hot-dog la bouche grande ouverte. C'est lui qui leur a recommandé de prendre avec *tout* ce qu'il ose appeler une *spécialité islandaise*. Dans un pain brioché, une saucisse aux trois viandes d'agneau, de bœuf et de porc islandais nappée de moutarde brune et sucrée, de ketchup maison, d'oignons émincés crus et d'autres frits en rondelles, de mayonnaise aux pickles et de quelques cornichons...

— Il est marin-pêcheur, explique Beckie en mordant à pleines dents dans son hot-dog.

— Tu parles, répond Soulniz en français, c'est le type du Blue Lagoon que tu as vampé à poil devant tout le monde !

— Non, celui-là, c'est son jumeau. Lui, il est vraiment marin-pêcheur.

— Pêcheur de quoi ? De touristes en mal de galipettes ?

— Ne sois pas vulgaire.

— C'est toi qui me dis ça ?

— Je ne suis pas vulgaire, j'ai juste baisé avec un gars qui me plaît.

— À Reykjavik aussi ?

— Bien sûr, qu'est-ce que tu crois qu'on fait à notre âge, le samedi soir ?

– Hier, c'était jeudi !

– Oui, eh bien ici, le jeudi ça s'appelle le « petit samedi ».

– Donc tu as fait une petite baise.

– Ah, tu vois que c'est toi qui es vulgaire !

Soulniz ne cherche pas à répondre. Il se venge sur son *pylsur* à son tour et se maudit en silence de le trouver délicieux.

– Arnald va venir avec nous demain, dit Beckie en léchant la mayonnaise sur ses lèvres.

– Jusqu'à Hvítserkur ?

– Jusqu'à Hvítserkur et peut-être plus loin encore. Akureyri, Húsavík, Mývatn, on verra.

– Donc, si j'ai bien compris, c'est déjà tout vu.

– Écoute, on a la place dans le Toyota, alors soit il vient avec nous, soit je continue en stop avec lui.

– Tu fais chier, Beckie, s'énerve soudain Soulniz en jetant le reste de son hot-dog sur la table. Et c'est ton marin-baiseur qui paye !

Il se lève, bouscule sa chaise et s'en va, furieux. Puis il revient droit vers la table, le doigt pointé sur le garçon qui bascule sa chaise en arrière par prudence. Mais Soulniz ne trouve rien à dire dans sa colère face au gamin la bouche pleine qui le regarde. Alors il récupère le reste de son hot-dog, l'enfourne dans sa bouche et fait demi-tour pour disparaître dans la nuit.

– Je crois qu'il ne m'aime pas trop.

– Je pense plutôt qu'il m'aime trop moi, alors forcément il n'aime pas ceux qui m'aiment.

Il avale la dernière bouchée de son sandwich et se lèche les doigts.

– Ça veut dire qu'on s'aime, alors ?

– J'ai pas dit ça. Pour l'instant, on baise bien. On verra plus tard pour l'amour, si les Lituaniens ne te les coupent pas pour te faire avouer où est la coke.

Alors ils parlent de choses et d'autres. De plans d'enfer pour quitter l'île en douce. De ruses pour échapper aux Lituaniens. Qu'ils devraient se planquer dans la lande pour apprendre à tirer avec le flingue. Qu'il faut faire attention au recul. Qu'ils ne savent même pas le charger. Ils quittent le *diner* à hot-dogs et suivent à pied la côte sur quelques kilomètres pour revenir dans la nuit d'Ólafsvík jusqu'au Fridge. Ils s'arrêtent au passage sur un quai, au bord d'un bassin désaffecté où pourrit un vieux chalutier affaissé sur son flanc brisé. Beckie se demande à voix haute si le seul banc a été installé au pied du seul réverbère, ou si le réverbère a été planté là pour éclairer le seul banc au bord de l'eau. Lui pense qu'un paysagiste a dû concevoir les deux en même temps, comme un ensemble.

— Un paysagiste ! s'exclame Beckie en écartant les bras pour le convaincre que rien autour d'eux n'a l'air d'avoir été paysagé.

Puis ils s'assoient sur le banc dans le cône de lumière orangée et il sort le pistolet. Ils le regardent, le manipulent, trouvent comment éjecter le chargeur et s'extasient de le trouver plein. Ils le réenclenchent, cherchent comment coulisser la culasse pour l'armer, comme dans les films policiers, y parviennent et se retrouvent à se repasser de main en main une arme chargée et armée.

— Tu crois qu'il y a une sécurité ou un truc comme ça ?

— Je n'en sais rien, avoue Beckie.

Le coup part par surprise. Une petite détonation sèche et sans écho dont le recul fait tressauter leurs bras. Et quelque chose craque en face d'eux dans la coque vermoulue du chalutier échoué. Ils restent quelques instants étourdis puis éclatent de rire, bondissent sur leurs pieds, rangent l'arme et déguerpissent en courant sans s'arrêter jusqu'au Fridge.

Ils y arrivent essoufflés, tout excités, et courent se réfugier à l'intérieur. Trois jeunes Allemands terminent la vaisselle dans la grande cuisine. Une vieille femme nue, aux seins aussi fripés que son visage, sort de la douche pour regagner son dortoir. Dans le salon, deux couples jouent aux cartes en silence.

– On se voit demain, dit-il en glissant un baiser sur les lèvres de Beckie surprise.

Elle le regarde regagner son dortoir et pousse prudemment la porte du sien où tout le monde ronfle dans le noir. À tâtons, elle devine que le lit de son père est vide et sort le chercher sur la pointe des pieds. Il n'est ni dans les toilettes communes, ni dans les douches, ni dans la cuisine ou le salon. Elle se dit qu'il est peut-être allé jusqu'à la voiture chercher quelque chose et ressort de l'auberge. Quand elle remarque les guirlandes allumées, elle se dirige vers le bateau et frappe à la coque, l'oreille collée contre le bois.

– P'pa ?

– …

– P'pa ?

– …

– Nez-Rouge ?

– Oui…

– Tu es avec mon père ?

– …

– Fous-nous la paix, grogne alors la voix de Soulniz, retourne auprès de ton marin-pêcheur et fous-nous la paix.

– Ah, O.K., désolée, excuse-moi, Nez-Rouge, je vous laisse…

– Hé, Beckie, en fait je m'appelle Anita, tu sais ?

– Anita. Mais toi comment tu sais que je m'appelle Beckie ?

– J'ai beaucoup entendu parler de toi aujourd'hui.

– Oui, je sais, moi aussi.

– Mais il ne faut pas t'en faire, tu sais, parce que… Hé,

attends, ne pars pas, non mais attends, où tu vas ? Qu'est-ce que tu fais ? Reviens !

Beckie s'écarte du bateau au moment où l'écoutille claque contre le pont. Soulniz en sort et descend l'échelle, débraillé et furieux.

– Ne vous dérangez surtout pas pour moi, continuez votre petite causette !

Il passe devant Beckie et elle le regarde se diriger vers l'entrée des dortoirs. Quand elle se retourne vers le bateau, Anita est nue sur le pont, les mains sur le bastingage.

– Je suis désolée, bredouille-t-elle.

Beckie la regarde sans répondre, s'imaginant son père dans ses bras maigres, puis abandonne et se dirige vers l'entrée du Fridge à son tour.

– Dis, Beckie, tu as déjà fait ça avec un clown ? demande de loin la voix d'Anita.

– Va te faire foutre ! lâche Beckie en la gratifiant d'un doigt d'honneur sans se retourner.

Elle entre dans le Fridge et se glisse en silence dans le dortoir qui sent fort les fringues de mec et les chaussures de marcheur.

– Tu dors ? murmure-t-elle.

– Oui, grommelle Soulniz qui se retourne vers le mur.

– Tu m'en veux ? Si j'avais su…

– Fous-moi la paix, Beckie, tu veux, pour une fois fous-moi la paix !

Alors elle se déshabille en silence, se demandant lesquels dans la chambrée font semblant de dormir pour la mater en douce, et se glisse dans son lit.

Son hurlement réveille toute l'auberge. Elle se redresse d'un bond et se cogne contre le lit superposé au-dessus du sien, roule par terre sur le côté en gigotant des jambes comme pour se défaire de quelque chose, puis se redresse en trépignant et court hors de la chambre. Soulniz est déjà debout. Quelqu'un allume. D'autres accourent des autres dortoirs. Soulniz sort à son tour et voit Beckie, le visage défait par l'horreur et le regard fixé sur la porte de la chambre, blottie dans les bras de son marin-pêcheur.

– Qu'est-ce qu'il y a, ma chérie, que s'est-il passé ?

Beckie est terrorisée. Elle tremble. Elle suffoque quand elle cherche à s'expliquer.

– Le lit, mon lit...

– Quoi ton lit ?

– Dedans...

– Il y a quelque chose dans ton lit ?

Il fend la petite foule qui s'est regroupée autour d'eux et se précipite vers le dortoir. Mais dès qu'il passe la porte il devine que les autres ont trouvé. Ils sont tous là, debout, la moue écœurée, à fixer le lit de Beckie. Quand Soulniz voit la chose à son tour, un haut-le-cœur le prend à l'idée de ce qu'elle a pu ressentir à ce contact dans les draps. Au beau milieu du lit défait, le corps mort d'un macareux massacré.

– Foutez-moi ça dehors ! hurle-t-il sans se rendre compte qu'il parle en français.

Et comme personne ne bouge, il attrape l'oiseau par une patte et le jette hors de la chambre dans le couloir. Les femmes s'écartent en hurlant et des enfants pleurent. Des hommes pro- testent. Quelqu'un ramasse le macareux dans ses mains et demande une boîte. C'est Anita. Un homme court aux cuisines vider un carton de paquets de chips et l'apporte. La fille au nez rouge y dépose l'oiseau comme elle déposerait la dépouille d'un enfant. Son duvet blanc sur le ventre comme un plastron, ses courtes ailes noires légèrement écartées comme les pans d'une veste, ses pattes aux larges palmes orangées, et sa petite tête de clown triste au gros bec bariolé sur le côté. Plus personne ne s'inquiète de Beckie. Tous n'ont d'attention que pour le macareux. Soulniz les bouscule et retourne près de Beckie qui reprend des couleurs.

— Si j'attrape celui qui a fait ça ! Écoute, pour cette nuit, tu vas prendre mon lit. Je dormirai dans le tien si tu préfères.

— Non, je ne pourrai jamais dormir dans cette piaule, même dans un autre lit, je vais cauchemarder toute la nuit.

Beckie reste blottie dans les bras du garçon et il ne sait pas comment faire. Il hésite, maladroit, puis se résout à les enlacer tous les deux quand il aperçoit Anita qui sort du Fridge en portant le carton, suivie par la petite foule en procession.

— Tu as raison, mon ange, je sais ce que nous allons faire. Tu vas dormir dans le bateau et moi je vais rester avec toi, d'accord ?

Beckie fait signe de la tête qu'elle veut bien, mais quand Soulniz les lâche pour se diriger vers la porte, elle le retient par le bras.

— P'pa, ça te dérange si c'est Arnald qui reste avec moi ?

# 19

## Sur la route de Hvítserkur

*... au milieu de nulle part en mode rebelle !*

Un nuage s'est accroché au flanc de la montagne au-dessus d'Ólafsvík. Des torrents dévalent les pentes comme s'ils prenaient leur source dans la brume. Il n'y a plus de ciel et plus d'horizon. Au petit-déjeuner, les marcheurs se résignent. L'ambiance morose pousse Soulniz à ne pas s'attarder. Il charge la voiture en silence et refuse l'aide d'Arnald, qui finit par s'installer à l'arrière du Toyota pour attendre. Beckie le rejoint, et Soulniz s'offusque en silence de devenir leur chauffeur. Ils quittent le Fridge sans que pointe le nez rouge d'Anita et s'arrêtent en ville dans une pâtisserie surchargée de gâteaux colorés pour boire un café avant de prendre la route 54 vers l'est. Ils longent une côte sauvage sur leur gauche et s'émerveillent en silence des cascades sur leur droite. Elles dégringolent des falaises en dentelles, bondissent de rocher en rocher, effilochées et graciles, puis se glissent par de gros tuyaux sous la route pour se jeter à la mer de l'autre côté. À plusieurs reprises, ils s'élancent sur de longs ponts bas qui traversent des fjords au ras des eaux sombres, puis au sortir d'une courte côte ils débouchent dans une autre vallée, en plein soleil cette fois, et le paysage s'illumine de l'ocre des roches, du vert des pâturages, du reflet bleuté des herbes folles et du camaïeu des mousses orangées. Soulniz glisse le CD d'America dans le lecteur et se réconcilie avec la vie quand il voit Arnald, dans le rétroviseur, qui murmure les paroles de « Sandman ». Bientôt la route pique à droite et devient une piste de terre à travers des horizons plats infinis, parsemés de massifs rabotés par tant de vents depuis si longtemps. Des landes tapissées de fleurs rases et pourpres ou de buissons jaunes. Une heure plus tard, la route plonge vers le sud pour contourner un dernier fjord qui se termine en marécage. C'est en remontant vers le nord sur l'autre rive que Soulniz aperçoit la voiture rouge qui les suit de loin. Il ne veut rien dire, mais Beckie se rend compte qu'il surveille trop souvent ses rétroviseurs.

— Il est revenu, c'est encore lui ?

Elle a parlé en français, mais Galdur a compris son inquiétude. Il l'interroge du regard. Beckie lui raconte toutes leurs petites tracasseries depuis leur arrivée en Islande et la voiture rouge qui n'arrête pas de les suivre.

— Si c'est celui qui s'est amusé à mettre le puffin dans ton lit hier soir, je le fracasse, grogne Soulniz.

Ils roulent une heure encore, longeant des plages désertes de galets gris d'un côté et des collines ondulées et verdoyantes de l'autre où galopent en liberté de courts chevaux blanc et roux à la crinière insolente. Puis soudain leur route débouche sur une piste et ne continue pas vers l'est. Pour rejoindre leur destination, il faut un détour de soixante-dix kilomètres par le sud. Soulniz s'arrête longtemps au beau milieu du croisement. Une ombre passe sous le soleil pâle et le monde perd ses couleurs. Le ciel n'est plus qu'une clarté blanche que des nuages noirs tourmentent à contre-jour. Seules les montagnes, loin derrière à l'ouest, dans le rétroviseur, sont encore tavelées de bruyères et de mousses, avec pour unique couleur vive le petit point rouge de la voiture, arrêtée, qui les surveille de loin.

— Il est toujours là ?

– Oui, c'est un pays idéal pour filer quelqu'un, il n'a qu'à attendre de voir quelle direction nous prenons et il est sûr de nous suivre sur la bonne route.

– Nous devrions l'attendre pour lui demander ce qu'il nous veut.

– D'après toi, qu'est-ce que je fais en ce moment ?

– Et lui, que fait-il ?

– La même chose que nous. Il s'arrête et il attend. Il sait que nous l'avons repéré. Je suppose que ça lui plaît de nous inquiéter.

Ils roulent trente kilomètres encore sans apercevoir la voiture rouge derrière eux. Mais quand ils approchent de la jonction avec la route numéro 1, elle réapparaît. Ce type connaît le pays par cœur et ne se rapproche d'eux qu'aux rares carrefours pour suivre leurs changements de direction. Soulniz imagine que le seul intérêt de leur suiveur est de connaître l'endroit où ils vont faire étape pour leur faire ses farces de mauvais goût.

Sur leur gauche court une rivière vive qui creuse son lit dans des pâtures épaisses. Par endroits, la rivière s'étrangle en torrent d'écume blanche et de remous bleus entre les roches brunes. Ailleurs, elle s'étale en larges méandres de miroirs argentés et délave des gravières de galets gris. Quand elle reflète le ciel sous le bon angle, la lumière les aveugle. Soulniz roule en silence, se demandant comment des gens peuvent vivre dans ces maisons proprettes et isolées qu'il aperçoit de loin en loin au bout d'un long chemin. Quel plaisir peut trouver ce pêcheur, immobile au milieu de l'eau vive et glacée, le visage couvert d'une mousti-quaire, dans ce pays où on trouve les poissons par milliers dans toute la mer qui l'entoure ? Sur la banquette arrière, Beckie et Arnald se partagent une musique de leur époque avec le même écouteur, comme des enfants sages au retour d'un week-end. Dehors, la rivière s'élargit et prend ses aises dans des bras morts immobiles où se reflètent des fragments de ciel parmi les gravières. Quand ils passent un pont, c'est comme s'ils traversaient l'espace.

Soudain, après une large courbe, à peine passé la jonction avec une piste sur la droite, au milieu d'une longue côte, Soulniz gare le Toyota sur le bas-côté. Cent mètres derrière, la voiture rouge, surprise, profite du dégagement de la piste pour s'arrêter aussi. Soulniz laisse tourner le moteur et devine que l'autre chauffeur en fait autant. Beckie et Arnald émergent de leur musique et comprennent ce qui se passe en suivant le regard de Soulniz dans le rétroviseur.

– C'est encore le type qui vous suit ? demande Arnald.

– Oui, et je vais rester là jusqu'à la nuit s'il le faut pour le forcer à faire demi-tour ou à venir jusqu'à nous.

– Ce n'est pas la peine, dit Arnald, je m'en occupe.

Il sort de la voiture son sac à la main, fouille dedans, puis le rend à Beckie par la portière grande ouverte.

– Garde-moi ça, je reviens.

Et il descend au beau milieu de la route déserte, d'un pas décidé, le pistolet à la main. À cinquante mètres de la voiture rouge, il brandit l'arme à bout de bras et tire sans s'arrêter de marcher. En bas de la côte, la voiture rouge démarre aussitôt en patinant sur l'asphalte. Les pneus fument, l'arrière dérape, puis elle se remet en ligne et part en trombe sur la piste à l'intérieur des terres. Cent mètres plus loin, elle traverse un pont qui enjambe une rivière et disparaît, ne laissant dans le paysage qu'un tourbillon de poussière.

Soulniz a bondi hors de la voiture au premier coup de feu.

– C'est pas vrai !

Le garçon s'est arrêté pour regarder fuir la voiture rouge. Soulniz marche droit sur lui d'un pas furieux, lui arrache l'arme des mains et la balance loin dans la mousse qui tapisse la rive. Puis il attrape le garçon par le col, le secoue en lui hurlant des injures, avant de le pousser sur le bas-côté.

– Espèce de petit con, mais qu'est-ce que tu fous avec un flingue ? Je ne veux plus te voir dans ma caisse ni autour de ma fille, tu comprends ? Dégage ! hurle-t-il en anglais.

Il fait demi-tour pour remonter vers la voiture quand le Toyota le frôle en marche arrière à vive allure. Beckie est au volant. Elle saute de la voiture et court aider le garçon à se relever.

– Beckie, qu'est-ce que tu fais ? Je t'interdis de ramener ce type avec nous, tu m'entends, et puis qui t'a appris à conduire ?

– Sûrement pas toi. Des gens qui m'aimaient, eux !

Puis elle court dans la lande à la recherche de l'arme.

– Beckie, ne fais pas ça ! Je te préviens, je me tire sans vous, je vous laisse là si tu continues.

Mais Beckie se contente d'agiter à bout de bras les clés du Toyota. Quand elle revient, l'arme à la main, Soulniz s'est un peu calmé mais la colère gronde toujours en lui.

– Qu'est-ce que ton copain fait avec un flingue ? C'est qui ce mec !

– N'empêche que l'autre avec sa voiture rouge, il a bien compris le message maintenant. Il va nous laisser tranquilles et ça sera grâce à lui, pas grâce à toi !

– Ça, pour sûr qu'on va être tranquilles, chacun dans une cellule !

– Personne ne nous a vus.

– Qu'est-ce que tu en sais ? De toute façon, il ne remontera pas dans cette voiture avec son arme.

– C'est moi qui l'ai.

– Toi non plus.

– Alors pas de problème, je continue à pied avec lui.

Et sans attendre la réponse de Soulniz, elle récupère le sac, prend le garçon par le bras et l'entraîne sur la route. Quand ils sont à vingt bons mètres, elle se retourne, brandit les clés en direction de Soulniz, puis les jette le plus loin possible dans la lande. Soulniz s'accoude au capot bouillant et enfouit son visage dans ses mains. Dix minutes plus tôt, c'étaient deux gamins sages qui écoutaient de la musique sur la banquette arrière. Maintenant ils se baladent avec un flingue au milieu de nulle part en mode rebelle !

# 20

# Reykjavik

*... que le gamin ne fasse une connerie.*

Il lui faut plus d'une heure pour retrouver les clés. Par chance, à le voir courbé au-dessus de la mousse, des touristes intrigués et un éleveur du coin se sont arrêtés. C'est la petite gosse toute blonde des touristes qui les a retrouvées. Soulniz s'en tire en disant qu'il les a perdues en allant jusqu'à la rivière pour faire une photo. Personne ne le croit vraiment, parce qu'il surveille sans cesse la route, mais ils s'en contentent, alors il les remercie, embrasse la fillette et remonte dans sa voiture. La gamine lui adresse un gentil au revoir de la main quand ses parents repartent et Soulniz se souvient que Beckie a été comme ça, elle aussi. Gamine, souriante, gentille. Il s'adosse au siège et se retient de pleurer, puis se résigne à reprendre la route, surveillant les alentours pour essayer d'apercevoir Beckie et Arnald.

Bientôt il rejoint un fjord étroit et peu profond dans un paysage plat qui lui semble soudain triste. Il ne reste pourtant plus dans le ciel bleu que quelques voiles blancs et le soleil est là. Mais le cœur n'y est plus. Il longe le fjord, sans plus s'inquiéter de la voiture rouge qui peut-être le suit encore. Il n'a brusquement plus aucune envie d'être là, ni dans ce pays, ni dans sa peau de père. Il roule juste sur l'itinéraire prévu, sans plus. Ces infinités ne l'enivrent plus. Elles le désespèrent. Peu après, il rejoint le bourg de Laugarbakki pour prendre de l'essence et manger quelque chose. Une vingtaine de maisons, un camping à tous vents et une station-service. Il espérait secrètement y retrouver Beckie, mais repart avec un hot-dog sans prétention, un pain de seigle sucré, deux bananes et une bouteille d'eau. Il demande quand même à la caissière si elle les a vus. Elle répond que non, pas vus. À moins que cette voiture ne les ait embarqués. Une familiale bleue. Ou un 4 × 4 vert bouteille, elle n'a pas bien vu. Ou alors ce n'était pas eux. Ceux-là parlaient allemand. Ou italien…

Alors, il se décide. Beckie a son passeport, son billet d'avion et de l'argent sur elle. Qu'elle continue. Lui abandonne. Il peut être à Reykjavik en moins de trois heures et rentrer à Paris. De toute façon, il a la réponse à ce que pouvait signifier pour eux ce voyage. Il fait demi-tour.

À dix-huit heures, il est dans la capitale et se gare devant la maison d'hôtes. Il est prêt à dormir dans la voiture s'il ne reste pas de chambre libre. Mais avant de demander, il tire de sa poche la carte de visite et appelle l'inspecteur Kornélius à qui il raconte l'épisode du pistolet.

— Où êtes-vous ? demande le flic.

— À Reykjavik.

— Tous les trois ?

— Non, je suis rentré seul. Il y a des combats perdus d'avance.

— Par ceux qui abandonnent, c'est sûr.

— Écoutez, je ne suis pas d'humeur à recevoir des leçons de paternité.

— Mais vous m'avez appelé.

— Pour de l'aide, pas pour des sermons.

— Vous voulez quoi, que je m'occupe d'elle quand vous serez parti ? C'est un boulot de père ça, pas de flic. Faites le vôtre, et je ferai le mien.

— Ça veut dire que vous allez arrêter ce gamin ?

– Ça veut dire que si j'étais son père, j'irais récupérer ma fille par la peau du cul et je laisserais la police botter celui du gamin.

– …

– Il faut remonter là-haut, mon vieux, et aller récupérer votre fille.

– Et je la trouve où ?

– Vous avez quatre-vingt-dix-neuf chances sur cent de la trouver là où vous deviez être avec elle ce soir. Vous aviez prévu quoi comme étape ?

– Hvítserkur, le troll dans la mer.

– Alors foncez là-bas, et prenez soin de votre fille. Moi, je m'occupe du gamin.

Kornélius raccroche et Soulniz soupire. Il regarde sa montre. Il est fatigué. Beckie l'épuise. Mais il démarre, fait demi-tour et reprend la route numéro 1 vers l'est. Il roule vite. Il a peur pour Beckie. Peur que le gamin ne fasse une connerie.

# 21

# Troll de Hvítserkur

*... chahutée par un vent sombre.*

Depuis la falaise, ils regardent le troll dans la mer. Dans l'après-midi, ils sont descendus par un chemin escarpé le voir de plus près dans la lagune. Une plaque de basalte de profil qui ressemble à un animal préhistorique. Une sorte de dinosaure qui broute ou qui boit. Les Islandais, eux, n'y voient qu'un troll qui s'est laissé pétrifier par les premières lueurs du jour, trop occupé à taquiner les moines d'un monastère aujourd'hui disparu sur lequel il balançait des rochers depuis la mer.

— Il m'apaise, dit Beckie, couchée dans l'herbe, la tête sur les cuisses du garçon. On dirait un éléphant solitaire dans la savane. Il est tout paisible

Il n'avait jamais vu le troll comme ça, mais maintenant qu'il y pense, Beckie a raison. Sa lourde silhouette, le nez dans l'eau, sans peur ni menace, confère à tout le paysage un profond sentiment de quiétude. Une sérénité qu'il n'avait jamais ressentie jusqu'ici. Et lui aussi, le troll l'apaise.

C'est interdit mais ils ont fait du feu sur la falaise. Un vent continu et frisquet tire les flammes à l'horizontale et ils ont remonté des galets de la grève pour protéger le foyer. Ils ont ri en s'imaginant naufrageurs des mers d'Islande. Ils n'ont presque pas de bois, dans ce paysage sans arbres, alors ils ont arraché deux contremarches de l'escalier qui descend la falaise jusqu'au troll. Ils rient à nouveau en pensant devoir brûler tout l'escalier pour survivre à la nuit. De temps en temps, ils jettent sur les braises une poignée de lichen qui s'embrase en crépitant et s'éteint aussitôt en filaments incandescents que le vent disperse. Il est tard et la nuit tombe. La famille qui les a déposés est déjà repartie vers d'autres curiosités. La petite fille ne voulait pas quitter le troll. Elle disait qu'il avait encore soif. Qu'il fallait cueillir de l'herbe et des fleurs pour les lui donner à brouter. Qu'ils devaient trouver quelque chose de bon à manger pour lui. Qu'elle était forte pour trouver. Qu'aujourd'hui elle avait retrouvé les clés d'un monsieur dans la mousse.

Ils ne sont pas surpris quand la voiture arrive et les prend dans ses phares. Ni quand Soulniz en descend.

– Tu en as mis du temps !

Il sort dans les phares qu'il laisse allumés. Le vent le cueille au dépourvu.

– J'étais retourné à Reykjavik.

– À Reykjavik, pour quoi faire ?

– Pour partir. Pour rentrer en France. Rien de tout ça ne vaut la peine que je me donne.

– Tout ça quoi ?

– Tout ça, ce voyage, toi, moi, ça n'en vaut pas la peine.

– N'empêche que tu es revenu.

– Je suis juste revenu pour lui prendre le flingue. Après, vous faites ce que vous voulez. Demain, je repars.

Beckie traduit au garçon ce qu'ils viennent de se dire. Le gamin fouille aussitôt dans son sac, sort le pistolet et se dirige vers Soulniz en tenant l'arme à bout de bras. Par le canon.

– Prenez-le, si ça vous rassure.

Puis il retourne s'asseoir près de Beckie qui se blottit contre lui et Soulniz reste l'arme à la main, longtemps, avant de retourner à la voiture pour la glisser dans la boîte à gants. Puis il ouvre le coffre et sort la tente qu'il leur jette.

– À vous de vous débrouiller, dit-il, moi je dors dans la voiture.

Ils montent la tente un peu à l'écart de la voiture. Le vent chahute la toile et Soulniz finit par venir les aider sans rien dire. Puis il retourne à la voiture et le gamin se perd dans la nuit pour chercher du bois. Il revient avec un pieu qui devait servir à un ancien enclos et ils le brûlent à l'indienne, le poussant du pied dans les flammes à mesure qu'il se consume.

Le gosse a dû faire quelques courses dans une station-service. Du beurre, du *skyr* onctueux et épais comme un fromage blanc, du poisson séché qui sent fort, et un bocal de viande bouillie. Ils le partagent sans rien dire avec Soulniz qui se souvient des deux bananes et du pain de seigle sucré qu'il a achetés dans la journée.

Lui sait déjà comment faire, et il aurait voulu le montrer à Beckie, mais c'est le gamin qui lui explique comment tremper dans le beurre le poisson séché dont le goût est bien moins prononcé que l'odeur. Elle le mâchouille longtemps avec bonheur et en reprend avant d'ouvrir le bocal de viande. L'autre a un couteau de marin sur lui et le sort en surveillant la réaction de Soulniz qui ne bronche pas. Alors, il coupe des tranches de pain que chacun tartine de viande. Beckie s'attend à quelque chose comme du corned-beef, mais la viande bouillie est plus spongieuse et la sauce acide pique la langue. La première bouchée lui arrache une grimace, mais elle met un point d'honneur à manger toute sa tartine.

– Tu sais ce que c'est, au moins ? demande Soulniz un peu par vengeance.

– C'est pas terrible, mais ça se mange.

– Ce sont des testicules de mouton bouillis compressés dans du petit-lait fermenté.

Beckie fait sa tête de même pas peur de quand elle était petite et Soulniz se sent mesquin. Il n'était vraiment pas venu en Islande pour ça. Ils restent longtemps sans rien se dire, autour du feu qui meurt dans des filaments de braise que le vent allume et disperse. Puis Beckie se tourne soudain vers le garçon.

– On baise ? propose-t-elle en anglais.

Le gosse est surpris et n'ose pas répondre. Il la regarde, puis se tourne vers Soulniz.

– Vous permettez, monsieur ?

Il est sincère et ça rend furieux Soulniz qui se lève brusquement.

– Petit con ! lâche-t-il entre ses dents serrées.

Il leur tourne le dos et se dirige vers la voiture sans les regarder ramper sous leur tente chahutée par un vent sombre.

# 22

*... lui dévisse la tête.*


Il se réveille en sursaut et se cogne contre le volant, aveuglé
par la lumière blanche de la torche électrique. Quelqu'un tourne
autour de la voiture et fouille du regard à l'intérieur. Un court
instant, il pense même qu'ils sont plusieurs et chahutent la voiture pour la renverser. Le temps de reprendre ses esprits et il se
souvient qu'il est en haut de la falaise de Hvítserkur, à une
dizaine de mètres à peine du vide. La panique le prend au moment
même où un visage se plaque contre la vitre, deux trous d'ombre
à la place des yeux. Un mort vivant qui hurle quelque chose
qu'il ne comprend pas. Puis le faisceau de la lampe se déplace,
et il reconnaît le garçon. Furieux, Soulniz tente d'ouvrir sa portière qui résiste. Il pense au vent contraire et la force d'un grand
coup d'épaule. Mais dès qu'il sort de la voiture, une bourrasque
lui jette au visage des tissus et des ficelles dans lesquels il s'emmêle, il trébuche dans un cordage qui lui entrave les pieds, et
se cogne contre le gamin lui aussi empêtré dans des vêtements
qui le claquent en rafales, la tête prise dans un sac de couchage
qui l'aveugle. Il lui tombe dessus et Soulniz s'en dégage avec
rage, et quand il se relève, il se reprend les pieds dans les restes
de la tente déchirée et retombe. Dans le même réflexe, Soulniz
et le garçon se réfugient dans la voiture et claquent les portières.

– C'est quoi, cette tempête ?

– C'est juste du vent, mais on nous a joué un sale tour.

– De quoi tu parles ?

– Quelqu'un a accroché une corde à la poignée de la portière côté chauffeur, et l'autre bout à la tente.

– Pour quoi faire ?

– Pour que vous arrachiez la tente en ouvrant la portière.

– Et où est Beckie ?

– Justement…

– Justement quoi ?

– Justement je venais vous poser la question.

– Qu'est-ce que tu veux dire, tu ne sais pas où elle est ?

– Non, je me suis réveillé tout à l'heure et elle n'était plus dans la tente.

– Tu ne l'as pas entendue sortir ? Merde, c'est une tente minuscule, elle ne peut pas être sortie sans te chevaucher ou te bousculer !

– J'ai pas mal fumé hier soir, je suis parti un peu trop loin cette nuit.

– Je croyais que vous aviez baisé, comme elle a dit.

– Non, hier soir elle a juste dit ça pour vous emmerder, mais une fois dans la tente elle a voulu dormir, alors j'ai allumé un joint. Enfin, deux ou trois. Quand j'ai émergé et que j'ai réalisé qu'elle n'était pas dans la tente, je me suis dit qu'elle avait eu froid et qu'elle avait trouvé refuge dans la voiture.

– Ça fait longtemps ?

– Le temps de mettre quelque chose et de sortir regarder dans la voiture avec ma torche, je dirais un quart d'heure. Mais ça ne nous dit pas depuis quand elle en est sortie.

– Elle est peut-être allée pisser.

– Oui, j'y ai pensé quand j'ai vu qu'elle n'était pas dans la voiture avec vous.

– Allons jeter un coup d'œil dehors, il ne faudrait pas qu'elle se retrouve en danger quelque part avec ce vent.

Ils ressortent de la voiture et cherchent Beckie. Ils crient son nom dans la nuit et le vent, ramassant au passage les vêtements et les objets qui surgissent du noir dans le faisceau de leurs lampes. Mais Beckie ne répond pas et le cœur de Soulniz se serre de plus en plus. Il pense à la falaise abrupte. À l'herbe qui glisse. À une chute dans le noir. Il a déjà vécu ce cauchemar et le souvenir d'Abbie le fracasse de l'intérieur. Quand ils ont arpenté la nuit assez longtemps sans réponse, il se résigne à descendre jusqu'à la plage noire. Alors qu'il entame la descente par le sentier raide et étroit, il aperçoit la silhouette lugubre du troll en bas, comme une maudite sentinelle, comme un mauvais présage. Il n'a descendu que quelques marches lorsqu'il devine dans le vent que le garçon hurle son nom. Il remonte aussitôt le sentier et court vers la lampe que le garçon agite à une cinquantaine de mètres de la voiture.

– Regardez, dit-il, j'ai trouvé ça…

Soulniz reconnaît le T-shirt *Slip Knot* de Rebecca qui lui sert de pyjama. Il est accroché au poteau qui indique la direction du point de vue pour le troll. Pas par le vent. Noué. Sans équivoque. En sens inverse du vent qui l'aurait chassé loin de l'autre côté du Toyota.

– L'enfant de salaud ! siffle-t-il entre ses dents, les mâchoires crispées par la rage.

– Vous croyez que le type à la voiture rouge est revenu enlever Beckie ?

– D'après toi ? s'énerve Soulniz.

– Qu'est-ce qu'on fait alors ?

– On récupère tout ce qu'on peut et on fout le camp.

– Vous êtes sûr ? Il n'y a pas des histoires de scène de crime, d'indices à ne pas polluer, des trucs comme ça ? Il vaut peut-être mieux attendre la police, non ?

— On laisse le pull. Ils reviendront relever les indices et les traces au sol s'ils veulent. Où est la prochaine station-service ?

— Je n'en sais rien…

— Alors nous retournons à la dernière que nous avons vue. Tu te souviens où ?

— Laugarbakki je crois, à une grosse demi-heure en retournant vers l'ouest.

— Allons-y.

— Et pour la police ?

— Pour la police, je connais quelqu'un, il nous rejoindra là-bas.

— Vous ne voulez pas que je reste à attendre ici, au cas où ?

— Arnald, que ce soit une fugue ou un enlèvement, Beckie n'est pas ici.

— Mais c'est peut-être un accident, peut-être qu'elle est là blessée quelque part ! Mais quel genre de père êtes-vous pour ne pas la chercher toute la nuit !

La gifle de Soulniz lui dévisse la tête.

# 23

## Côte Sud. Falaise des corbeaux

*... qui lui sourit de ses dents mortes.*

C'est un touriste qui l'a découvert. Il s'arrête pour un besoin pressant et s'éloigne un peu de la route pour le satisfaire quand il aperçoit le séchoir à poisson. De loin, il ressemble à la charpente d'un cabanon abandonné à même le sol, des lambeaux de chair pendus aux linteaux en guise de tuiles éparses. Il se dit que l'image serait plus forte avec tout l'océan en contrebas et s'approche à travers l'herbe mouchetée de linaigrettes. Le pré d'herbe grasse est plissé comme un édredon, et c'est dans un repli qu'il tombe sur la maison à demi enterrée dont seul le pignon émerge. C'est la première maison en tourbe au toit tapissé d'herbe qu'il voit. Il s'inquiète un peu de déranger, demande en anglais s'il y a quelqu'un, recommence plusieurs fois, puis sort son smartphone et prend une photo panoramique qui court du séchoir à poisson jusqu'à la maison en surplombant l'océan. C'est en vérifiant sur l'écran de contrôle la qualité de la photo qu'il remarque le chemin à flanc de falaise. Il s'y aventure avec prudence, descend les premières marches en pierre, cramponné d'une main à la corde qui sert de rampe, l'autre crispée sur son appareil, puis renonce, étourdi par le vertige. Alors, il raffermit sa prise sur le cordage, se penche vers l'océan, tend l'autre bras aussi loin que possible, ferme les yeux et prend des photos à l'aveugle de ce

qu'il devine être le fracas des vagues au pied de la falaise. C'est
en découvrant les photos de ce qu'il n'a pas osé regarder, une
fois remonté, qu'il remarque des débris de bois coincés entre les
rochers. Il imagine des bouts d'épave ou les restes d'un naufrage,
et, d'un écart entre le pouce et le majeur, agrandit l'image. Il
gerbe aussitôt contre le vent le poisson fumé de son petit-déjeuner
et se vomit sur le visage en découvrant celui, calciné, qui lui
sourit de ses dents mortes.

# 24

# Reykjavik

*… des déjeuners de soleil !*

— Alors, qu'est-ce que ça a donné ?

— C'était bon, comme d'habitude.

— Ne fais pas l'idiot, je ne parle pas de nous, je parle de ta petite virée à Hávallagata.

La maison d'Ida a un étage, mais elle vit au rez-de-chaussée, dans un demi-sous-sol qu'elle a aménagé en studio. Ça lui suffit. Elle loue le reste. Ce goût des Islandais pour les refuges enterrés. Les maisons de tourbe. Les bains chauds dans les grottes. Le peuple invisible dans les rochers. Ce besoin d'appartenir au minéral quand les océans grondent tout autour. C'est aussi pour ça que Kornélius est bien chez Ida. Parce qu'elle est bien chez elle. Et bien dans son corps, dont il admire la nudité depuis le lit où ils viennent de faire l'amour. Ida est une femme à l'aise dans sa vie, et il est heureux d'en faire partie, d'une certaine façon. Dans le halo de lumière de cette journée magnifique, pendant que tout le monde pique-nique, nue devant la fenêtre de sa cuisine, elle prépare le café. Il se dit qu'elle a le corps des femmes heureuses, sans vraiment comprendre ce que cela veut dire. L'expression lui vient en la regardant quand elle se retourne face à lui. Elle pose les deux mugs sur la table et s'assied sur une chaise, une jambe repliée sous ses fesses. Alors, il se lève et vient s'asseoir avec elle.

– Je cherchais un gamin qui n'était pas là.

– Et tu sais où il est ? demande-t-elle en sirotant du bout des lèvres son café bouillant.

– Je pense qu'il veut nous faire croire qu'il est toujours en ville.

– Qu'est-ce qui te fait dire ça ?

– Je ne sais pas. Une intuition, ment-il.

– Tu mens très mal, dit-elle en haussant les sourcils, c'est pour quel dossier ?

– La disparition du chalutier de Grindavík.

– Et depuis quand la police enquête-t-elle sur des naufrages ?

– En fait, on ne sait pas encore officiellement si c'est un naufrage…

– Mais tu en as l'intuition, c'est ça ?

– On ne peut rien te cacher…

– Ou bien tu as des informations que tu gardes pour toi.

– Oui, c'est un peu ça aussi.

– Quoi que tu fasses, Kornélius, quelle que soit la combine dans laquelle tu t'engages, ne va pas t'attirer des ennuis, d'accord ?

– C'est justement pour me sortir de certains ennuis que je dois retrouver ce gamin.

– Rien à voir avec le naufrage, donc…

– Si, d'une certaine façon, mais rien à voir avec la pêche au chalut.

Elle pose sa tasse et se lève, passe derrière lui et enlace son torse de ses bras. Il pose sa tête contre ses seins et ferme les yeux.

– Je ne veux rien savoir, murmure-t-elle à son oreille, mais ma complicité se monnaye et je n'en ai pas fini avec toi.

Elle le force à se lever et l'entraîne sous la douche et quand ils reviennent vers lit, Ida joue la boudeuse.

– J'avais dit pas les cheveux, dit-elle, la tête enturbannée dans une serviette blanche.

Le mouvement qu'elle a pour la retenir remonte ses seins et il la trouve aussitôt désirable à nouveau.

– Hé ! esquive-t-elle, ce n'est qu'une pause déjeuner !

Elle le pousse sur le lit et s'habille devant lui. Il y a toujours eu pour Kornélius deux types de personnes. Celles qui gardent une certaine élégance à s'habiller ou se déshabiller et les autres. Ida le fait avec une grâce naturelle, quelles que soient les circonstances, ce dont il lui sait gré. Il la regarde et elle s'en amuse.

– Tu sais comment les Français disent pour une chose qui passe trop vite ?

– Non…

– Ils disent que c'est un déjeuner de soleil.

– Joli. Dans ce cas, j'aime bien nos cafés de soleil.

– Déjà pris. Ma grand-mère organise encore des cafés de soleil avec ses voisines pour fêter le premier vrai soleil après l'hiver. De vrais cafés, je veux dire.

– Tu me rassures ! J'ai cru un instant être obligé d'imaginer ta grand-mère…

Elle lui claque gentiment la tête du plat de la main, passe une veste, attrape son sac et ouvre la porte pour sortir.

– Sur la table de nuit, de mon côté, je t'ai laissé la copie de mes conclusions sur l'homme qu'on a fait mitonner dans la solfatare.

Et elle disparaît comme un rayon de soleil derrière un nuage d'été. Kornélius fixe un instant la porte, comme on espère le retour du soleil, puis se laisse basculer sur le dos en travers du lit et attrape l'enveloppe du bout des doigts.

Probablement entre un mètre quatre-vingt-sept et un mètre quatre-vingt-douze. Entre quatre-vingt-quinze et cent kilos. Âge estimé entre cinquante-sept et soixante ans. Musculature hypertrophiée sur un squelette déjà solide à la base. Mauvaise dentition plutôt mal soignée. Les alliages et les techniques utilisées laissent penser à des soins réalisés hors du pays. Probablement dans les anciens pays de l'Est. Cœur et aortes très encombrés. L'homme n'aurait pas vécu dix ans de plus sans chirurgie lourde. Le foie de grosse taille à l'aspect granuleux présente un bord inférieur dur et irrégulier, avec présence de stéatose hépatique pour un diagnostic de cirrhose avancée confirmé par des varices œsophagiennes. Traces de résection prostatique récente. Fracture du calcanéum plutôt bien recalcifiée, les fragments étant tenus par quatre vis qui ont été extraites et dont les numéros d'identification sont exploitables. Plaie dans le dos d'une longueur de douze centimètres sur deux de large, en biais de la colonne vertébrale à hauteur des T4 T5 et dont la section a pu provoquer la paralysie ou la mort. La plaie, profonde de huit centimètres, a également provoqué d'autres dégâts internes non létaux. Mort par arrêt cardiaque réflexe possible, suite au choc spinal. Un seul coup porté par arme blanche, probablement une hachette, de manière très violente. Les lèvres de la plaie ont été largement dilatées et écartées par le séjour prolongé dans les boues de la solfatare, ce qui peut faire penser à une arme plus grande.

Kornélius lit le reste du compte rendu, revient sur quelques passages et observe les photos. Quand il s'est fait une idée, il attrape son portable sur la table de chevet et compose un numéro.

– Kornélius, dit-il en s'annonçant, j'ai des précisions pour le Biélorusse.

– Ah oui ?

– Oui. Je te les fais suivre dans une heure ou deux, mais tu peux déjà faire des recherches sur une fracture du calcanéum. Je t'envoie sur WhatsApp les numéros de série de quatre vis qu'on a retirées de son talon.

– Et pourquoi ça serait le Biélorusse ?

– Des soins dentaires approximatifs réalisés en dehors du pays et probablement dans un ancien pays de l'Est. Sinon, il était aussi vraiment costaud, mais alcoolique avec une bonne cirrhose et s'était fait opérer de la prostate récemment.

– Comment tu sais tout ça ?

– Par la légiste.

– Et pourquoi elle t'a refilé le dossier et pas à moi ?

– Parce que moi, je couche avec elle et pas toi, Botty, tout le monde sait ça dans le service.

– Pendant vos pauses déjeuner ? !

– Oui. On appelle ça des déjeuners de soleil.

# 25

# Laugarbakki

*Nos vies en dépendent !*

La station-service est écartelée par les bourrasques. Les étendards de la marque claquent en haut des mâts. Une poubelle en grillage traverse la piste, roulant sur elle-même comme un buisson de *Salsola tragus* dans un mauvais western. Droit debout sur ses pédales, la tête dans les épaules, un cycliste encapuchonné de plastique lutte contre le vent. Dès qu'il le prend de côté pour tourner et se mettre à l'abri sous l'auvent de la station, le souffle le plaque au sol. Personne ne tente d'aller l'aider. Les quelques naufragés de cette brusque tempête le regardent relever son engin, l'imperméable transparent gonflé comme une méduse hystérique.

À l'abri dans sa voiture, Soulniz compose le numéro du flic pour la dixième fois sans quitter des yeux, dans le rétroviseur, le garçon prostré sur le siège arrière.

– Kornélius, c'est Soulniz. J'ai un problème.

– Dites-moi.

– Rebecca a disparu cette nuit, et cette fois probablement pas de son plein gré.

– Vous en êtes sûr ?

– D'après vous, si je vous appelle ! s'énerve-t-il aussitôt.

– Vous avez prévenu la police locale ?

– Non. Avec ces histoires de petits papiers, de feux d'artifice, de voiture rouge qui me suit et de gosse armé, elle va me prendre pour un dingue. Je préfère faire le point avec vous quand vous serez là.

— Il y a eu d'autres événements du même genre ?

— Oui, à Ólafsvík, quelqu'un a glissé un macareux mort dans le lit de Rebecca. Ça l'a vraiment traumatisée sur le coup.

— Bon, très bien, d'accord. Ne bougez pas, j'arrive.

— Vous êtes où ? Vous êtes là dans combien de temps ?

— J'arrive, je vous dis, ne bougez surtout pas.

Kornélius raccroche et Soulniz, interloqué, regarde son téléphone.

— Mais il ne sait même pas où je suis, ce con !

Il recompose aussitôt le numéro de Kornélius qui décroche.

— Putain, Kornélius, vous ne savez même pas où je suis !

— J'arrive, je vous dis, répond calmement le flic.

— Mais comment ? Quand ?

— Maintenant.

— Maintenant ? Mais où ?

— Maintenant là. Je suis déjà là. Devant vous…

Soulniz balaye du regard la station-service et reste sans voix quand il aperçoit la voiture rouge qui s'engage sur la piste et se signale par des appels de phares. Un coupé Saab 92 rouge. Le coupé Saab. La voiture rouge ! Son sang ne fait qu'un tour et il ouvre sa portière qu'un coup de vent lui arrache aussitôt des mains. Et d'un pas résolu, crispé par la colère et le froid, il marche vers la Saab. Kornélius descend à sa rencontre.

— Qu'est-ce que c'est que cette histoire, c'est vous l'obsédé à la voiture rouge qui nous suit partout ? Qu'avez-vous fait de Rebecca, où est-elle ?

— Je n'en sais vraiment rien…, commence Kornélius.

Soulniz balance son poing dans le visage du flic qui l'évite d'un vif mouvement des reins. L'autre perd l'équilibre et le vent en profite pour le rouler au sol. Kornélius lui tend la main pour l'aider à se relever, mais Soulniz, furieux, refuse. Alors le géant l'attrape par la manche et d'une seule main le remet sur ses pieds.

— Arrêtez vos conneries et écoutez-moi. Ce n'est pas vous que je suivais, c'était Arnald. Ou plus exactement son jumeau.

— Le jumeau d'Arnald, qu'est-ce que c'est encore que cette histoire ?

— Le gosse que vous trimballez ne s'appelle pas Arnald, c'est Galdur, son jumeau.

— Galdur ou Arnald, ou n'importe lequel de vos prénoms à la con, je m'en fous, qu'est-ce que vous lui voulez, à ce môme, pour nous pourrir la vie comme ça depuis notre arrivée ?

— D'abord, je ne vous suis pas depuis votre arrivée. Je ne vous suis que depuis Reykjavik. J'ai cru comprendre que nous nous sommes peut-être arrêtés la même nuit dans les chalets du côté de Grindavík, mais c'était par pur hasard. Ensuite, pour la faire courte, nous pensons que Galdur a piqué deux kilos de cocaïne à des trafiquants lituaniens qui depuis sont très colère…

— Oh non ! siffle Soulniz entre ses dents.

Maintenant sa rage est froide et il sait sur qui la concentrer. Il se dégage de l'emprise de Kornélius et retourne vers sa voiture. Quand il ouvre la portière arrière à la volée, le vent l'arrache à son tour, mais il n'y prête aucune attention. Il attrape Arnald, ou Galdur, ou quel que soit son nom, par le col et le jette au sol pour le rouer de coups. Mais Kornélius le retient.

— Faites plutôt gaffe à vos portières, les coups de vent ne sont pas couverts par l'assurance.

— Mais je me fous de vos assurances et de vos portières ! hurle Soulniz, je veux savoir ce qui est arrivé à Rebecca à cause de ce petit con !

— Si ça peut vous rassurer, moi aussi je veux le savoir. Alors, gardez votre calme et essayons de comprendre sans nous énerver.

– Ah oui ? C'est vrai que vous n'êtes pas du genre à vous énerver, même quand un kangourou vient vous piquer votre femme et votre fille au petit matin, alors c'est sûr que vous n'allez sûrement pas beaucoup vous énerver pour la fille des autres !

– Pour commencer, il n'y a pas de kangourous en Nouvelle-Zélande, et ensuite, ne venez pas me chercher sur ce terrain-là, parce que pour le coup, ça pourrait m'énerver pour de bon.

Soulniz se calme, et en même temps le vent disparaît soudain en courant vers d'autres tempêtes. Dans sa fuite, il dégage le ciel de tous ses nuages et le soleil est là, sur un immense fond bleu. Les quelques touristes réfugiés se précipitent pour rejoindre leurs véhicules et reprendre leur grand tour d'Islande. Kornélius en profite pour relever Galdur.

– Tu n'es pas Arnald, n'est-ce pas, tu es bien Galdur, j'ai raison ?

Le gamin acquiesce d'un signe de la tête.

– C'est toi qui étais marin à bord du *Loki*, n'est-ce pas ?

– Oui.

– Que s'est-il passé ? Pourquoi le *Loki* n'est pas rentré à Grindavík ?

– Je n'en sais rien.

– Comment ça, tu n'en sais rien ?

– Je n'étais pas à bord ce jour-là, Arnald a pris ma place.

– Pourquoi avez-vous fait ça ?

– J'avais besoin d'un peu de temps.

– Pour disparaître avec la coke ?

– Oui, avoue-t-il dans un murmure de repenti.

– En prenant l'identité d'Arnald pour donner le change ?

Ils parlent en islandais, mais pour couper court à la nouvelle colère qu'il sent monter chez Soulniz, Kornélius traduit en anglais ce que le gamin et lui viennent de se dire.

– Un changement d'identité entre jumeaux, tu parles d'une idée brillante !

Kornélius se tourne à nouveau vers le gamin et s'adresse à lui en anglais cette fois, lui demandant de répondre dans la même langue pour que Soulniz puisse suivre. Mais c'est Galdur qui pose la première question.

– Vous avez fait comment pour comprendre ?

Kornélius sort une photo de sa poche et la montre à Soulniz avant de la tendre au garçon. C'est le gamin et Rebecca. Une ambiance de fête, un cocktail à la main pour elle, une bouteille de vodka pour lui, et des yeux rougis par l'alcool et le flash.

– C'est la photo que m'a envoyée mon collègue le jour où nous nous sommes rencontrés dans le bar, explique-t-il. À cette date, je n'avais pas percuté. Il me manquait ça.

Il sort une autre série de photos, celles des membres de l'équipage du *Loki*, et en montre une à Soulniz.

– Lui, c'est Galdur, le vrai marin du *Loki*.

– Difficile de faire la différence, avoue Soulniz.

– Regardez le tatouage dans son cou.

Soulniz compare les deux dessins. L'étrave d'un bateau fendant les flots qui deviennent les pages d'un livre ouvert.

– Ce sont les mêmes, non ?

– Justement. Quand la photo avec votre fille a été prise, le *Loki* était déjà porté manquant, et pourtant l'enquête préliminaire a confirmé que les quatre membres de l'équipage habituel du chalutier avaient bien embarqué.

– Et alors ?

– Alors, j'en ai déduit que Galdur n'était pas à bord du *Loki* ce soir-là puisqu'on le voit en photo bien après la disparition du chalutier au bras de votre fille pour écumer Reykjavik *by night*. Et si quelqu'un d'autre que Galdur était monté à bord, ça ne pouvait être que son jumeau Arnald. Quant à Galdur, s'il n'a pas embarqué cette nuit-là, c'était peut-être parce qu'il avait quelque chose de mieux à faire. Comme s'occuper de la coke, par exemple. C'est pour ça que je le suis. Maintenant regardez ça.

Kornélius sort une autre photo. Une de celles qu'il a trouvées sur Internet et qui représente les deux frères.

— Regardez le texte sous le dessin des tatouages. *Fluctuat* c'est pour Galdur, et *Nec Mergitur* pour Arnald.

Soulniz attrape le gamin par les cheveux d'une main, et de l'autre arrache son col pour lire le tatouage.

— D'accord, c'est Galdur et pas Arnald, et alors, qu'est-ce que ça change pour Rebecca ?

— Ça change que ce sont peut-être les Lituaniens qui lui sont tombés dessus.

— Sur Rebecca, mais pourquoi sur elle ? Qu'est-ce qu'elle a à voir avec ce trafic ? Elle a juste rencontré ce petit con au Blue Lagoon !

— Peut-être que ce jour-là il l'a affranchie et qu'elle est devenue sa complice. Ou peut-être que les Lituaniens veulent faire pression sur lui pour qu'il leur rende la cocaïne, je n'en sais rien, mais les Lituaniens restent une hypothèse plausible.

Trop de pensées contradictoires s'entrechoquent dans la tête de Soulniz qui perd son calme. Avant que Kornélius ne puisse l'en empêcher, il assomme à moitié le garçon d'une gifle magistrale.

— Où est cette coke, sale petit con, OÙ EST-ELLE ?

Et comme Galdur, encore groggy par la gifle, tarde à répondre, il lui balance son genou entre les jambes. Le gamin se vrille et éructe un filet de bile pour ne pas s'étouffer de douleur. Cette fois, Kornélius intervient et envoie valdinguer Soulniz dans un distributeur de boissons qu'il manque de renverser.

— Dis-moi où est la coke, Galdur, demande calmement le flic

en aidant le gamin à se relever, sinon ce type va perdre les pédales et te massacrer.

– Je ne sais pas.

– Quoi, qu'est-ce qu'il a dit ? hurle Soulniz qui revient à la charge.

– Il dit qu'il ne sait pas où est la coke.

– Comment ça, il ne sait pas !

Il court vers une des pompes à essence, décroche la poignée et revient vers eux en tirant sur le tuyau pour asperger le gamin de carburant.

– Je te préviens, tu me dis où est cette coke ou je te fous le feu quitte à tout faire sauter.

– Arrêtez de faire l'idiot, intervient calmement Kornélius, vous n'allez rien faire sauter du tout.

– Je vous jure que je le fais, je vous jure que je le fais, siffle Soulniz entre ses dents, les yeux plissés par la détermination.

– Vous n'avez pas de briquet, lâche Kornélius.

– Quoi ?

– Vous n'avez pas de briquet. Ni d'allumettes. Vous m'avez avoué dans le bar, à Reykjavik, que vous ne fumiez pas...

Soulniz reste un long moment immobile face au flic qui hausse les sourcils, puis relâche la poignée qui coupe le jet d'essence. Une employée de la station se précipite aussitôt vers un bac de sable pour éponger la flaque inflammable.

– Tu veux que j'appelle la police ? demande-t-elle en s'adressant à Galdur.

– Merci mademoiselle, mais la police c'est moi, lui répond Kornélius en montrant sa carte. Est-ce que vous avez des vêtements de rechange pour le personnel ?

– Des combinaisons de mécano pour les dépannages, oui, nous en avons quelques-unes.

— Alors trouvez-en une pour ce garçon, et vite, avant qu'un fumeur distrait ne l'enflamme.

La fille disparaît et Kornélius se tourne à nouveau vers Galdur.

— Tu n'avais pas la coke avec toi ?

— Si, avoue le gamin.

— Et tu dis que tu ne sais pas où elle est ?

— Non, je ne sais plus.

— Tu ne sais plus. Tu la trimballais avec toi, et d'un seul coup tu ne sais plus où elle est. Tu peux m'expliquer ?

— C'est Beckie.

— Quoi Beckie ! hurle Soulniz en bondissant sur le gamin que protège Kornélius.

— C'est Beckie qui l'a planquée.

— Oh merde ! soupire Soulniz dont la colère s'effondre aussitôt.

— Et tu ne sais vraiment pas où ? insiste Kornélius.

— Et depuis quand tu l'as embringuée dans cette sale histoire, petit connard ! grogne Soulniz.

— Je lui ai tout dit dans le petit bateau du Fridge, avoue Galdur tout penaud. Je ne savais plus comment faire. Au Blue Lagoon, je me suis juste dit que j'allais la draguer pour qu'elle m'embarque avec elle, histoire de m'éloigner discrètement de Reykjavik. Puis, comme ça marchait bien entre nous après notre nuit à Reykjavik et celle au Fridge, j'ai décidé de lui en parler. Elle est maligne, Beckie, et elle n'a pas peur, alors on a cherché ensemble ce qu'on pourrait faire.

— Et qu'est-ce que vous vouliez faire ?

— Beckie a dit qu'on ne passerait jamais les frontières avec de la came et qu'il fallait la fourguer discrètement, même à prix cassé, pour nous faire de la thune et nous enfuir en France tous les deux.

— Fourguer deux kilos de cocaïne sur un territoire aussi petit, même pas en rêve, mon garçon. La crise est passée par là et le marché bancaire de la blanche n'existe plus. Comment comptiez-vous vous y prendre ?

– Je n'en sais rien, sanglote Galdur. Je pensais que Beckie trouverait une solution. Elle disait qu'au pire on pouvait toujours l'envoyer en France par la poste. Qu'on ne risquait rien à perdre quelque chose qu'on n'avait pas payé. Que tous les colis ne pouvaient pas être scannés, surtout en provenance de pays peinards comme l'Islande. Elle a dit qu'elle allait envoyer quelques messages privés sur Facebook…

– Et tu lui as confié le paquet.

– Non, pas vraiment, bredouille le garçon.

– Quoi, que s'est-il encore passé ?

– Au Fridge, je lui ai avoué que j'avais couché avec la fille au nez rouge. Sur le coup, elle m'a dit qu'elle s'en moquait, qu'elle n'était pas jalouse, mais après elle m'a dit qu'elle avait planqué la drogue et qu'elle ne me la rendrait que si je l'accompagnais pendant tout son voyage et que nous bai… que nous faisions l'amour chaque fois qu'elle le demanderait.

– Espèce de sale petit con ! s'étrangle Soulniz que Kornélius retient d'une poigne de fer.

Il essaye de faire mentalement le point pour prendre une décision quand il se tait, le regard fixé sur une voiture, de l'autre côté de la route, qui met son clignotant pour rejoindre la station-service.

– Soulniz, regagnez votre voiture et dégagez d'ici comme un bon père de famille en vacances, d'accord ? Tout de suite, Soulniz !

– Mais…

– Putain, Soulniz, pour une fois fermez-la et faites ce que je vous dis. Où avez-vous réservé pour la prochaine étape ?

– À Húsavík, pourquoi ?

– Laissez-moi l'adresse de votre point de chute en message sur mon téléphone et allez là-bas. Je vous y rejoindrai.

– Mais…, insiste encore Soulniz.

– Merde, dégagez, je vous dis. Maintenant, Soulniz ! Nos vies en dépendent !

# 26

# Laugarbakki

*… le* krummavisur *rien que pour toi.*

Les sanitaires de la station-service se composent de trois toilettes et d'une douche. Galdur est sous la douche et se rince à grande eau savonneuse de l'essence qui empeste. Kornélius surveille l'intérieur de la station par l'entrebâillement de la porte.

– Dépêche-toi, ils arrivent. Enfile la combinaison, passe la casquette, et souviens-toi : tu es le mécano. Tu sors de là comme si tu étais chez toi. Et surtout pas un mot ni un regard pour moi, compris ?

Mais Galdur n'a pas le temps de répondre. Un garde du corps pousse la porte pour laisser entrer Simonis. Kornélius fait mine de se laver les mains en fredonnant le *krummavisur* et ne se retourne pas.

– Tu sais ce que disait ce Français de Balzac, Kornélius ? Il disait « ceux qui veulent vraiment quelque chose sont presque toujours bien servis par le hasard ». Et moi qui veux vraiment mes deux kilos de cocaïne, je tombe sur toi par hasard dans cette station-service. Qu'est-ce que tu en dis ?

– J'en dis qu'il n'y a aucun hasard là-dedans et que tes sbires sont aussi discrets en filature qu'un collier en or dans un clip de rappeur. Ils me suivent depuis Reykjavik.

– Où est ma coke, Kornélius ?

– J'y travaille.

– En passant trois jours à suivre la voiture d'un Français ?

– Le Français m'a demandé de retrouver sa fille. Je cumule les petits boulots. Je suis très endetté, figure-toi.

– Fugueuse ou trafiquante, la fille ?

– Juste fugueuse.

– Alors pourquoi elle voyage avec son père ?

– Parce que je lui ai mis la main dessus et que je la lui ai ramenée.

– Alors ton petit double emploi devrait être terminé, non ?

– Eh non, malheureusement, parce qu'elle a remis ça cette nuit. Disparue à nouveau.

– Tu connais Ménandre, Kornélius ? Un poète grec, un mec bien, et comique avec ça. Il a dit un truc très drôle « il n'y a rien de plus téméraire que le défaut de jugement ». Alors ne me prends pas pour un con, s'il te plaît, parce que ce rigolo de Ménandre a dit aussi « un téméraire est un homme qui peut difficilement conserver sa vie, et très facilement la perdre ». Est-ce que je suis clair ?

– Toi pas vraiment, mais le Grec oui, ça c'est sûr. Dis-moi une chose, est-ce que tes sbires ne me suivraient pas juste pour buter celui auprès de qui j'aurai récupéré la coke, contrairement à nos engagements ?

– Que veux-tu, « les promesses de la nuit fondent au soleil », comme disent les Arabes. Mais je ne t'ai jamais promis d'épargner le voleur. J'ai juste accepté que tu ne me le livres pas pour préserver ce qu'il te reste d'amour-propre.

– Alors, laisse-moi faire mon boulot et enlève tes porte-flingues de mes pattes.

– Comme tu veux, Kornélius, mais si je n'ai pas récupéré cette coke avant ton concert à Akureyri, je les enverrai exiger de toi un remboursement anticipé.

– Ce n'est pas ce qui était convenu, répond Kornélius qui s'inquiète de ne pas voir Galdur sortir de la douche.

Simonis remarque quelque chose dans le regard du grand flic et se rend compte que la porte des douches est fermée. Il fait signe au garde du corps qui est entré avec lui de vérifier.

– Attends, je sais qui a volé ta coke, tente Kornélius pour détourner l'attention de Simonis.

Mais d'un geste le Lituanien lui intime l'ordre de se taire et son sbire ouvre la porte de la cabine d'un violent coup de pied.

Vide. Sur un tabouret, une combinaison de mécano, propre, et soigneusement pliée. Par terre, des vêtements qui sentent l'essence. Au mur, un vasistas. Grand ouvert.

– Tu disais ? reprend Simonis, rassuré.

– À propos de quoi ?

– De celui qui a volé ma coke ?

– Non, rien, ce n'est qu'une hypothèse et je ne veux pas prendre le risque que tes sbires aillent flinguer tous ceux que je suspecte avant que je ne prouve leur culpabilité en récupérant ta marchandise.

– C'est un scrupule qui t'honore, Kornélius, mais quelqu'un a dit que « tout scrupule présage un regret » et je suis d'accord avec ça. Donc, ne va pas m'embrouiller avec tes problèmes de conscience, sinon tu le regretteras. La coke dans mon coffre avant ton concert à Akureyri, sinon ta tête paiera ta dette.

Simonis fait signe au garde du corps qu'il va sortir mais Kornélius, soudain énervé, le retient.

– Une seconde, Simonis, ce genre de menace, là, tout enrobée qu'elle soit de formules verbeuses tirées d'un dictionnaire de citations, ça ne passe pas. Laisse-moi t'expliquer quelque chose. Dans ce pays accueillant où tu as décidé d'importer tes dérives maffieuses, personne n'a jamais descendu un flic, tu m'entends ? Jamais. On vous connaît. On vous tolère. Parce que nos principes nous empêchent, à juste titre, d'utiliser contre vous la brutalité qui s'impose, mais ne prends pas ça pour de la faiblesse. Et ne menace jamais un flic. Ne me menace jamais. Tu ne m'as pas soudoyé. J'ai accepté un deal. Je n'agis pas par peur. Descends-moi, moi ou n'importe quel autre flic, et c'en est fini de ton petit business et de celui de tous tes congénères, et adieu ta retraite en plaqué or sur ton île grise. Je te rapporterai cette coke, et je coffrerai celui qui te l'a volée. Mais si tu tentes quoi que ce soit contre lui, je te fais tomber, toi et tout ton réseau, en le faisant savoir assez fort pour qu'on m'entende depuis les États-Unis ou le Canada. Et que quelqu'un d'autre que moi vienne s'occuper de toi comme ils se sont occupés des hommes du *Loki*.

— Jolie tirade, admet Simonis qui encaisse mal l'assurance de Kornélius, tu devrais te reconvertir dans le théâtre.

— Je préfère la chorale. Et à propos, tu n'es pas invité au concert, rappelle-toi. Mais sois sûr d'une chose : ce soir-là, je chanterai le *krummavisur* rien que pour toi.

# 27

# Laugarbakki

*Fais chier, Nez-Rouge !*

Quand Kornélius sort de la station-service, il peste en voyant que la voiture de Soulniz est toujours là et que Simonis se dirige droit vers elle. De loin, il le voit frapper à la vitre que Soulniz descend. Le reste va très vite. Simonis dit quelque chose puis s'éloigne aussitôt. Soulniz bondit hors de la voiture et cherche à l'agripper par son manteau, mais un des gardes du corps le casse en deux d'un coup de poing au foie, et l'autre l'assomme d'une manchette sur la nuque. Le temps que Kornélius se précipite, Simonis est calmement monté à l'arrière de son BMW X6 rutilant qui rebrousse chemin vers l'ouest.

— Que s'est-il passé ? demande Kornélius en remettant Soulniz sur ses pieds.

— Il m'a fait descendre ma vitre juste pour me dire qu'il était désolé pour ma fille. Il y avait tant d'arrogance dans ses yeux. C'est qui ce type ?

— Simonis, le Lituanien, c'est à sa clique que Rebecca a piqué la cocaïne.

— Rebecca n'a rien volé !

— Si vous voulez, concède Kornélius en le forçant à marcher pour l'aider à reprendre sa respiration, le Lituanien et toute sa clique à qui appartient la came dont votre fille est peut-être en possession. Ça vous va mieux dit comme ça ?

— Et où est Galdur ? s'inquiète soudain Soulniz.

— Dans la nature.

— Quoi ?

— Il s'est tiré par le vasistas des douches pendant que Simonis cherchait à m'intimider.

La nouvelle achève Soulniz qui s'assied par terre pour l'encaisser.

— Rassurez-vous, il n'ira pas loin. Il s'est enfui nu comme un ver.

— Ça me rassure, c'est sûr, se moque l'autre, dépité.

Kornélius ne dit rien pendant quelques instants, son esprit est parti en chasse d'un souvenir qu'il ne parvient pas à identifier. Quelque chose qui a été dit. Un mot. Ou un nom peut-être. Il mobilise toutes ses pensées pour remonter ses neurones de connexion en connexion. Plusieurs fois, il frôle le déclic ultime. Déclic. Clique. Un *clic* !

— Vous avez un portable ?

— Un téléphone ? demande Soulniz.

— Non, un ordinateur. Vous m'avez bien dit que vous vouliez vous reconvertir, non ? Devenir écrivain. Vous avez bien un portable pour écrire ?

— Oui, bredouille Soulniz qui ne voit pas le rapport. Vous le voulez ?

— Évidemment que je le veux, pourquoi je le demanderais sinon ! s'emporte Kornélius.

Soulniz va jusqu'à sa voiture, sort son portable d'un sac de voyage sur le siège arrière et le tend à Kornélius.

Sans rien expliquer, Kornélius se connecte au Wifi de la station-service, puis sur Facebook et tente plusieurs noms. Il essaye Beckie S..., puis Beckie So..., puis Beckie Sou... et trouve le compte sous le nom de Beckie Soul. Aussitôt, il s'installe sur le siège arrière et Soulniz, intrigué, se glisse à ses côtés. Quand il découvre ce que Kornélius affiche, l'émotion le prend à la gorge. C'est le compte de Rebecca. Des centaines de commentaires, sur des dizaines de photos. D'Islande. Des photos d'elle à Gunnuhver, à Gullfoss, à Geysir. Même dans la baignoire à flanc de falaise. Dans le trou d'eau chaude sur les rives du fjord des baleines. Et même des photos de lui. Jamais avec elle, mais gentiment volées pendant qu'il mangeait, qu'il se baignait, qu'il conduisait. Et des paysages. Des champs de lave, des landes…

– Je n'en reviens pas, murmure-t-il, ému. Je voyais bien qu'elle photographiait beaucoup avec son smartphone, mais jamais je n'aurais imaginé…

Des photos d'elle avec Galdur aussi. Joyeux. Heureux. Amoureux comme des gosses. Mais rien de tout ça n'intéresse Kornélius, qui remonte sans cesse plus loin dans le temps et finit par trouver ce qu'il cherchait, dix mois en arrière. Des cartes. Des itinéraires. La liste des étapes. Beckie a publié sur son compte toute la préparation de ce voyage auquel elle faisait mine de ne pas s'intéresser. Les choses à voir. La durée des trajets. L'adresse des hébergements. Les dates des étapes.

Quand Soulniz accroche au passage la teneur de quelques commentaires, les larmes lui montent aux yeux. La chance qu'elle a. Un père génial. Un voyage de rêve. C'est pas à eux que ça arriverait. Bien sûr ce sont les mots des autres, mais Beckie ne les contredit jamais dans ses réponses, et souvent même elle les approuve. C'est un raz de marée de bonheur pour Soulniz qui s'effondre soudain en un abîme d'inquiétude.

– Qu'est-ce qu'on cherche ? demande-t-il à Kornélius.

– Rien. On a trouvé, répond le flic.

– Quoi ?

– Ça, dit Kornélius en affichant une carte d'Islande.

Y figure tout l'itinéraire de leur voyage, avec la date, le lieu, et l'adresse de chaque étape.

– Qu'est-ce que ça veut dire ?

– Regardez la date, plusieurs mois avant votre départ. Ça veut dire que n'importe qui pouvait savoir à l'avance où vous seriez. Tous ces ennuis depuis votre arrivée, les petits mots sur le pare-brise, le talisman, le feu d'artifice, ils ne sont pas le fait de quelqu'un qui vous suit, mais de quelqu'un qui vous précède. Quelqu'un vous attend à chaque étape pour vous pourrir la vie.

Soulniz se tasse sur le siège pour encaisser la nouvelle.

– Est-ce que ça veut dire que les trafiquants de drogue ne sont pour rien dans la disparition de Beckie ?

– Si ç'avait été le cas, Simonis s'en serait pris à vous pour faire pression sur elle. Elle n'est pas entre ses mains, c'est sûr. Pour l'instant du moins.

– Dans ce cas, qui peut en avoir après elle ?

– Quelqu'un qui vous en veut, probablement, à vous ou à elle, et qui a prémédité son coup.

– Mais qui m'en voudrait à ce point ?

– À vous de me le dire.

– On en voudrait à Rebecca, alors ?

– Vous êtes mieux placé que quiconque pour savoir ce que coûte un voyage en Islande. Franchement, je ne vois pas des gamins de vingt ans claquer plusieurs milliers d'euros pour venir jouer quelques mauvaises farces de collégiens à votre fille.

– Parce que vous appelez ça des mauvaises farces ?

– Honnêtement, des petits mots malvenus, des photos volées, un cadeau-souvenir, et même l'oiseau mort dans le lit de Beckie, vous êtes plus dans le registre du canular d'ados que dans le harcèlement criminel.

– Et sa disparition ?

– Sa disparition, peut-être faudrait-il nous convaincre que c'en est vraiment une. Beckie est fugueuse, rebelle, elle vient de mettre la main sur deux kilos de cocaïne, elle peut très bien avoir pris le large par peur ou par jeu. Souvenez-vous de l'étape d'hier, à Hvítserkur, finalement elle vous attendait au campement prévu.

Soulniz est sur le point de se laisser convaincre quand un long break Volvo se glisse en souplesse sur l'aire de stationnement et freine brusquement devant eux. La grande gigue au nez rouge en jaillit comme un diable à ressort et gesticule un chapelet d'insultes en islandais à l'adresse du chauffeur qui baisse sa vitre et la regarde faire, éberlué. Puis elle le traite en anglais de sale goujat, de salaud dégueulasse, de porc obscène, d'obsédé sexuel. Elle hurle, elle pleure, elle se tord les doigts, elle mouche son nez rouge. Dans la voiture, l'homme, qui n'a rien à se reprocher, reste là, sidéré, auprès de sa femme effarée et de leurs enfants terrorisés. Comme Kornélius et Soulniz s'approchent pour calmer la fille clown hystérique, le chauffeur pense qu'ils viennent pour le lyncher. Il démarre en trombe, brûle la gomme de ses pneus, renverse une poubelle et disparaît vers l'est.

— Qu'est-ce que tu fais là ? demande Soulniz en prenant Anita par le bras.

— Vous vous connaissez ? s'étonne Kornélius.

— Si vous nous suivez depuis Reykjavik vous devez bien le savoir, non ? C'est la comique du Fridge à Olafsvík.

— Il vous suit depuis Reykjavik, s'offusque Nez-Rouge, c'est qui ce type ?

— Un flic, explique Soulniz.

Anita tombe aussitôt à genoux aux pieds de Kornélius et s'accroche à ses basques.

— Pitié, je me rends, j'avoue, c'est moi, c'est ma faute, ma très grande faute…

— Arrête ton cirque, s'énerve Kornélius en la relevant d'une main.

Maintenant elle plisse un regard glacé à la Hopkins et menace :

– « J'ai déjà été interrogé par un employé du recensement, une fois. J'ai dégusté son foie avec des fèves au beurre, et un excellent chianti. »

Puis, dans un sourire moqueur et méchant à la Hockney :

– « Et tu sais ce qui se passera si je retourne en taule : j'enculerai ton père sous la douche et j'me f'rai un sandwich ! Alors tu m'emballes connard ? »

– Ça suffit maintenant, tranche Kornélius.

Il va la secouer un peu pour la ramener à la réalité quand il voit son regard se perdre loin par-dessus son épaule.

– « Tu peux toujours courir pour aller partout, mais je ne pense pas pour autant que ça va te mener quelque part ! »

Kornélius se retourne et aperçoit, loin dans la lande derrière la station-service, Galdur qui court tout nu vers l'horizon.

– Et merde, jure-t-il, occupez-vous de la folle, je m'occupe du garçon.

Et il part en courant à la poursuite de Galdur.

– Cours, Forrest, cours ! hurle Nez-Rouge.

– Anita, je t'en prie, ce n'est pas le moment, supplie Soulniz.

– Quoi, dit-elle en réussissant à remuer les oreilles en même temps que son nez en plastique, si des ennuis tu as, à Anita te confier tu peux.

– Beckie a disparu.

– Merde, lâche Anita en reprenant aussitôt son sérieux, que s'est-il passé ?

Il lui résume la situation en quelques mots et elle compatit. Elle cherche des mots pour le rassurer, demande comment elle peut l'aider et il ne sait pas quoi répondre.

– Et toi, qu'est-ce que tu fais là ?

– Honnêtement ?

– De préférence, oui.

– Eh bien… j'ai bien aimé ta petite famille, à Olafsvík. Toi, Beckie, et même l'autre moussaillon. Vous me manquiez un peu. Surtout toi. Tu es redescendu un peu trop vite du bateau à guirlandes. Alors, je me suis dit que je ferais bien un peu relâche, histoire de vous retrouver. Et de rattraper le temps perdu. Si c'est possible.

– Et comment tu savais où nous retrouver ?

– Les touristes qui font le grand tour par le nord n'ont pas trop le choix des étapes. Ni des stations-service. J'ai fait du stop et quand j'ai reconnu votre Toyota au passage, j'ai demandé au chauffeur de m'arrêter.

– Pauvre type, tu l'as terrorisé. Lui et toute sa famille. Il ne t'avait rien fait.

– De toute façon vous êtes tous des porcs, c'est bien connu. Si vous ne le faites pas, vous y pensez quand même. Peut-être que ça réveillera la libido de sa petite femme frigide lessivée par trois grossesses et qu'il m'en sera reconnaissant. N'empêche que je le fais bien, non ?

– Quoi, l'amour ?

– Ah, tu vois bien que vous ne pensez qu'à ça. Non, je parlais de la pucelle outragée. Je la fais bien, non ?

– Tu es fêlée, avoue Soulniz en secouant la tête, complètement fêlée.

– Oui, mais tu aimes ça et ça me plaît. Si tu savais à combien d'hommes je fais peur ! Bon, qu'est-ce qu'on fait ?

Soulniz réfléchit. Les Lituaniens ont disparu, Kornélius court la lande après un gosse nu et paniqué, et Beckie est peut-être à Húsavík à l'attendre comme si de rien n'était. Alors, il décide de tenter sa chance.

– Je vais à Húsavík, dit-il.

– Excellent ! s'exclame Nez-Rouge comme s'il venait de bien répondre dans un jeu télévisé. Alors, je suis un petit port de deux mille habitants à cinq cents kilomètres de Reykjavik par la route et à vingt kilomètres à peine de la dorsale médio-atlantique. Je suis le lieu de débarquement de Garðar Svavarsson, premier Viking venu de Suède en 870 et qui donna son premier nom à l'Islande : tout simplement et génialement l'île de Gardar. Je suis, je suis… ?

Soulniz soupire profondément, hausse les sourcils et se dirige vers le Toyota sous une fine pluie qui bruine soudain à travers un ciel encore presque bleu. Nez-Rouge mime l'ouverture d'un parapluie virtuel qu'elle tient au-dessus de sa tête en le suivant jusqu'à la voiture, d'un petit pas saccadé et craintif d'assistante personnelle. Tout en continuant sa litanie sur Húsavík comme on rappelle à un homme politique ses fiches et ses éléments de langage pour un meeting à venir.

– … Je tiens mon nom de *Hus*, c'est-à-dire *House* en anglais, en l'honneur de celle de Svavarsson, pour la bonne raison qu'elle a été la première et la seule maison de l'île à l'époque. Je suis un port réputé pour être le meilleur point de départ en Europe pour observer la baleine à bosse, je suis la ville natale de Birgitta Haukdal, Birgitta, la chanteuse qui a fait huitième à l'Eurovision 2003 ! Je suis, je suis ?

Lorsque Soulniz rejoint sa voiture et essaye de refermer la portière arrière, il se rend compte que le coup de vent l'a voilée et qu'elle ferme mal. Nez-Rouge devient aussitôt un agent d'assurance silencieux et suspicieux qui inspecte les dégâts. Mais quand il veut s'installer au volant, elle redevient Anita.

– Pas question, jeune homme, après tout ce que tu viens d'encaisser, c'est moi qui conduis. Il y en a pour trois heures de route et tu n'es pas en état.

Soulniz doit admettre qu'elle a raison. Il est fourbu, physiquement et moralement. Peut-être même qu'il en profitera pour dormir un peu.

– D'accord, mais seulement si tu ne dis plus un mot !

Elle se zippe les lèvres d'un geste et tend la main pour récupérer les clés, puis elle glisse sa longue silhouette de sauterelle derrière le volant pendant qu'il s'installe côté passager. Quand elle démarre, elle fait le bruit du moteur entre ses lèvres et Soulniz soupire de découragement :

– Fais chier, Nez-Rouge !

# 28

## En surplomb du fjord Eyjafjörður

*... contre lequel il s'assomme.*

– Où sommes-nous ?

Soulniz sort d'un sommeil lourd et noir. Il redresse son corps meurtri par les coups et l'inconfort du siège. Ils sont arrêtés sur la gauche d'une route en corniche qui surplombe un fjord. Un orage a dû passer. La route est mouillée mais le ciel est sec. En contrebas, il aperçoit des moutons dispersés un peu partout dans l'herbe grasse. Et d'autres moutons en équilibre vertical sur la façade des falaises avec des béliers noirs et immobiles en sentinelles. Il se tord pour faire craquer les os de son dos et relâcher son corps de tout ce qui le noue.

– On a passé Akureyri il y a une demi-heure, dit-elle.

Il essaye de se concentrer. Ils ne doivent pas être à plus de cinquante ou soixante kilomètres de Húsavík maintenant. Loin devant, à l'horizon du fjord, des montagnes basses, rabotées en larges plateaux, coiffées de neige. Il se retourne avec difficulté pour regarder par la lunette arrière. Les mêmes neiges, au fond du fjord, sur des sommets un peu plus accidentés.

– Pourquoi tu t'es arrêtée ?

– Je me demande si on n'a pas crevé, soupire Anita.

– Tu crois ?

– Oui, à l'avant gauche on dirait.

Elle porte toujours son nez rouge, mais son attitude a changé. Elle parle d'une voix normale, sans chercher à faire le pitre, et dans ses yeux son éternelle étincelle de fantaisie s'est éteinte.

– Tu m'as l'air fatiguée, toi aussi. Tu veux que je prenne le volant ?

– Non, mais si tu pouvais descendre vérifier la roue.

Il se malaxe le visage des deux mains pour mieux se réveiller et sort de la voiture. Ils sont arrêtés sur un dégagement qui donne accès à une étroite piste abandonnée. Elle devait descendre jusqu'à la mer. La voiture est garée un peu trop près du bord. La pente est raide sur quelques mètres jusqu'à un faux plat au-delà duquel il ne voit pas ce qu'elle devient. Probablement qu'elle replonge vers le fjord comme une petite falaise. Il se penche par-dessus l'aile avant pour apercevoir la roue.

– Ça n'est pas à plat, dit-il à Anita qui cherche elle aussi à apercevoir la roue, la tête passée par la vitre de sa portière.

– Tu es sûr ? Ça vibrait vraiment dans le volant de ce côté-là.

Il se penche un peu plus.

– Non, il n'est pas crevé…

– Merde, jure-t-elle alors, j'espère que ce n'est pas un cardan ou quelque chose comme ça. Tu peux jeter un œil pour voir s'il n'y a pas un truc déglingué derrière la roue ?

Soulniz soupire. Il n'est pas vraiment en forme pour ce genre d'acrobatie. Et il ne connaît rien à la mécanique. Il ne saurait même pas dire à quoi ressemble un cardan. Et encore moins à quoi ça sert. Mais Anita a conduit plus de deux heures pendant qu'il dormait comme une pierre, alors il lui doit bien ça. Il s'agenouille du côté de la roue avant gauche.

– Qu'est-ce que je dois chercher ?

Elle ne répond pas. Elle déverrouille sa serrure en silence, se couche de côté sur le siège passager et replie les genoux sur sa poitrine.

– Anita, qu'est-ce que je dois chercher ? répète Soulniz.

Elle suppose qu'il s'est redressé pour qu'elle l'entende mieux, alors elle détend ses jambes de toutes ses forces et ouvre la portière à la volée des deux pieds.

Soulniz prend la portière en pleine tête et bascule aussitôt en arrière dans la pente. Il roule plusieurs fois à l'envers sur lui-même, se casse le cou, se défonce l'épaule, rebondit, puis part en glissade tête en avant sur l'herbe mouillée du faux plat en paniquant les moutons blancs qui s'enfuient en bêlant. Sauf un bélier noir, immobile, têtu, contre lequel il s'assomme.

# 29

# Húsavík

*... une autre bouteille*

— Charlie ?

— Ah, tu me reconnais, camarade, c'est au moins ça ! dit une voix bienveillante en français.

Soulniz plisse les yeux plusieurs fois avant de les ouvrir à nouveau. Au-dessus de lui, dans le halo roux d'une crinière ébouriffée, il reconnaît le visage maculé de rousseur qui le regarde avec malice. Vieilli, mais reconnaissable.

— Charlie Brown ? Le Charlie Brown de l'époque ? Le Charlie Brown de Heimaey ?

— Oui, camarade, comme au bon vieux temps.

— Mais qu'est-ce que tu fais là ?

— Je t'ai récupéré sur la route un peu après que tu as défié un troupeau de moutons au football américain. Pour une fois que je te suivais au lieu de te précéder !

— Qu'est-ce que ça veut dire ?

— Ça veut dire que c'est lui le sale petit con qui vous pourrit la vie depuis votre arrivée, mais par chance il a vu que l'autre folle vous balançait sur le côté de la route, alors vous lui devez probablement la vie sauve, résume en anglais Kornélius qui a compris le sens de la conversation.

– Vous êtes là vous aussi, s'étonne Soulniz dans la même langue, mais on est où, là ?

– Dans l'appart que tu as loué, camarade.

– À Húsavík ?

– Oui, à deux pas des *hot pots*, comme à l'époque, sourit Charlie, les yeux écarquillés de bonheur.

Soulniz ne comprend rien. Il est dans un lit. Il cherche à se relever mais une migraine de plomb fait voler en éclats des strikes dans son crâne. Il se recouche.

– Allez-y doucement, lui conseille Kornélius, vous avez pas mal encaissé ces derniers temps.

Soudain Soulniz percute et se redresse malgré la douleur.

– Et Rebecca ? Est-ce que Rebecca est là ? Est-ce qu'elle nous attendait ici ?

– Non, avoue le flic d'un ton qui ne le rassure pas.

– Non quoi ? Qu'est-ce qu'il y a ?

– Rebecca n'est pas ici, mais elle y est peut-être passée.

Soulniz se prend la tête à deux mains pour contenir la douleur qui l'empêche de comprendre.

– Qu'est-ce que ça veut dire ?

– Nous avons trouvé un petit tas de deux kilos de poudre blanche bien en évidence sur la table du salon en entrant dans l'appartement, mon salaud, explique Charlie, tout sourire, quand je pense qu'à l'époque tu te contentais de cigarettes parfumées !

– Vous l'avez retrouvée ?

– Oui, même s'il est déchiré, c'est bien le même paquet, dit une voix que Soulniz reconnaît.

Kornélius fait un pas de côté et Galdur apparaît dans la combinaison de mécano qu'il a fini par enfiler à la station-service.

– Oh non, pas lui !

– Je veux retrouver Beckie autant que vous, monsieur, se défend Galdur.

– Tu l'approches à moins de cent mètres, et j'achète un briquet avant de te traîner jusqu'à la prochaine pompe à essence, tu m'as bien compris ?

– Écoutez, Soulniz, il y a plus urgent que de chercher à crématiser votre futur gendre.

– Ce morveux ne sera jamais mon futur gendre.

– D'accord, alors disons l'amant de votre fille.

– De ma fille mineure !

– Putain, Soulniz, il est mineur lui aussi et de toute façon on s'en branle parce que si vous continuez à nous faire perdre du temps avec vos conneries, il n'y aura peut-être plus de Beckie ni à baiser pour lui, ni à faire chier pour vous, d'accord ?

Kornélius a hurlé et, mis à part Charlie qui fait signe des sourcils que le monsieur est très colère, les autres sont tétanisés.

– Vous pouvez comprendre ça ? reprend calmement Kornélius.

– Pourquoi ? Qu'est-ce qu'il y a ? Qu'est-ce que vous savez que je ne sais pas ? murmure Soulniz, soudain inquiet.

Kornélius désigne un papier sur la table. Cette fois, Soulniz se lève malgré le glas qui sonne dans sa tête. Il titube jusqu'à la table, soutenu par Charlie et Kornélius.

– N'y touchez pas, précise le flic, pour les empreintes, au cas où.

Soulniz s'appuie des deux bras tendus sur la table, au-dessus du papier.

« *Soulniz, là où elle t'attendra, elle n'a pas besoin de ça.* »

– Putain, s'énerve Soulniz en frappant des deux poings sur la table, mais qu'est-ce que ça veut dire tout ce bordel !

Kornélius pousse une chaise vers lui et Charlie l'aide à s'asseoir.

– D'abord, ça veut dire qu'elle est vivante, explique Kornélius.

Ensuite, que quelqu'un s'amuse avec vous, et c'est probablement quelqu'un que vous connaissez. Quelqu'un qui connaît votre itinéraire pour avoir su où vous laisser ce message.

– Il a très bien pu faire du mal à Rebecca pour le savoir, murmure Soulniz.

– Je ne crois pas. Je suis certain qu'en faisant allusion à l'endroit où Rebecca vous attend, il, ou elle, parle de la prochaine étape de votre circuit. Vous aviez prévu quoi, à partir de Húsavík ?

– Voir les chutes de Dettifoss et de Selfoss et finir l'étape en revenant sur les bords du lac de Mývatn.

– Classique, admet Kornélius.

– Génial ! se réjouit Charlie. Tu te souviens à Mývatn avec les…

– Vous voulez dire qu'il suffit de suivre l'itinéraire prévu pour espérer tomber sur lui ou retrouver Beckie ?

– Si ma théorie est juste, nous avons une chance de le prendre à son propre jeu. Je n'ai pour l'instant aucune raison de faire confiance à votre plaisantin de copain, alors considérons que nous sommes deux, et à moins que nous n'ayons affaire à une bande, il ne peut pas nous surveiller tous les deux en même temps. Alors vous, vous continuez votre voyage comme prévu, moi j'anticipe et je vais directement l'attendre à Mývatn.

– Bon, eh bien puisque la confiance ne règne pas vraiment, intervient Charlie, moi je vais continuer tout seul de mon côté et prendre une étape d'avance sur tout le monde. De toute évidence, le rapport avec notre premier voyage est clair maintenant, et si c'est quelqu'un que nous avons connu à l'époque qui t'en veut, camarade, il y a des chances pour que je puisse le reconnaître.

– Ben et moi alors, qu'est-ce que je fais ? s'offusque Galdur.

– Toi, tu disparais et tu te planques, parce que les Lituaniens vont venir te découper au tranchoir à baleine.

– Pourquoi, qu'est-ce qu'il a fait encore ?

– Lui rien, mais Rebecca nous a peut-être encore un peu plus compliqué la vie…

– Comment ça ?

– La coke…

– Quoi la coke ? Vous l'avez récupérée, non ?

– C'est du sucre en poudre.

– Quoi ? hurle Soulniz, vous êtes sûr ?

– Votre copain Charlie, il s'est meringué les narines en se sniffant vite fait un rail dans notre dos.

Soulniz se tourne vers Charlie qui hausse les épaules en écartant les mains paumes vers le ciel, tout sourire.

– Que veux-tu, j'ai fait vingt ans de Guyane après notre fameux été islandais, il fallait tenir là-bas. J'ai pris de mauvaises habitudes…

– Alors, c'était bien toi dans le chalet numéro 3 à Grindavík. Et tes complices ?

– Ah ceux-là ? Rien à voir. Trois Chinois que j'avais rencontrés au Blue Lagoon et que j'ai trimballés et hébergés.

– Et ils étaient où le soir du feu d'artifice ?

– Je voulais être tranquille pour m'occuper de toi. Je leur ai prêté ma voiture pour qu'ils aillent dîner quelque part.

Soulniz semble réfléchir à quelque chose qui lui échappe, puis lui revient soudain.

– Et Nez-Rouge ? C'est elle qui m'a…

Mais son corps décide alors qu'il a vraiment besoin de repos et il perd connaissance. Kornélius et Charlie le retiennent de justesse et le portent jusqu'au lit.

– On lui laisse trois heures de sommeil, une douche bouillante, puis on l'emmène au restaurant se refaire une santé, décide le flic.

– Je suis d'accord avec ça, approuve Charlie. En attendant, je vais faire un tour sur le port.

– Non, toi tu ne bouges pas d'ici. Demain tu iras où tu veux, mais en attendant, tu as pas mal de choses à m'expliquer, comme pourquoi et comment tu t'es amusé à pourrir le voyage de ton ami.

Alors Charlie raconte. D'abord, pendant les quatre décennies qui ont suivi leur été islandais, il a perdu Soulniz de vue. Chacun a voyagé vers d'autres contrées, s'est construit une vie, choisi un métier. Puis dans les années quatre-vingt-dix est arrivé Internet, puis ç'a été les réseaux sociaux au milieu des années deux mille et Charlie s'y est beaucoup investi, contrairement à Soulniz qui n'y apparaissait pas. En plaçant des alertes sur certains sujets comme l'Islande par exemple, où il avait toujours désiré retourner. Et un jour, il tombe sur le profil d'une Beckie Soul qui parle abondamment d'un voyage que son père prépare. Le même tour de l'île qu'il a fait avec une petite bande à l'époque. Exactement les mêmes étapes. Alors il creuse, navigue, surfe et finit par apprendre que le Soul de la fameuse Beckie n'a rien à voir avec son âme anglaise, et que ce n'est que l'abréviation de son nom, Soulniz. Comme le Soulniz qui menait leur petite bande à l'époque. Et l'idée naît de retourner en Islande pour suivre en secret son vieux copain et sa fille et les faire tourner en bourrique.

– C'était facile. Beckie a publié sur Facebook tout leur voyage, étape par étape, jour par jour, hébergement par hébergement. Même pas besoin de les suivre, je savais d'avance où ils allaient.

– Quelqu'un d'autre partageait ton projet de canular ?

– Non. J'ai essayé de renouer contact avec ceux de l'époque, mais je ne me souvenais que de leurs prénoms. Soulniz était le seul que nous appelions par son nom de famille. J'ai lancé des hameçons un peu partout sur le Net, mais personne n'a mordu.

— Donc les mots sur le pare-brise, le feu d'artifice, tout ça c'était toi.

— Oui, j'avais prévu de déconner *crescendo* jusqu'à leur arrivée sur l'île des Vestmannaeyjar.

— *Crescendo*, ça veut dire quoi ? Après le macareux mort dans le dortoir du Fridge, tu avais prévu quoi, un mouton égorgé peut-être, ou un cheval décapité pourquoi pas ! s'emporte Kornélius.

— Hé, j'ai jamais tué de macareux moi, d'accord, à part ceux qu'on allait chasser à l'épuisette sur la falaise à l'époque !

— Peut-être bien, mais malheureusement dans ce cas ça veut dire que quelqu'un d'autre est sur le coup, mais pas pour plaisanter cette fois.

Cinq heures plus tard, après que Soulniz s'est réveillé, Kornélius l'entraîne prendre l'air et boire un verre sur le port. Ils discutent d'abord de tout et de rien, avec toujours Rebecca en filigrane. Et Joanna aussi, la fille de Kornélius dont le flic parle enfin. Un peu. Deux pères échoués. Deux morses hors de l'eau. C'est Soulniz le premier qui en reparle.

— Comment avez-vous fait quand elle vous a quitté ?

— Rien. Je suis resté en pyjama sur le pas de la porte, mon café à la main, à les regarder partir.

— Je voulais dire après, pendant tout ce temps, jour après jour.

— Rien non plus. Je suis resté des jours entiers à écouter le silence assourdissant de ma nouvelle solitude. Des nuits aussi. Je me suis dit que j'avais dû ranger nos vies sur la mauvaise étagère. Quand j'ai été convaincu qu'elles ne reviendraient pas, j'ai fait le ménage. J'ai tout jeté. Je n'ai gardé que le souvenir d'elles.

— Oui, tout ça est assez injuste, mais vous avez l'avantage de

pouvoir croire qu'elle est partie pour un autre que vous et pas
à cause de vous. Moi, je n'ai pas ce recours-là. Un jour la
mélancolie l'a prise, la musique est devenue son seul refuge, son
piano son seul confident. À ses obsèques, j'ai épié le moindre
chagrin, le moindre désespoir parmi les musiciens de l'orchestre,
à essayer de deviner lequel avait pu être son amant inconséquent,
le Don Juan misogyne qui l'aurait trahie. Mais très vite, il n'est
resté comme seul coupable possible que moi. Je n'ai rien vu
venir et je n'y comprends toujours rien, sinon qu'il faut bien que
je sois responsable, puisque personne d'autre ne l'est. Je dois
d'ailleurs être une sorte de récidiviste, puisque j'ai le même
sentiment de responsabilité par rapport à cette fille qui est tombée de la falaise à Heimaey en 1973.

— Quoi, vous vous sentez aussi responsable de cette mort-là ?
— Il le faut bien, puisque c'est pour moi qu'elle était restée
sur l'île à l'époque.
— Remonter à l'origine de tout n'est pas la bonne méthode.
À vous suivre, l'enchaînement des causes ferait remonter la culpa-
bilité de tous jusqu'à Dieu.
— C'est très exactement ce que je pense. Pas vous ?
— Oh, alors dans ce cas, si nous devons en arriver à parler de
Dieu, il nous faut vite ouvrir une autre bouteille.

# 30

# Húsavík

*Tu n'as plus de voiture !*

Kornélius demande à Charlie de lui raconter l'histoire de la fille de 1973. Charlie commence par lui raconter Heimaey. Dans la chambre d'à côté Soulniz s'est à nouveau endormi.

L'éruption se déclenche au lendemain d'une terrible tempête le 23 janvier 1973. Les habitants de l'île la redoutaient depuis les secousses de l'avant-veille mais n'avaient pas pu fuir à cause de la mer déchaînée. À deux heures du matin cette nuit-là, le flanc du vieux Helgafell en sommeil se fend d'une longue fissure de laquelle jaillissent une vingtaine de fontaines de lave. Par miracle, la tempête, qui a retenu les soixante-dix chalutiers à l'abri du port niché entre les falaises, se calme. En six heures les cinq mille habitants sont évacués. Ne restent que quelques centaines de personne qui barricadent les fenêtres avec de la tôle pour éviter que les bombes volcaniques qui fusent de la faille n'enflamment les maisons. Puis les fontaines s'étouffent dans leur propre magma et il ne reste bientôt plus qu'un seul cratère qui grandit et forme le cône qui devient l'Eldfell. Officiellement, un nouveau volcan est né qui fête sa victoire sur les autres fontaines en crachant ses cendres et ses téphras sur la ville. Jusqu'à un mètre par jour, pendant trois jours, ensevelissant la moitié du village. Quelques jours plus tard, un flanc du nouveau volcan s'effondre et la lave bouscule tout un quartier qu'elle englue, broie et incendie. Trois cents maisons peut-être. Puis le flot inexorable glisse vers la mer et l'entrée du port qu'elle menace en consumant les vieilles roches. La mort de l'île sans son port de pêche. Il faut dévier le mur de lave. On imagine de le dynamiter. De le bombarder. Puis on décide de l'arroser. Pomper l'eau de mer pour refroidir un côté de la coulée de deux cents degrés. Encroûter la lave. La solidifier plus vite d'un côté que de l'autre. Et devant aussi. Sous une pluie de cendres, dans la fournaise des incendies, on installe une cinquantaine de pompes, trente kilomètres de tuyaux, et pendant des semaines, jour et nuit, à quelques mètres de la masse incandescente, des hommes se relaient pour déverser des millions de mètres cubes d'eau froide et le défi est gagné. La coulée est bloquée par le rempart de son front solidifié. Ils arrivent sur l'île un mois avant la fin officielle de l'éruption, le 28 juin. Soulniz et un Norvégien ont convaincu les autorités de les laisser rassembler tous les routards et les traîne-savates qui mouraient d'envie de voir un volcan de près. Ils ont constitué une sorte de brigade internationale de volontaires. Les secouristes de la première heure sont épuisés. Les soldats américains de la base de Keyflavík qui ont apporté leur secours dans les premières semaines sont repartis depuis longtemps. Leurs bras sont les bienvenus. On les accueille sur l'île encore interdite et on les affecte au dégagement des soixante-dix maisons ensevelies sous la cendre. Ils sont une centaine. Les classes d'une école sont mises à leur disposition comme dortoirs. Ils ont droit à un repas chaud toutes les deux heures pour résister au labeur épuisant de dégager la ville. Rue par rue au petit bulldozer, des Bob Cat, d'abord d'après les plans, puis maison par maison à la pelle, jardin par jardin, arrière-cour par arrière-cour. Et pendant leur temps libre, ils escaladent le volcan encore brûlant, ils courent à travers les fumerolles du champ de lave aussi vite que possible pour ne pas laisser à leurs semelles le temps de fondre, ou ils jettent des cailloux dans les fissures pour les regarder fondre à quelques dizaines de centimètres dans le magma en fusion. Il a connu Soulniz quand ce dernier l'a affecté au dégagement du cimetière, dont seule la croix blanche du portail dépassait de la cendre noire et encore fumante.

Charlie se tait, le visage illuminé au souvenir de ces temps sauvages.

– Je me souviens de cette éruption, dit Kornélius, ma tante habitait sur l'île à l'époque. Il n'y a eu qu'un mort, si je me souviens bien.

– Un seul, confirme Charlie. Un homme asphyxié par les gaz toxiques dans sa cave.

– Et donc cette volontaire aussi, tombée d'une falaise à la suite d'un accident de Bob Cat, c'est bien ça ?

Charlie se lève et va reprendre deux Einstok Pale Ale dans le réfrigérateur. Galdur s'est endormi comme un gosse en chien de fusil dans un fauteuil. Dans la chambre à côté, Soulniz éructe sa fatigue en longs ronflements. Dehors, le ciel est soudain blanc et froid et derrière les baies vitrées, le port est gris.

– Ce n'était pas une volontaire. Abbie était une touriste anglaise, une voyageuse plutôt, une des premières touristes à revenir sur l'île. Ça s'est passé en août. Il n'y avait toujours pas d'hébergement et les visiteurs devaient repartir par le bateau du soir. Mais nous avons gardé Abbie avec nous.

– Nous ?

– Soulniz, moi et quelques autres qui formaient le groupe de commandement des volontaires.

– Vous avez des noms ?

– Que des prénoms. Soshi, un Japonais hypermaniaque, Ethan, un Israélien qui à notre âge avait déjà fait une guerre, Marty, un gars du Minnesota qui parlait aux corbeaux, Doug, un Californien barbu qui déclamait du Tolkien face à la mer du haut des falaises, et Olsen, un apprenti avocat norvégien.

– Et donc, Abbie… ?

– Abbie est arrivée un jour de plein soleil dans le gymnase qui servait de réfectoire, en haut du village en ruine, et tout le monde a tout de suite compris qu'elle était là pour Soulniz.

– Quelqu'un parle de moi ?

À la voix, ils comprennent qu'il va déjà mieux et s'en réjouissent en silence.

– Nous parlons de tes amours d'antan, camarade !

– Il n'y a pourtant pas grand-chose à dire. Prenons plutôt la voiture et allons dîner quelque part.

Personne ne répond.

– Quoi encore ? tonne Soulniz depuis sa chambre.

– Tu n'as plus de voiture !

# 31

# Musée de Laufas

*... à chercher Beckie ?*

Le Toyota est abandonné dans la lande, les quatre portières grandes ouvertes comme la carcasse d'une bête écartelée. Le hayon et le capot aussi. La voiture est affaissée sur ses pneus découpés. Tout autour, des débris gisent comme des entrailles éviscérées. Les bagages éventrés. Les vêtements déchirés. À l'intérieur, le cuir des sièges est lacéré. Tout a été déglingué. La boîte à gants, les vide-poches. Les pare-soleil arrachés. Les parements des portières déclippés. Tout ce qui a pu être démonté l'a été. Tout qui pouvait être fouillé aussi.

Soulniz s'est avancé d'un pas devant les autres. Il ne sait pas quoi penser des conséquences de tout ça. Ils sont à cinq cents mètres à peine du petit musée des Traditions populaires de Laufas, avec ses cinq maisons de tourbe bien alignées, son cimetière de vieux engins agricoles qui rouillent dans la lande, son église rouge et blanc, et ses petites maisons miniatures pour les elfes avec des os en guise d'offrandes. Un voyageur solitaire arrivé trop tard pour la dernière visite a cherché un coin tranquille pour dormir dans son van aménagé et est tombé dessus. Il a trouvé les papiers de location et a appelé Iceland Cars à l'aéroport de Keflavík, qui a appelé Soulniz sur son portable, qui a appelé l'agent local à Akureyri, qui lui a donné rendez-vous à l'endroit indiqué.

Et ils contemplent maintenant le carnage dans le crépuscule qui n'en finit pas. Kornélius coupe court aux reproches du loueur de voitures. Il lui confirme qu'il est de la police et que Soulniz a bien signalé le vol de la voiture dans les règles et dans les temps.

— Je n'ai jamais vu ça, reconnaît l'homme, on dirait qu'un troll l'a dépecée...

— J'aurais besoin d'une autre voiture, dit Soulniz.

— Passez demain matin à l'agence d'Akureyri, maugrée le loueur.

— Pas question, intervient Kornélius. Que quelqu'un lui en amène une à Húsavík, ce n'est pas à lui de se déplacer.

L'homme regagne son véhicule en grommelant un vague accord et disparaît.

— Il faut récupérer ce que tu peux, conseille Charlie qui s'agenouille parmi les vêtements.

Galdur s'accroupit pour l'aider et ils font deux tas en demandant à chaque fois à Soulniz. Un pour les vêtements récupérables et un autre pour ceux à jeter. Soulniz décide de garder tout ce qui appartient à Rebecca. C'est Kornélius qui repère le nez rouge et se baisse pour le ramasser.

— Elle m'a dit qu'elle ne l'enlevait que pour pleurer, commente Soulniz.

— Alors, elle a dû beaucoup pleurer, mais de rage, à voir l'état de la voiture. Elle a même brisé tous les phares et étoilé le pare-brise.

— Elle cherchait sûrement la cocaïne. Je me demande comment elle a pu s'imaginer qu'elle était peut-être dans notre voiture.

— C'est moi qui le lui ai dit, avoue Galdur, penaud, en se relevant pour leur faire face, tête basse.

— Toi ?

– Oui, à Ólafsvík, dans le bateau à guirlandes.

La gifle de Soulniz part à toute volée, mais le gamin l'évite et le cueille pour le compte d'un swing au menton sec comme un coup de marteau d'adjudicateur.

– Décidément ! soupire Kornélius en récupérant Soulniz dans ses bras.

– Je ne veux plus voir ce gosse, marmonne Soulniz, groggy.

– Il faut qu'il reste avec nous. Si les Lituaniens lui mettent la main dessus, ils vont le dépecer comme de la viande à corbeaux.

Charlie ne s'inquiète pas trop du K.O. passager de Soulniz. Il lui savait une belle capacité à encaisser à l'époque et suppose qu'il lui en reste encore quelque chose. Il contemple le spectacle étrange du Toyota désossé au milieu la lande froissée d'ombres, la rivière lisse comme un lac endormi et, au loin, les massifs roux coiffés de neige.

– Et elle l'a trouvée, cette coke ?

– Si elle avait mis la main sur les deux kilos de poudre, elle n'aurait pas massacré le 4×4 comme ça.

– Peut-être qu'elle l'a trouvée à la dernière minute.

– Quand tu cherches de la cocaïne dans une voiture, tu ne commences pas par briser les phares. Ça, elle l'a fait en dernier, de rage de n'avoir rien trouvé, explique Kornélius.

– Ça se tient, admet Charlie.

– Je suis flic.

– Mais peut-être que Beckie avait caché la poudre dans un des phares et que Nez-Rouge...

– Tu fais chier, Charlie ! l'interrompt Soulniz.

– Et peut-être aussi que la poudre n'a jamais existé. Que le sachet n'a toujours contenu que du sucre. Que ce petit con nous a tous doublés. Ou qu'il s'est fait doubler par son frère. Ou par le capitaine du *Loki*. Peut-être même que toute la cargaison du *Loki* n'était que du sucre, énumère Kornélius qui ne sait plus quoi penser.

— Ou peut-être qu'on devrait se remettre à chercher Beckie !

# 32

# Húsavík

*… que Soulniz l'a planquée quelque part.*

— Elle ne manque pas de culot, reconnaît Kornélius.

Anita est là, sous la pluie qui bruine, de l'autre côté de la rue. Transie. Trempée. Dans l'encoignure de la porte d'un magasin de sport fermé à cette heure de la nuit. Ils la regardent par la fenêtre sans rideaux de l'appartement.

— Elle a retrouvé un nez rouge, on dirait, constate Charlie.

Ils se sont réveillés tous les deux en entendant Soulniz sortir. Maintenant, ils se demandent comment il a aperçu la fille. Insomnie sans doute. À tourner en rond dans l'appartement. À regarder le petit port immobile perdre son âme dans la nuit. À égarer son regard vers les quelques lampes nues et éparses, estompées d'un halo de pluie. À écouter son cœur battre et s'inquiéter pour Beckie.

— Je me demande si elle connaît son histoire, murmure Charlie, pensif.

— Pourquoi dites-vous ça ?

— Parce qu'il n'y résistera pas.

— À quoi ?

— Au souvenir d'Abbie.

— Expliquez-moi…

Alors Chalie raconte comment, dès qu'Abbie est apparue dans

le réfectoire, à l'époque, Soulniz en est tombé amoureux. Il s'est
levé pour l'inviter à leur table et n'a parlé qu'à elle pendant tout
le repas. Puis ils sont partis visiter l'île ensemble toute la journée. Ils sont montés sur la falaise face au port, pour qu'elle rie
au spectacle des macareux maladroits quand ils trébuchent dans
la pente pour prendre leur élan. Ils ont marché sur la croûte
fumante de la lave pour avoir l'illusion de voler dans les nuages
quand le vent rasant tirait à contresens un tapis de fumerolles à
leurs pieds. Ils ont escaladé la pente de l'Eldfell jusqu'au rebord
du cratère pour jeter des pierres dedans. Et il l'a même emmenée
au-delà de la piste d'aviation, sur la côte nord, où une coulée
sous-marine réchauffe en profondeur l'eau d'une petite crique.
Il lui a appris à attendre la houle pour se jeter dans l'eau froide
et nager au plus vite jusqu'à des eaux aussi chaudes que des
bains de silice. Personne ne les a vus de la journée. Ils ne sont
rentrés qu'au crépuscule et Soulniz l'a raccompagnée jusqu'à
l'autre école, du côté du cimetière, où étaient hébergées les filles.
C'est là que Charlie l'a aperçu, comme cette fille aujourd'hui,
planté là, tout seul dans la nuit, à ne pas quitter sa fenêtre des
yeux. La seule allumée, à l'étage, derrière laquelle on devinait
son ombre. Puis elle a dû l'apercevoir. Sa silhouette immobile,
avant de disparaître pour revenir, plusieurs fois, comme pour se
convaincre qu'il était toujours là. Alors, elle est redescendue.
Elle est apparue au pied de l'immeuble, son manteau serré autour
d'elle, et s'est approchée de Soulniz. Plus tard, il lui a raconté
qu'elle lui avait demandé ce qu'il voulait. Il avait répondu qu'il
la voulait, elle, et elle était restée longtemps en silence à le
regarder. Puis elle avait déposé un léger baiser sur sa bouche.
Dans son mouvement, le pan de son manteau s'était écarté et il
avait cru deviner qu'elle était nue dessous. Puis elle lui avait
murmuré quelque chose à l'oreille et était rentrée dans l'immeuble.

– Vous savez ce qu'elle lui a dit ?

— Vous n'allez pas me croire.

— Depuis que j'ai rencontré Soulniz, je suis prêt à croire beaucoup de choses.

— Elle lui a dit qu'elle aimerait bien elle aussi, mais pas comme ça. Pas dans un coin de dortoir. Pas dans une maison abandonnée. Elle voulait un vrai lit pour eux, dans une vraie chambre, à l'étage d'une vraie maison. Avec de la musique et des fleurs. Vous vous rendez compte ? Sur cette île qui venait d'être éventrée par une faille encore fumante et secouée par six mois de colères telluriques. Trois cents maisons broyées par la lave ou fondues dans le magma, une centaine d'autres ensevelies sous la cendre, et Abbie exigeait de lui un petit nid d'amour !

— Je devine la frustration de Soulniz…

— Oui, mais elle ne fut que de courte durée. De retour au dortoir des garçons, où chacun pariait sur les chances de Soulniz, l'atmosphère était euphorique. Jeff, un Américain, avait découvert une cave intacte sous la maison qu'il dégageait. Une centaine de bouteilles de vin d'herbe. Un jus vert et fermenté, mais qui, sur l'île interdite d'alcool depuis le lendemain de l'éruption, prenait une valeur de trésor de guerre. Dans le vacarme de la fête, je criai à l'oreille de Jeff l'infortune de Soulniz et il bondit aussitôt sur une table, hurlant au silence, pour expliquer la situation aux volontaires. Puis, dans des hourras de fiesta, il offrit une bouteille pour chaque meuble, chaque pièce de linge de maison ou chaque bibelot qui permettraient de transformer la maison isolée qu'il avait déblayée la veille en nid d'amour pour Abbie et Soulniz.

— Il a vraiment fait ça ?

— Oui, et les volontaires l'ont fait aussi. Le lendemain matin, j'ai couru prévenir Abbie pour qu'elle ne prenne pas le premier bateau et qu'elle attende. Pendant ce temps, les volontaires ont passé la journée à nettoyer et meubler la maison. Un lit, une table de nuit, des draps propres et un édredon, des tapis, des rideaux, des cadres et des miroirs, un fauteuil. De chaque maison abandonnée, de chaque ruine effondrée, chacun apportait et proposait à Jeff tel ou tel meuble ou objet qu'il choisissait. Un volontaire trouva même un sapin de Noël avec toutes ses guirlandes. Quelqu'un déterra des cendres du cimetière un bouquet de fleurs artificielles. Un autre rapporta un électrophone et des disques classiques. Croyez-moi, le soir, cette petite maison sur la cendre, pimpante et éclairée, aurait pu servir de décor à la plus romantique des comédies américaines. Puis je suis allé chercher Abbie. Soulniz nous attendait à mi-chemin du dortoir. Quand Abbie a aperçu la maison, elle a souri, lui a pris le bras, et ils se sont avancés jusqu'à la porte grande ouverte, sous les vivats des volontaires qui formaient une haie d'honneur. Lorsque nous avons entendu les premières notes a cappella d'une messe anglaise pour quatre voix de femme et que les lumières se sont éteintes, les larmes nous sont venues et nous nous sommes dispersés en silence.

Kornélius ne répond pas. Charlie suppose qu'il imagine la scène, et surtout l'émotion d'Abbie et de Soulniz ainsi que celle des volontaires. Mais Kornélius est flic.

– Et personne n'a trahi le moindre sentiment de jalousie envers Soulniz ? Ce Jeff, par exemple, ou d'autres parmi ceux qui avaient contribué à construire ce petit nid d'amour sans pouvoir en profiter.

– Bien sûr que nous étions tous jaloux de Soulniz. Jusqu'au choix de cette musique si religieuse et si sensuelle à la fois. Chaque fois que le saphir glissait dans le dernier sillon du trente-trois tours, nous étions suspendus à son silence dans la nuit, éveillés dans le dortoir, à espérer qu'ils se soient endormis pour trouver le sommeil à notre tour. Puis la messe reprenait et avec elle ce que nous imaginions de péchés de chair et de caresses.

– Et vous, qu'avez-vous fait ?

– Je me suis masturbé comme jamais depuis !

Kornélius ne répond rien parce que dehors Soulniz vient d'apparaître sous la pluie. Il a dû hésiter longtemps avant de sortir de l'immeuble. Ils le regardent s'approcher de Nez-Rouge, et malgré la fraîcheur de la nuit, le flic entrebâille la fenêtre pour écouter.

– Je suis désolée, lui dit-elle avant même qu'il ne la rejoigne, je suis tellement désolée, tu sais.

– Tu peux.

– Tu m'en veux pour la voiture ?

– Je t'en veux pour tout, Anita. Qu'est-ce qui t'a pris ?

– C'est la coke. C'est elle qui m'a fait disjoncter. Quand Arnald m'en a parlé…

– Il s'appelle Galdur en fait.

– Ah bon ?

– Oui, trop long à t'expliquer.

– Bref, quand j'ai appris pour la coke, j'ai d'abord pensé à ce que ça représentait comme argent, tu comprends ? Ne plus courir les cachets, oublier les salles minables. Je sais bien que les touristes ne viennent à mon spectacle que parce qu'il n'y a rien d'autre à faire, le soir, à Ólafsvík ou ailleurs.

– Tu as tort, Anita. Ton spectacle est bon et tu as du talent.

– Oui, c'est ça, juste assez pour me faire sauter backstage dans le petit bateau à guirlandes. Tu parles d'une vie ! L'argent de la coke, ça m'est d'abord apparu comme une chance de me sortir de là. De recommencer quelque chose.

– Pourquoi « d'abord » ?

– Parce que ensuite la coke, Soulniz, la fée blanche, le bonheur artificiel. Tout est remonté d'un seul coup. Une vague scélérate. Une explosion d'écume. J'en voulais. J'en voulais comme avant pour redevenir belle, conquérante, audacieuse. Je te jure que j'ai fait une vraie crise de manque après tant d'années. Aussi violente que si on m'avait sevrée la veille. J'en voulais, Soulniz, j'en voulais dans mon nez, dans ma tête, dans mes tripes. J'en voulais partout. Je voulais retrouver ce frisson d'avant, jusqu'à l'overdose s'il le fallait, tu comprends ? Je crois bien que si j'avais mis la main dessus, j'aurais sniffé les deux kilos d'un seul coup pour que cette putain de vie m'explose de l'intérieur, et c'est là que la rage m'a prise. Une rage contre moi de n'être même pas foutue de mettre la main sur deux kilos de poudre pour m'envoyer en l'air pour de bon, jusqu'à ce foutu bordel d'enfer dont j'essaye de rire chaque soir dans mon misérable spectacle !

Et elle s'effondre en pleurs dans les bras de Soulniz qui hésite, n'ose pas, puis l'enlace pour la consoler.

– Elle est vraiment très forte, reconnaît Kornélius.

– Vous croyez qu'elle joue encore un rôle ? s'offusque Charlie.

– Elle n'a pas trouvé la coke dans la voiture. Elle pense que Soulniz l'a planquée quelque part.

# 33

# Dans le Nord

*Justement...*

– Kornélius, tu es où ?

– Je suis dans le Nord.

– Qu'est-ce que tu fais dans le Nord ?

– Je suis une piste.

– Pour quel dossier ?

– On t'a promue, Botty, tu es ma supérieure à présent ?

– Non, mais tu m'as donné les rênes de cette enquête, alors tu pourrais me tenir au courant de ce que tu fais.

– Très bien, alors disons que c'est un dossier personnel.

– Et ça concerne quoi ?

– Personnel, Botty, ça veut dire que ça ne concerne que moi.

– Ah...

– Et d'ailleurs, je compte sur ta discrétion. Sinon, tu m'appelles pour quoi, alors ?

– Un corps calciné a été rejeté par la mer, plus ou moins en face de l'île des Vestmannaeyjar. C'est un touriste qui l'a aperçu du haut d'une falaise. Les collègues du coin vont faire les relevés et le récupérer.

– Et ?

– Et rien, je voulais savoir comment on gérait ça.

Kornélius réfléchit un instant.

– Un chalutier de Grindavík a été porté manquant il y a trois jours. Officiellement, il n'est pas encore disparu, mais personne ne retrouve sa trace. Ça peut être une piste s'il y a eu naufrage. L'explosion d'un moteur, quelque chose comme ça. Donc, tu devrais peut-être t'informer auprès des garde-côtes sur leurs recherches.

– C'est fait.

– Et voir si les courants peuvent nous indiquer d'où le corps a pu dériver.

– J'ai vérifié.

– Il faudrait aussi demander aux autorités locales d'inspecter le bord de mer à la recherche d'autres indices d'un éventuel sinistre en mer.

– Elles sont sur le coup.

– Et prendre l'empreinte de ses dents si tout le reste a brûlé, parce que ce sera peut-être le seul moyen de l'identifier.

– Et demander à la légiste de comparer les mesures, les prélèvements et les empreintes avec le dossier médical des membres de l'équipage du *Loki,* c'est prévu aussi.

– Comment sais-tu qu'il s'agit du *Loki* ? s'étonne Kornélius.

– Parce que j'ai fait mon boulot d'enquêtrice avant de t'appeler.

– Impressionnant pour une nouvelle recrue. Tu avances aussi vite sur le dossier du nécropant que je t'ai confié ?

– On épluche le livre d'or du musée, on appelle toutes les églises du pays, et on compile les informations sur le Biélorusse, mais rien de décisif pour l'instant, même si ça nous prend beaucoup de temps

– Alors pourquoi tu en perds à m'appeler ?

– Et toi, pourquoi tu perds le tien à travailler sur un dossier perso ?

– Parce que c'est moi le chef, Botty.

– Pas très convaincant comme argument.

– Il faudra pourtant t'en contenter. Rappelle-moi s'il y a vraiment du nouveau sur l'un ou l'autre des dossiers.

– Je vais faire mieux : je passe te prendre où tu es et je t'amène sur la scène du corps calciné.

– Je suis à Húsavík, Botty, tu comptes t'y prendre comment ?

– En hélico. Mon père va inspecter une usine au nord du Vatnajökull, je dispose de son hélico pendant vingt-quatre heures.

– Je ne crois pas que...

– Je suis déjà en route Kornélius, je me pose dans vingt minutes ! Ah, et je pensais aussi que pour la discrétion, ce serait peut-être l'occasion d'en parler autour d'un café, non ?

– ... !

– J'ai un chalet au bord d'un lac sur le champ de lave de Kollóttadyngja.

– Écoute, Botty, c'est très flatteur, franchement, j'apprécie, mais nous nous connaissons à peine, et je pourrais être ton père.

– Justement...

# 34

# La falaise noire

*Je crois qu'elle ne m'aime pas !*

L'hélico énerve des centaines d'oiseaux blancs qui jaillissent des falaises vers le ciel. Ils affolent à leur tour les quelques chevaux roux qui déguerpissent dans l'herbe agitée par le souffle du rotor. Ida, la main en visière contre le soleil, regarde Kornélius en descendre. La turbine expire dans un long sifflement, puis Botty saute à son tour du siège du pilote et les rejoint.

— Une généreuse donation aux forces de police ? demande Ida.

— Un caprice de fille de riche, répond Botty en souriant. Et une façon de ramener Kornélius dans le droit chemin des enquêtes officielles.

Ida les regarde tous les deux, puis les invite à la suivre jusqu'au bord de la falaise.

— On l'a trouvé là-bas, dit-elle en pointant un amas de rochers. J'ai fait tous les relevés et toutes les photos possibles puis on l'a remonté pour éviter que les vagues ne le dégagent et l'emportent. La mer se forme.

— Il est où ?

— Derrière, à côté de la tombe en tourbe.

— Une tombe ? Délicate attention.

— C'était l'endroit le plus adéquat, abrité du vent par la maison et à l'abri des regards depuis la route.

Ils suivent Ida jusqu'au corps calciné.

– Alors ? demande Kornélius.

– Homme. Jeune. Brûlé bien au-delà du troisième degré sur pratiquement cent pour cent du corps. Pas de trace apparente d'accélérateur. Pas de trace apparente de blessure par arme. Contraste intéressant entre l'état extérieur calciné du corps et l'intérieur plutôt préservé des muscles et des viscères. Probablement par la chute à la mer dont l'eau à dix degrés environ a neutralisé la propagation des brûlures en profondeur. Source de chaleur au-delà d'un simple incendie. Je dirais sans progression. Plutôt instantanée et proche des mille degrés à en juger par la torsion des os les plus fins.

– Explosion au large avec chute à la mer, avance Kornélius.

– Oui. Quelque chose comme ça.

– C'est qui à côté ? demande Botty en désignant du menton la tombe en tourbe.

– Aucune idée, répond Ida sans la regarder, un mort je suppose.

Kornélius observe la tombe à son tour. Un tumulus d'herbe grasse planté d'une croix blanche en bois avec une date. 13/08/1973. Par réflexe, il cherche à calculer l'âge du défunt par rapport au sien, avant de s'apercevoir qu'il n'y a qu'une seule date et que c'est impossible. Un enfant mort à la naissance peut-être, mais la tombe est trop grande.

– Kornélius ?

– Quoi ?

– Viens voir ça.

Il se retourne. Botty est au bord de la falaise et regarde la mer à ses pieds. Kornélius s'approche, suivi d'Ida, intriguée elle aussi.

– Qu'est-ce que c'est que ce type ?

En bas, un peu avant le mur d'écume des vagues qui se brisent sur une digue naturelle, un homme lutte contre la houle à bord d'une lourde chaloupe.

– Il est fou, il va se fracasser sur les rochers.

Mais Kornélius comprend que non. L'homme est puissant et habile. Il maintient sa barque en travers de la houle et attend le moment propice pour la laisser glisser à travers la passe étroite qui ferme la crique.

– Il sait ce qu'il fait. C'est un bon marin, observe Kornélius.

– Quelle idée de sortir par cette mer déjà forte.

– Il pêche, répond Kornélius qui ne quitte pas des yeux l'embarcation.

– Il pêche, tu plaisantes ? s'étonne Botty.

– Non, à l'ancienne, avec une ligne de traîne. Je ne savais pas que ça se faisait encore. Du temps de mon grand-père, il fallait six hommes pour pêcher de la sorte, explique Kornélius, admiratif.

Ils regardent en silence l'homme choisir la bonne vague et guider sa barque dans la passe, puis ramer ferme jusqu'à la plage de sable noir. Kornélius décide de descendre à sa rencontre, et Ida retourne à son cadavre. Quand elle découvre le chemin escarpé qui descend la falaise, à même la roche, Botty décide de ne pas suivre Kornélius.

En bas, l'homme a échoué la chaloupe sur la grève et tire sa ligne. C'est une bonne pêche, devine Kornélius depuis la falaise où il se cramponne à la corde. Plusieurs dizaines de poissons que l'homme assomme au fur et à mesure sur le rebord de la barque puis jette dans un panier.

Kornélius le rejoint et, sans rien demander, l'aide à remonter sa ligne. Quand il le voit hisser sans effort le filin, l'homme suspend son geste un long moment et l'observe.

– C'est vous qui habitez là-haut ?

– Oui.

– Et vous êtes pêcheur ?

– Oui.

– Professionnel, je veux dire ?

– J'en vis.

– Tout seul ?

– Oui.

Le pêcheur est petit, mais Kornélius ne s'y trompe pas. Il est trapu et puissant. Ses cheveux bruns et longs lui tombent sur la nuque. Son visage est couvert d'une barbe qui roussit un peu et leur couleur d'ébonite donne à ses yeux vifs un regard d'une force inattendue. Il parle d'une voix ferme avec un très léger accent que Kornélius n'arrive pas à identifier.

Tout autour les mouettes s'affolent, mais aucune n'ose piquer sur eux pour voler un poisson. Elles semblent craindre quelque chose et, en cherchant ce qui les tient ainsi à distance, Kornélius aperçoit les corbeaux immobiles et silencieux qui les entourent. Comme une garde rapprochée. L'homme a lové sa ligne dans la chaloupe et maintenant il gratte les écailles de ses prises. En voyant le sable noir scintiller, Kornélius comprend qu'il pêche ici depuis des années.

– Vous habitez ici depuis longtemps ?

– Une quarantaine d'années.

– Depuis la mort de cette personne, là-haut, dans cette tombe ?

L'homme le regarde, puis reprend son labeur.

– Rien à voir. Elle était là quand je me suis installé.

– Mais elle est bien entretenue. Vous avez planté des lupins et des pavots.

– Les pavots, ça sort tout seul. Les lupins, c'est moi. Par respect pour les morts.

– Vous connaissez la personne ?

– Je vous ai dit qu'elle était déjà là quand je suis arrivé.

– Bien sûr, mais je voulais dire : vous savez qui c'est, un enfant, une femme, un marin ?

– Aucune idée. Un mort. Une âme, ça me suffit.

Puis l'homme vide ses poissons un par un et l'hystérie gagne la nuée de mouettes qui se déchirent le gosier à crier. Mais ce sont les corbeaux silencieux qui font ripaille avec les entrailles.

– Vous ne parlez pas beaucoup, s'impatiente Kornélius.

– Non.

– Vous ne vous inquiétez pas de savoir pourquoi nous sommes là ?

– Je suppose que vous avez vos raisons.

– Nous sommes là parce que nous avons trouvé un corps dans votre crique.

– Ce n'est pas ma crique. Elle appartient aux pêcheurs depuis des siècles, répond l'homme, qui se lève et va ranger ses poissons dans le saloir.

– D'accord. On a repêché un cadavre dans la crique, ça vous va comme ça ?

– Tombé de la falaise ?

– Non, rejeté par la mer.

– Un marin tombé par-dessus bord, alors.

– Oui, mais aussi un bon marin, pour avoir réussi à faire entrer son cadavre dans la passe. Je vous ai vu manœuvrer tout à l'heure. Pas facile.

– Les courants ont tendance à vous déporter sur les rochers, c'est vrai.

– Sauf si on est remorqué par une ligne de traîne.

– Possible. Mais avec cette mer et le ressac, il faudrait souquer ferme pour haler un homme jusqu'au rivage.

– C'est vrai. Il faudrait un homme fort comme vous, lâche Kornélius.

L'homme le regarde droit dans les yeux.

— Ou comme vous, répond-il.

Kornélius le regarde à son tour. Cet homme est un roc qui lui ment avec l'aplomb d'une falaise. C'est lui qui a remorqué le cadavre jusqu'à la crique. Sans le faire exprès probablement. Jamais un corps flottant n'aurait réussi à approcher de la passe sans se fracasser contre les rochers de la digue. Quant à l'endroit où on l'a retrouvé, il aurait fallu une tempête du diable pour le projeter jusqu'à là-bas.

— Pourquoi avez-vous déplacé le corps ?

— Pour être tranquille. Ce type est arrivé dans la crique tout emmêlé dans mes lignes. Je l'ai dégagé et je l'ai porté là-bas. Qu'est-ce que ça change que vous le trouviez ici ou là-bas, il est mort pareil, non ?

— C'est un crime de déplacer le corps d'un homme.

— C'est surtout un crime de l'avoir tué.

— Qui vous dit qu'on l'a tué ?

— Il a bien fallu qu'il meure, non ? Homme ou Dieu, quelqu'un l'a tué.

— Si c'est Dieu, ce n'est pas de ma juridiction, répond Kornélius. Et ce matin, vous êtes reparti à la pêche sans vous en inquiéter ?

— J'ai vérifié qu'il était toujours là.

— Et vous comptiez nous en avertir un jour ?

— Non.

— Pourquoi ?

— Pour être tranquille, je vous l'ai déjà dit. Je vis et je pêche ici depuis quarante ans. Je ne veux pas d'ennuis à cause d'un macchabée que la mer rejette.

— C'est pourtant ce qui va vous arriver. C'est quoi votre nom ?

— Hallmarsson.

— Et votre accent, il vient d'où ?

— Des États-Unis. J'y ai vécu.

Puis l'homme devance Kornélius et remonte la falaise à un rythme que le policier ne peut pas soutenir.

En haut, les deux assistants d'Ida chargent le cadavre dans l'ambulance. Le pêcheur va directement au séchoir vérifier les poissons. Botty est devant la petite maison en tourbe et admire la façade.

– C'est la maison de Bilbo le Hobbit, ici, à moitié enterrée et toute décorée de symboles.

Kornélius rejoint Botty et reconnaît aussitôt le talisman gravé dans la pierre au-dessus de la maison. Il hèle le pêcheur et lui fait signe de venir.

– C'est quoi, ça ?

– C'est un *galdrastafur*, un talisman magique, répond l'homme sans hésiter.

– Oui, je sais, dit Kornélius, mais lequel exactement ?

– Je n'en sais rien. On dit que ça apporte force et richesse, et ça me suffit.

– C'est le *Nábrókarstafur*, explique Kornélius en se tournant vers Botty, le talisman qui accompagne le rite du Nábrók.

– Moi, je crois aux runes, dit le pêcheur en poussant la porte de sa maison. Aux runes seulement, pas aux histoires de sorcellerie.

– On peut entrer ? demande Kornélius.

– Non, dit l'homme.

Au même moment l'ambulance démarre et s'éloigne.

– Ida est partie ? s'étonne Kornélius.

– Oui.

– Sans dire au revoir ?

– Je crois qu'elle ne m'aime pas, dit Botty.

# 35

# La crique aux Corbeaux

*… un ordre de là-haut !*

La lueur cuivrée de la lampe à pétrole affole les ombres. Elle fait danser les étagères et se tordre les meubles. Il s'est réfugié au fond, assis sur son lit dans la partie troglodyte, loin du hublot de la porte et des lucarnes de la façade. Le policier ne l'a pas reconnu mais lui, si. Le soir où il a abordé Hafnar sur le parking de la salle de force, ce type était là aussi. Kornélius, il a entendu quand on l'a appelé par son nom, ici et là-bas. Il avait garé son coupé rouge à trois voitures de son pick-up dont Hafnar réparait la roue.

– Un coup de main, Hafnar ?

– C'est bon, Kornélius. Je finis d'aider monsieur à changer sa roue et j'arrive.

– À tout de suite alors.

Et il avait disparu dans la salle en fredonnant le chant magnifique du *krummavisur*. Ce soir-là, il avait failli changer ses plans, mais il avait besoin de toute cette force au plus vite. Alors il avait invité Hafnar à boire un verre pour le remercier, puis beaucoup d'autres pour l'enivrer et faire comme s'ils étaient amis.

Et maintenant ce flic débarque à nouveau dans sa vie, pour un cadavre dont il ne sait même pas d'où il vient, et alors que son nécropant est déchiré. C'est plus qu'un signe du destin, ça. C'est un ordre de là-haut !

# 36

# Pas loin du barrage de Kárahnjúkar

*… ça se voit tant que ça ?*

– Comment s'appelle ce lac ? demande Kornélius.

– Mon père dit qu'il n'a pas de nom.

– Il doit bien en avoir un, pourtant. Mais c'est vrai que c'est plus pratique comme ça…

– Pourquoi dis-tu ça ?

– Parce que les choses, comme les gens, disparaissent plus facilement quand on a déjà effacé leur nom.

Kornélius est nu face à la grande baie vitrée. Dehors, la lande, jusqu'au lac, est roussie par un soleil rasant. Un tapis immobile de cardamines où tremblent les corolles orangées et fragiles des pavots d'Islande. L'eau du lac s'irise de frissons argentés sous un vent invisible. Et à perte de vue la nature est là, brutale, somptueuse, indifférente aux turpitudes mesquines des hommes arrogants. Depuis des millions d'années.

– Tu vas prendre froid, dit Botty, encore dans les draps.

Le lit fait face à la baie vitrée. C'est un beau chalet. Simple et élégant. Une grande structure rectangulaire et plate, en bois, posée sur des pilotis d'acier au-dessus des laves fripées. De loin, on le devine à peine, sinon par le soleil qui se moire dans ses vitres. Au fond, une cuisine à l'américaine. Tout le reste n'est qu'une chambre autour d'un grand lit, vaste et confortable, avec une salle de bains ouverte et une large baie vitrée qui s'ouvre sur un grand deck face au lac.

Botty se lève, passe une chemise, fait couler deux cafés et le rejoint devant la baie vitrée.

— On ne peut que se présenter nu et désarmé devant tant de beauté…, murmure Kornélius.

Le soleil perce à travers les roches noires de l'horizon et creuse la lande d'ombres bleues dans lesquelles flamboient les corolles des pavots. Le lac se cuivre sous le ciel qui rosit. Kornélius est saisi par la puissance des lieux. Il sent qu'il existe un sens dans la magie brutale de cette beauté, un sens après lequel il court depuis longtemps sans avoir jamais su mettre des mots dessus. Et ce matin-là, nu près d'une jeune collègue qu'il vient d'aimer sans vraiment la connaître, loin d'une autre femme qu'il aime sans le lui avoir jamais dit, oubliant les vies brisées et les destins malmenés qui sont son quotidien, il comprend qu'il n'y aura jamais de mots. Parce qu'il n'y a rien à dire. Rien à comprendre. Rien que cette sauvage et infinie beauté qui le submerge et fait briller ses yeux d'habiter un tel pays.

— Mon père adore cet endroit…

Kornélius ne veut pas répondre tout de suite. Il regarde des milliers d'oiseaux s'éveiller au monde encore une fois. Il ne sait pas les reconnaître, mais s'amuse des noms qu'il a entendus. Fuligule morillon, eider à duvet, pluvier doré, chevalier gambette. Que des hommes se soient appliqués à inventer de tels noms, et qu'il en existe encore qui se tapissent des heures entières dans les mousses imbibées de rosée pour le seul plaisir d'apercevoir ces oiseaux le rassure sur ce qu'il reste d'humanité dans ce monde.

— Tu saisis le paradoxe, quand même…

— Quel paradoxe ? demande Botty.

— Qu'un magnat de l'aluminium puisse aimer à ce point ici une nature qu'il s'applique à détruire ailleurs.

– Mon père ne détruit rien, il construit des choses.

– J'aimerais bien savoir comment il fait pour s'en convaincre.

– Eh bien, tu n'as qu'à le lui demander.

Sur le deck, derrière la baie vitrée où le soleil dessine leurs reflets, un homme est là, en combinaison de plongée, qui les salue de la main.

– Il nage dès qu'il le peut, murmure Botty, sur un ton d'excuse.

Kornélius n'a pas le temps de répondre que déjà elle ouvre la porte-fenêtre à l'homme qui entre.

– Désolé, je ne savais pas que tu avais un invité. J'ai vu l'hélico et… oh pardon, Kornélius je crois, c'est bien ça ? Je suis Sigma, dit-il en tendant une main glacée. Vous êtes flic, comme Bóthildur, je crois. Elle m'a beaucoup parlé de vous. Enfin, pendant le peu de temps que nous passons ensemble.

Kornélius, nu, change son café de main pour pouvoir serrer celle de l'homme et adresse un haussement de sourcils à Botty pour essayer de comprendre. Elle lui répond par un sourire en passant sous la douche pendant que son père se contorsionne pour se défaire de la combinaison qui lui colle à la peau.

– Ce chalet est le mien, crie-t-elle depuis la douche, papa me l'a offert ! Il a le sien à un kilomètre d'ici. Beaucoup plus luxueux évidemment ! Quand il nage, il pousse toujours jusqu'ici pour garder un œil sur moi.

– Brrrr, dépêche-toi, Bóthildur, je me caille !

Dès qu'elle a fini, Botty laisse la douche à son père qui s'y précipite en grognant de bonheur sous l'eau chaude.

– Bóthildur est ma plus belle réussite, dit-il à l'adresse de Kornélius.

– Je ne suis pas bien sûre qu'il apprécie ta notion de la réussite, le taquine Botty.

– Ah bon, pourquoi ça ?

– Il dit que c'est curieux qu'un homme qui aime tellement ce paysage autour du chalet tire sa richesse de ces mêmes paysages qu'il détruit ailleurs.

– Je ne détruis pas, je construis, corrige Sigma.

– Oui, intervient Kornélius qui a fini par nouer une serviette autour de ses hanches, Botty connaît bien sa leçon, elle m'a récité ça tout à l'heure.

– Et vous ne me croyez pas, n'est-ce pas ?

– Pas une seule seconde.

– Vous avez tort. Sans les fonderies d'aluminium, nous ne pourrions exploiter toutes nos ressources énergétiques naturelles. Les rivières, les chutes, toute la géothermie…

– Et en quoi étions-nous obligés de les exploiter ?

– Mais parce qu'elles existent. Parce qu'elles sont là, à disposition, à portée de main, et pour pas cher.

– Alors, sous prétexte d'utiliser ces énergies naturelles et non polluantes, nous importons du bout du monde de la bauxite, que nous ne produisons pas, pour fondre de l'aluminium dont nous n'avons pas besoin.

– C'est très exactement ça. Notre force, c'est notre production d'énergie propre, mais placés comme nous sommes, au beau milieu de l'Atlantique Nord, nous ne pouvons ni la stocker ni la distribuer. Donc, notre génie, c'est de la transformer en quelque chose. En aluminium qui en demande beaucoup, par exemple. Et ce qui nous a en grande partie sauvés de la crise, ne l'oubliez pas, ç'a été de vendre notre énergie sous forme de métal !

– Sauf que si les chiffres sont justes, les fonderies consomment aujourd'hui cinq fois plus d'électricité que tous les habitants de l'île.

– Et après, c'est de l'électricité que nous vendons aux fonderies ! C'est du bénéfice pour le pays.

– Quel bénéfice ? s'énerve Kornélius pendant que Sigma s'essuie sans pudeur l'entrejambe avec application, celui du barrage de Kárahnjúkar ? Avions-nous vraiment besoin de construire le plus haut barrage d'Europe et d'inonder des vallées glaciaires, de faire disparaître des rivières, de condamner des espèces animales à l'extinction pour qu'un consortium américain vienne y fondre sa bauxite pour repartir avec son aluminium ?

– En donnant du travail à huit cents Islandais et en ayant payé taxes et électricité.

– Ah oui ? Et à quel prix ? Pourquoi les tarifs accordés aux fonderies sont-ils gardés secrets ?

– Parce que c'est la guerre économique, et que ça suppose quelques petits coups bas et beaucoup de secrets.

Sigma a passé un peignoir. Botty, assise en culotte de dentelle noire sur le lit, passe un soutien-gorge qui s'agrafe sur le devant. Puis Sigma pose un baiser sur le front de sa fille et disparaît par la terrasse en saluant Kornélius de la main.

– Ce fut un plaisir. C'est rare de nos jours de rencontrer quelqu'un d'aussi utopiste que vous à votre âge. Continuez comme ça, mais s'il vous plaît, restez flic, ne vous mêlez pas d'économie.

Kornélius cherche le juron le plus approprié à murmurer à voix basse quand Sigma réapparaît soudain et passe la tête à l'intérieur.

– Ah, et si vous voulez savoir pourquoi ce lac n'a pas de nom, c'est parce qu'il n'existait pas avant la mise en eau du barrage. Et pour votre gouverne, je ne produis plus d'aluminium, j'élève des bitcoins !

Et cette fois il s'en va.

– Il élève des quoi ? demande Kornélius, une fois Sigma disparu.

– Des bitcoins, de la monnaie numérique.

– De la monnaie numérique, tu te moques de moi !

– Non, papa a créé la première ferme ici et maintenant notre pays est leader mondial.

– Une ferme ?

– Oui, tout est né dans une ferme. Créer et gérer de la crypto-monnaie, tout comme ses transactions, nécessite de recalculer des algorithmes en permanence, c'est-à-dire des tonnes de programmes, donc des tonnes d'ordinateurs et des tonnes d'énergie. Papa dit que si Bitcoinland existait en tant que pays, il consommerait plus d'électricité que cent cinquante-neuf des cent quatre-vingt-quatorze pays réels.

– Mais qu'est-ce que ça a à voir avec une ferme ?

– Pour faire tourner autant d'ordinateurs, il faut d'une part les alimenter en énergie et, surtout, refroidir leur surchauffe, explique Botty d'un ton d'évidence.

– Et… ?

– Et papa te l'a déjà expliqué, Kornélius : chez nous l'énergie ne coûte rien, et en plus le climat est plutôt frais.

– Je ne comprends toujours pas, avoue-t-il avec un regard d'excuse.

– Décidément, ce n'est pas demain que tu auras neuf zéros sur ton compte en banque.

– Trois me suffiraient amplement, soupire Kornélius. Alors, raconte…

– Papa a juste fait retaper de vieilles fermes à l'abandon en hangars à ordinateurs et a proposé d'héberger les mineurs en Islande.

– Des mineurs, quels mineurs ?

– C'est comme ça qu'on appelle les créateurs de cryptomonnaie, et ne me demande pas pourquoi.

– Mon Dieu, mais j'étais où, moi, pendant ces vingt dernières années !

– Tout ça n'existe à cette échelle que depuis cinq ans seulement.

Kornélius reste sans voix. Les Islandais ont la réputation d'avoir toujours deux ou trois projets fous en tête, et d'avoir souvent l'audace ou l'inconscience de s'y lancer sans trop réfléchir, mais de là à transformer de la bauxite en aluminium pour exporter de l'énergie non transportable ou à créer des fermes à bitcoins pour les mineurs du monde entier !

– Tu devrais quand même penser à t'habiller. Il va falloir qu'on y aille, dit Botty.

Kornélius réalise qu'il est encore nu sous sa serviette et rassemble ses vêtements.

– Vous avez chacun votre hélico ?

– Non, je suis venue ici avec mon père, puis je suis allée te chercher. Nous repartons ensemble dans une demi-heure pour Reykjavik.

– Pas question, je dois rentrer sur Mývatn. Au pire sur Akureyri.

– Alors ça sera à pied, parce que mon père ne fera pas le détour. Et puis honnêtement, Kornélius, ça commence à jaser dans le service. Ça serait bien que tu te montres un peu et que tu fasses au moins semblant de t'intéresser aux affaires en cours. Ce dossier personnel après lequel tu cours va finir par te coûter cher.

Kornélius lui expliquerait bien ce que ce dossier lui a déjà coûté d'intérêts chez Simonis, mais il se ravise. Il pense à la bande d'énergumènes qui l'attendent à Húsavík, Soulniz, Galdur, Charlie et Nez-Rouge. Et Ida à Reykjavik. Et les sbires de Simonis à ses trousses. Et la fille du Français quelque part. Avec son ravisseur peut-être. Ou pas. Et à l'homme ébouillanté dans la solfatare. Et à l'autre calciné dans la crique. Et il soupire.

– Ton père, depuis combien de temps il est accro à la coke ?

– Pourquoi, s'étonne Botty, ça se voit tant que ça ?

# 37

# Champs de lave de Kollóttadyngja

*... son vrai talon d'Achille ?*

Sigma attend devant l'hélico. En vraie *fashion victim*, comme presque tous les Islandais, il est habillé avec les derniers signes extérieurs de richesse de la mode sportswear.

– Ne vous pressez surtout pas !

Ils ont parcouru à pied le kilomètre de caillebotis qui sépare les deux chalets. Celui, magnifique, de Botty, et celui, somptueux, de son père.

– C'est Kornélius, il s'essouffle vite, se moque-t-elle.

– J'ai plus d'endurance que vous deux réunis.

– À la marche peut-être, mais pas au lit.

– Merci, c'est flatteur !

– C'est de ton âge, réplique-t-elle en toute franchise.

Il ne répond pas et se dit que c'est la seconde fois en quelques jours qu'une femme qu'il vient d'aimer lui glisse ce reproche. Botty s'arrête et se retourne pour le regarder.

– Quoi, une autre te l'a déjà dit, c'est ça ?

Il la dépasse, l'air renfrogné.

– C'est la légiste, j'en suis sûre. Alors elle te l'a dit elle aussi ?

– Ce n'est pas moi qui ai demandé grâce cette nuit, lance-t-il en s'arrêtant pour lui faire face.

– Je l'ai fait parce que tu es un amant adorable et que je ne voulais pas que tu aies à le faire, toi.

– Facile à dire, mais je soulève et déplace des « pleine puissance » de cent cinquante-cinq kilos pendant des heures. Tu fais combien toi, cinquante-cinq kilos ?

– Tu vois que tu es vraiment adorable, je viens juste de dépasser les cinquante-huit ! C'est ça ton problème, tu es trop gentil. Avec la force que tu affiches, je pensais que tu m'aurais collée au plafond, clouée au mur, enfoncée dans le parquet...

– Bon alors, ça vient ? s'impatiente Sigma.

– Il n'est pas encore assez riche, celui-là, bougonne Kornélius, vexé par le jugement de Botty.

– Pour lui, la vraie fortune commence à neuf zéros. On lui a appris cette nuit qu'il a atteint les huit, hier soir je crois.

– Eh bien, au moins quelqu'un dans cette famille aura atteint quelque chose qui le satisfait.

– Allons, ne sois pas mauvais perdant...

– Je n'ai rien perdu ! s'offusque Kornélius.

– Excuse-moi, ce n'est pas ce que je voulais dire. C'est juste que tu es trop gentil comme gars. C'est ça ta faiblesse. Ton talon d'Achille.

– Quoi ? Qu'est-ce que tu dis ? Qu'est-ce que tu viens de dire ? Répète un peu ? s'emporte Kornélius.

Il revient droit sur Botty qui recule d'un pas par prudence. Depuis les commandes de l'hélico dans lequel il est monté, Sigma s'inquiète et ne les quitte pas des yeux.

– Hé, rengaine ta testostérone, tu veux ? J'ai juste dit que ta gentillesse était ton talon d'Achille. Tu n'as pas besoin de me tomber dessus pour me prouver le contraire.

– Le talon d'Achille ! Par tous les trolls, le talon d'Achille ! s'écrie-t-il en la secouant par les épaules. C'est ça, c'est le talon, tu es géniale, Botty, et pas seulement dans tes draps de satin !

– Merci pour le compliment mais...

Kornélius compose un numéro sur son portable et attend avec impatience.

– ... Ida ? Kornélius. Va à la salle de force, pas le Nid des Anges, l'autre, celle de Hvaleyri, et là tu... pardon ? Ah oui, excuse-moi, Ida, excuse-moi. Bonjour. Bon, tu vas là-bas et tu cherches le vestiaire d'un certain Hafnar, Hafnar le Boiteux, et tu prélèves de l'ADN pour le comparer à celui du déculotté de la solfatare. C'est urgent, Ida, très. Tiens-moi au courant. Hein ? Quoi ? Oui, oui, je t'embrasse. Quoi ? Je t'entends mal, il y a l'hélico qui...

Il raccroche et voit l'hélico décoller. Sigma est aux commandes, et Botty lui fait des signes. Un poing contre son oreille, le pouce et le petit doigt écartés, et des moulinets avec l'index de l'autre main. Le temps qu'il comprenne, son téléphone sonne.

– Désolée, Kornélius, mais pour papa, le temps, c'est de l'argent. On t'envoie une voiture qui te ramènera où tu veux. Tu m'expliqueras cette histoire de talon d'Achille plus tard. Autour d'un autre café, peut-être. Plus corsé.

– Attends, qui as-tu mis sur le livre d'or du musée de Hólmavík ?

Botty lui donne le nom de l'inspecteur sans chercher à comprendre et Kornélius raccroche aussitôt pour l'appeler.

– Salut, c'est toi qui épluches le livre d'or du musée de la Sorcellerie ?

– Oui, mais toi, tu es qui ?

– Ah pardon, excuse-moi, c'est Kornélius. Tu peux voir si un Hafnar a signé le livre au cours des quinze derniers jours ?

– Hafnar comment ?

– Je n'en sais rien, ça me reviendra quand tu me le diras.

– Je vais voir...

L'homme raccroche et Kornélius recompose aussitôt le numéro.

– Oui ?

– Alors ?

– Quoi, maintenant ?

– Putain de bordel de merde, s'emporte Kornélius, je suis tout seul au centre du trou du cul du pays et j'ai loupé l'hélico juste pour avoir cette info, alors oui, maintenant !

– Ah, tu es chez Botty, c'est ça ? Alors, c'est quoi ton talon d'Achille à toi ?

– …

– Kornélius ?

– Écoute, dit-il en se forçant à reprendre son calme, donne-moi juste la réponse à ma question, d'accord ?

– … Oui, ça y est, ça y est. Il y a eu trois Hafnar parmi les visiteurs au cours des deux dernières semaines. Un Agnarsson, un Dufgusson et un Höskuldursson.

– Höskuldursson, c'est ça, Hafnar Höskuldursson le Boiteux, c'est lui. Bon, tu fais une photo de la page où apparaît ce Höskuldursson et tu me l'envoies.

– D'accord. Est-ce que ça veut dire que j'en ai fini avec ça ?

– Non, continue à creuser autour du registre. Salut.

Kornélius raccroche et rappelle Ida.

– Ida ? Excuse-moi pour tout à l'heure. Écoute, je sais à qui appartenait le corps de la solfatare. C'est quelqu'un que je connaissais, un gars qui fréquentait la salle de force.

– J'avais compris, Kornélius, sinon tu ne m'enverrais pas fouiller son casier.

– Ce que je veux dire, c'est que maintenant j'en suis sûr. Hafnar a longtemps été marin dans la marine marchande. Il y a cinq ans, pendant une escale à Youjne, en Ukraine, il s'est fait balancer à fond de cale par cinq ou six types encore plus saouls que lui. Il s'est mal reçu six mètres plus bas et s'est explosé le calcaneum, l'os du talon, et y a perdu quelques dents. On l'a soigné à Odessa. Le numéro des vis te le confirmera. C'est idiot, j'aurais dû y penser plus tôt.

– Pourquoi ?

– Ce psychopathe qui se taille des nécropants dans le corps des autres croit que la légende lui permet d'accaparer la force de ses victimes. Alors il cherche des hommes forts. Et quel meilleur vivier de brutes épaisses qu'une salle de force ?

– Mais tu sais bien que ce n'est pas le vrai sens de la légende. D'une part, elle ne parle pas spécifiquement de force physique et d'autre part, elle suppose le consentement d'un donneur, pas l'assassinat d'une victime. D'ailleurs, la sorcellerie de l'époque ne prévoyait le transfert de force qu'à la mort naturelle du donneur.

– C'est que nous avons affaire soit à un esprit simple, soit à un sorcier pressé.

– Pressé de quoi ?

– D'acquérir une grande force physique.

– Et ça nous mène où ?

– Mon intuition, c'est que ce tueur doit quand même chercher à respecter un peu les rites du nécropant. Bien sûr, je ne pense pas qu'il réussisse à obtenir le consentement de ses victimes, mais je suis persuadé qu'il essaye. Qu'il les rencontre avant. Qu'ils en parlent. Peut-être même qu'il se convainc de leur accord. Et quel meilleur endroit que le musée de Hólmavík, ou un bar aux alentours, pour sceller un serment d'ivrogne ?

– Quoi, tu penses vraiment que ce type attend à l'entrée du musée pour repérer un colosse en quête de frissons noirs pour le dessouder et le dépiauter ?

– Non, tu as raison, réfléchit Kornélius. Trop aléatoire. Mais par contre, il peut repérer sa victime ailleurs, nouer des liens avec elle, voire une sorte d'amitié, et la convaincre d'aller visiter le musée avec lui pour parler de tout ça ensuite autour d'un verre et croire, après cinq ou six autres, à un serment d'ivrogne.

– Ça se tient, admet Ida. Bon, j'essaye de confirmer ton intuition au plus vite avec l'ADN et les vis de ton Hafnar. Et ton autre affaire, ça avance ?

– C'est compliqué.

– Tu rentres quand à Reykjavik ?

– Je n'en sais rien. Il y a un type, un Français, je dois l'aider à retrouver sa fille, tu comprends ?

– Je comprends. Ç'a toujours été ça, ton problème.

– Quoi ?

– Ta gentillesse envers tout le monde, c'est ton talon d'Achille.

– Hé, pourquoi tu dis ça ? Pourquoi tu...

Mais Ida a raccroché et il reste là, au beau milieu du champ de mousse de Kollóttadyngja, son téléphone à la main, avec les reflets bleus du plus grand glacier d'Europe à l'horizon, les eaux moirées du lac frissonnant sous un vent léger, le mouchetis léger des pavots graciles et le tourbillon des oiseaux affolés par le jour qui monte. Il contemple tout ça tout autour de lui et s'enivre aussitôt de sa magnifique et grandiose solitude. Alors, il revient vers le chalet de Sigma, se déshabille sur le deck, marche nu jusqu'au lac, entre sans hésiter dans l'eau glacée, seul au monde pour des millions d'années, et chante à pleine voix le *krummavisur*.

Et si c'était l'amour de ce pays dément, son vrai talon d'Achille ?

# 38

# Húsavík

*Sur le poisson, vous êtes sûr ?*

Quand Kornélius arrive à Húsavík, la porte de l'appartement est grande ouverte. Les lieux sont vides et les pièces sens dessus dessous. Il redresse un fauteuil carré de cuir blanc et se laisse choir dedans, jetant ses pieds sur une table basse en verre. Un chauffeur est venu l'enlever ce matin à un paradis noir pour le ramener quelques heures plus tard dans cet enfer blanc. Que s'est-il passé ici encore ? On s'est battu, c'est évident, mais où sont Soulniz et Charlie ? Et Galdur ? Et Nez-Rouge ?

— Ôtez vos pieds de là, vous pourriez au moins vous déchausser !

Le petit homme est sec et maigre, vieux et en colère.

— Qui êtes-vous ?

— Je suis le propriétaire de cet appartement détruit au milieu duquel vous vous prélassez, voilà qui je suis. Et vous, que faites-vous chez moi ?

— Je venais retrouver des amis. Vous savez où est passé celui qui vous a loué cet appartement ?

— Si je le savais, il serait déjà au poste de police.

— Pour combien de temps avait-il loué ?

— Jusqu'à demain.

— Bon, ne m'emmerdez plus et dégagez d'ici. Vous aurez le

droit de vous plaindre demain matin si tout n'est pas remis en ordre.

– Alors, c'est vous que j'embarque à la police.

Kornélius se lève, déploie son imposante carcasse et considère un instant toute l'assurance présomptueuse de ce petit homme qu'il dépasse de deux bonnes têtes.

– La police, c'est moi, grand-père, dit-il en montrant sa carte, alors s'il te plaît n'ajoute pas tes pleurnicheries à mes ennuis. C'est déjà un très mauvais jour qui commence pour moi.

Le petit homme devient aussitôt obséquieux et s'excuse de ne pas avoir su reconnaître la police. Il aurait dû, bien sûr. C'est évident. Il est rassuré maintenant. Mais qui va rembourser tout ça ? Parce qu'il n'est qu'un petit loueur. Il n'a que les loyers de trois ou quatre appartements pour vivre. Une si maigre retraite. Et cette terrible crise qui est passée par là. Kornélius se demande combien de ces quatre appartements la crise a permis à ce petit spéculateur de racheter à des familles ruinées. Mais il n'a pas le courage d'engager ce genre de discussion. Il reconduit le propriétaire sur le palier en silence, d'une main ferme dans le dos.

– À demain matin.

Puis il remet un peu d'ordre dans l'appartement et se plante derrière le rideau de la baie vitrée qui donne sur le petit port. Le temps de la complainte du propriétaire, une mauvaise bruine a délavé le ciel et effacé le soleil. Rien qui décourage les touristes enthousiastes à embarquer pour aller déranger les baleines. Ils se regroupent par couleur, engoncés dans des combinaisons de survie alourdies d'un épais gilet de sauvetage qui leur donne des démarches à la Neil Armstrong. Certains ont choisi l'approche nostalgique et silencieuse d'un vieux gréement à la Moby Dick. D'autres des speedboats à la puissance surgonflée pour bondir de vague en vague, « à la vitesse de la lumière », dit le prospectus. Tous vers la moindre vapeur d'expiration d'un pauvre cétacé. Sur la gauche, amarré à la digue en eau profonde, un navire de croisière à étages déverse ses passagers malchanceux trahis par la météo. Il faisait si beau il y a cinq minutes à peine. « Comme si ce n'était pas la preuve qu'il pouvait refaire aussi beau dans moins de cinq minutes », grommelle tout bas Kornélius. C'est en suivant des yeux un groupe de Japonaises en ciré jaune et bottines de caoutchouc blanc qu'il aperçoit Galdur. Sur le trottoir, près des passerelles en bois qui permettent de rejoindre les quais, le garçon parle avec les occupants d'une vieille Opel. Kornélius se précipite hors de l'appartement pour le rejoindre au moment même où un rayon de soleil solitaire déchire les nuages et réchauffe toutes les boiseries du port et des navires. Mais quand il débouche dans la rue, Galdur monte dans l'Opel qui démarre toutes vitres baissées et musique à fond. Il laisse la voiture s'éloigner sans la poursuivre, traverse la rue, et va attendre sur le trottoir d'en face. Il ne sait pas exactement de quand date cette tradition pour la jeunesse, surtout ici dans le Nord, de se la jouer *American Graffiti*. Faire des tours de ville sous le soleil de Floride ou de Californie dans une Mercury turquoise décapotable en écoutant du rap ou les Bee Gees et en buvant du bourbon dans des sacs en papier, passe encore. Mais faire le tour de Húsavík dans une Opel en léchant des glaces aux Smarties par douze degrés sous un ciel de plomb, la belle affaire ! Pourtant il se souvient avoir lui aussi sacrifié au rite des fameux *ísbíltúr*. Pour faire sourire des filles qui n'avaient vraiment pas besoin de ça pour vous mettre le grappin dessus si elles en avaient envie. Pour voir la tête des passants à qui les basses de Black Sabbath cognaient les tempes et qui finissaient par sourire eux aussi parce que ça leur rappelait leur jeunesse. L'*ísbíltúr* était à l'époque le degré le plus provocateur de la rebellitude islandaise, dans un pays où même la beuverie est calibrée dans le temps et l'espace. Galdur va repasser devant lui, Kornélius le sait. Un tour de ville à Húsavík, c'est quoi, trois minutes. Cinq peut-être ?

Il en est à se demander si la tradition a été importée par les G.I. de la grande base militaire américaine de Keflavík. Il faut dire qu'on avait promis à ces gamins de l'Arkansas ou du Delaware une île « avec une jolie blonde derrière chaque arbre ». Dans un pays sans arbres et peuplé de blondes autrement plus indépendantes que des pom-pom girls baptistes du Middle West !

Quand il voit revenir l'Opel, il descend du trottoir, plante sa carcasse de troll en travers de sa route et force le conducteur à s'arrêter. Puis il se penche à la portière et fait signe à Galdur de descendre.

– C'est ton père ? s'inquiète le conducteur en cachant trop vite une bouteille de vodka qui se renverse.

– Non, répond Galdur, c'est un flic.

L'autre pâlit et démarre dès que Galdur est descendu.

Sans rien dire, Kornélius prend le gamin par le bras et l'entraîne de passerelle en ponton jusqu'au Hvalbakur Grill & Café. Ils s'assoient à une table contre la fenêtre, et le regard de Galdur se perd aussitôt dans la contemplation de tous ces apprentis capitaine Achab qui embarquent pour l'« observation ».

– Alors, vous avez retrouvé Beckie ? demande-t-il de la voix de quelqu'un qui connaît déjà la réponse.

– Je ne m'en suis pas occupé. J'étais sur une autre affaire dans le Sud. Je viens de revenir. C'est quoi ce bordel ?

– Quel bordel ?

– L'appartement sens dessus dessous, tout le monde qui a disparu. Tu sais où ils sont ?

– Je suppose que Soulniz et Charlie ont fait comme vous aviez dit, qu'ils ont anticipé chacun une étape.

– D'accord, mais Anita, où est-elle ? Et toi, pourquoi tu zones dans le port ?

– Des types sont venus…

– Des types, quels types ?

– Des types du genre de ceux qui sont venus à la station de Laugarbakki.

– Les Lituaniens ?

– Oui. J'étais parti chercher du *skyr* et du *rúgbrauð* pour le petit-déjeuner quand je les ai vus descendre d'un BMW X6. Je me suis planqué sous le porche du magasin de sport, en face de l'appartement, et par la fenêtre, je les ai vus tout foutre en l'air là-haut. Dix minutes plus tard, ils sont redescendus avec Anita et l'ont balancée à l'arrière de la voiture. J'ai récupéré ça sur le trottoir.

Il tire de sa poche un nez en plastique rouge.

– Elle le portait à son réveil ? s'amuse Kornélius, malgré la situation.

– Elle ne l'a pas quitté de la nuit, avoue Galdur en baissant les yeux. De toute façon, elle en a plein les poches.

– Et toi, tu n'as rien fait.

– Qu'est-ce que je pouvais faire ? Ces types sont des tueurs et ils sont après moi !

– Tu sais ce qu'ils venaient faire, quand même ?

– Oui. Je suppose qu'ils voulaient récupérer la coke…

– TA coke. Celle qui nous met tous dans cette inextricable situation, à cause de TA connerie de l'avoir fauchée aux Lituaniens.

– Il n'y a qu'à leur expliquer que nous ne l'avons plus.

– Que TU ne l'as plus. TU l'as volée et TU l'as perdue. Et tu crois vraiment qu'ils vont te pardonner ? Ils se foutent de la coke, mon pauvre Galdur. La coke, ils en brassent probablement des tonnes. Et peut-être bien en ce moment même, à bord d'un autre chalutier.

– Ben, qu'est-ce qu'ils veulent alors ?

– Écoute, je ne sais pas si c'est l'iode de l'océan ou le soufre du Blue Lagoon qui t'a corrodé les méninges, mais il va falloir t'oxygéner la comprenette, mon garçon, parce que ce qu'ils veulent, c'est punir. Sévir, rectifier, faire un exemple, passer le message pour que jamais plus personne, nulle part, ne pioche dans leur marchandise. Ce qu'ils veulent, c'est toi. Te choper, te taillader les yeux, t'électrocuter la langue, t'éplucher les testicules, et tant pis si tu t'étouffes en avalant ton sang et ton vomi avant de leur dire où est la came. Ils s'en contrefoutent comme de leur premier rail, de la came.

– Mais pourquoi s'en prendre à Anita ?

– Ah, enfin une bonne question. Peut-être parce que les trois mecs que vous êtes ont eu le grand courage de la laisser toute seule et que ça en faisait une proie facile pour les sbires de Simonis. Peut-être aussi que découvrir deux kilos de sucre en poudre sur un coin de table a excité leur curiosité. Au point de les énerver même et qu'ils essayent de faire dire à la dame ce que ça signifie. Va savoir !

– Qu'est-ce qu'on fait, maintenant ?

Il n'a pas le temps de répondre. La serveuse est là, devant eux, à attendre la commande. Kornélius décline d'un geste poli, mais Galdur demande un *fish burger* de cabillaud sauce hollandaise et des frites mayonnaise. Avec une bière. Une Einstök White Ale. Et un gâteau à la rhubarbe aussi. Et un café. Expresso. Colombien s'il y a. Bon, éthiopien alors ! Ah, et une soupe à l'agneau pour attendre le burger.

– Qu'est-ce qu'on fait ? redemande-t-il.

Kornélius le regarde, interloqué. Ce môme a volé deux kilos de cocaïne à des trafiquants lituaniens qui veulent sa peau et viennent d'enlever la fille avec qui il a passé la nuit, et tout ce qu'il trouve à faire, c'est de se goinfrer en lui demandant de prendre les choses en main. D'un autre côté, lui vient de passer la nuit au lit avec une collègue plutôt que d'aider le Français à retrouver sa fille qui représente pour lui le seul moyen de mettre la main sur la cocaïne pour la rendre aux mêmes Lituaniens en échange de ses dettes. Du coup, il soupire profondément pour se vider de tout remords, rappelle la serveuse et commande la même chose que Galdur. Plus un œuf sur son burger.

    — Sur le poisson, vous êtes sûr ?

# 39

# Dettifoss

*… et qui, sûrement, n'est plus.*

Soulniz est mort de peur. Toute la nuit il a cauchemardé en rêvant du fracas des eaux jaunâtres de Dettifoss. De cet effondrement liquide et glacé qui hante son souvenir. Il est dans sa voiture depuis la veille, sur un parking lugubre au milieu d'une lande de pierres brunes. Seuls quelques vans équipés pour le camping se sont dispersés le plus loin possible les uns des autres, et les coups de boutoir du méchant vent qui s'est levé les bousculent sur place. On a l'impression qu'il court depuis l'autre bout du pays et qu'il prenait déjà son élan depuis les mers lointaines. Plusieurs fois, Soulniz s'est réveillé en sursaut en hallucinant la mort de Rebecca. Emportée dans les rapides qui noient ses cris paniqués et la suffoquent. Fracassée contre les arêtes vives des falaises qui encaissent la rivière. Basculant dans le vide, les yeux écarquillés de terreur, alors que, d'un rocher sur la berge, il frôle sa main sans pouvoir la retenir. Écrasée sous la chute qui s'effondre sur elle, qui l'engloutit sous des tonnes de remous, et qui la plaque, le souffle coupé, contre le fond de ses eaux sales. Il n'a pas revu la cataracte depuis plus de quarante ans, mais il se souvient de la puissance de son courant et de la violence de sa chute. Il ne l'avait jamais avoué aux autres, mais il en avait déjà peur à l'époque. Même s'il s'était aventuré, comme eux, en équilibre sur des rochers mouillés en surplomb de l'abîme. Même s'il s'était avancé jusqu'à frôler de l'épaule l'eau boueuse qui tombe et gronde. Mais la peur, dans les rêves de cette nuit-là, est plus terrible encore, à imaginer Rebecca impuissante balancée dans le tumulte de ces flots impétueux en hurlant, l'implorant de venir à son secours. Et d'imaginer sa propre impuissance à la sauver.

Au cœur de la nuit, il avait voulu aller jusqu'à la chute à travers la lande. Il y avait renoncé, chahuté par le vent violent sous un ciel vide et sans lune, et était revenu dans la voiture. Le froid lui a griffé les reins jusqu'au petit matin et l'a gardé éveillé. À attendre. Il ne sait même pas quoi. C'est l'idée de Kornélius. Celui qui s'en est pris à Rebecca les précède et respecte l'itinéraire qu'ils avaient prévu. Mais dans quel but ? Il n'arrive même pas à réfléchir. Il a faim, et il se souvient qu'il n'y a rien à des dizaines de kilomètres à la ronde. Dettifoss, c'est juste un parking de pierre au milieu d'un désert de pierre, à côté d'une entaille dans la terre où se déversent des eaux furieuses.

Lorsqu'il voit la première famille emmitouflée sortir d'un des camping-cars et prendre le sentier qui mène aux chutes, il descend de sa voiture à son tour et les suit. Il a passé une parka épaisse mais le vent lui lime aussitôt les oreilles. Il serre les poings dans ses poches. Quand il marche, tête baissée contre le vent, il voit les jumelles qu'il porte autour du cou frapper sa poitrine à chaque pas.

D'abord, il aperçoit, à moins d'un kilomètre sur sa droite, la ligne élégante des chutes de Selfoss. Puis le chemin le mène entre des rochers sombres jusqu'au bord d'une falaise d'où il domine soudain Dettifoss, quelques dizaines de mètres avant la chute. Et malgré la fatigue qui lui tord les yeux, malgré l'angoisse qui l'étreint, le paysage est un nouveau choc qui le suffoque.

Même les enfants de la petite famille sont là, immobiles et muets, à contempler le fracas démentiel. Le bord de la falaise n'est protégé que par quelques piquets reliés par un simple cordage à hauteur des chevilles. Pour les en éloigner, la mère propose aux enfants de descendre jusqu'à la chute qu'on peut approcher plus bas jusqu'à quelques mètres à peine du point de bascule des eaux. Et, plus bas encore, jusqu'à toucher le mur d'écume qui se fracasse en permanence.

Soulniz préfère rester sur la falaise. De là, il domine tout le site et pourra surveiller chaque arrivant. S'il y a le moindre signe de Rebecca, il ne pourra pas le manquer.

Avec le matin, le vent tombe. La seule violence maintenant est celle de la chute qui gronde. Un nuage d'embruns s'élève en panache jusqu'au-dessus de la falaise. Un pâle soleil finit par se lever sur l'autre rive et ses longs rayons rasants viennent réchauffer sa carcasse de père brisé de fatigue. Quand la lumière embrase la lande de l'autre côté de la chute, il devine les reflets de quelques voitures. Il avait oublié l'éternel débat pour savoir laquelle des deux rives offrait au visiteur le plus beau point de vue. Pour Selfoss, en amont, c'est sans aucun doute la rive est, de l'autre côté, le long de la piste 864. La rivière bascule de travers d'ouest en est dans une longue faille de plusieurs centaines de mètres qui fend son lit dans le sens du courant. Sur la rive ouest, on doit se pencher pour apercevoir les chutes en enfilade. De l'autre rive, on est face à elles. Un rideau de cascades qui jaillissent entre les rochers sur plus de deux cents mètres. Pour Dettifoss, c'est le contraire. La rivière bascule dans une autre faille en biseau dont l'oblique fait face à l'ouest. On arrive à ce point de vue par la piste 862. Pour les deux chutes, la berge ouest est mieux aménagée. L'autre l'est moins, plus tentante pour les téméraires et les imprudents qui peuvent descendre jusqu'aux remous d'écume par des chemins moins balisés.

Soulniz se souvient soudain que les deux pistes ne se rejoignent jamais, séparées par le canyon que creuse la rivière sur plusieurs dizaines de kilomètres. Peut-être se trompe-t-il en ne surveillant que la berge où il est. Il porte les jumelles à ses yeux et examine l'autre rive. Quand il la voit, il sait que c'est elle. Sans savoir pourquoi, il comprend que c'est cette voiture-là. Cette vieille Toyota trois portes. Elle est garée hors piste. Son chauffeur l'a hissée sur une boursouflure du sol, deux mètres plus haut que les deux autres véhicules garés dans un semblant de parking sauvage. Les phares de la Toyota sont allumés et dirigés vers la rive d'où il l'observe. Comme si elle le regardait. Lui.

Ses mains se crispent sur les jumelles. Il cherche à deviner un visage ou une silhouette derrière le pare-brise, mais la vitre n'est qu'un miroir du ciel argenté. Il est convaincu pourtant que c'est la bonne voiture. Il le sent dans la rage qui lui monte aussitôt au cœur. Il est sur la mauvaise rive !

Il ne veut pas quitter la Toyota des yeux, mais sa vision se brouille et se floute. Quelque chose le gêne, qui vole entre la voiture et lui. Il baisse ses jumelles sans rien apercevoir d'abord. Un oiseau qui passait peut-être. Un corbeau. Mais quand il porte à nouveau les jumelles à ses yeux, l'obstacle est encore là. Alors il règle la mise au point et finit par cadrer l'objet qui tangue au-dessus des rapides, à mi-hauteur de la falaise. Et son cœur se contracte quand il comprend ce que c'est. Un drone. Un drone qui vole vers lui, depuis l'autre berge. Un drone avec quelque chose qui pend en dessous. Soulniz essaye de garder l'engin dans son champ de vision, les tempes bouillonnantes de ce qu'il pense avoir déjà reconnu. Lorsqu'il cadre à nouveau le drone, son cœur s'effrite dans sa poitrine. Sous le drone, c'est le téléphone à tête de mort de Rebecca, accroché par ses écouteurs à la structure. Soulniz laisse ses jumelles pendre à son cou et regarde l'engin traverser le canyon et venir droit sur lui. À deux mètres du bord,

il s'arrête et reste en suspens, immobile, au-dessus du vide. Soulniz enjambe la corde et s'approche du bord. À ses pieds, c'est
le chaos des eaux juste avant la chute. Il s'efforce de ne pas
regarder pour éviter qu'un mauvais vertige ne vienne l'étourdir.
Il garde les yeux sur le drone, conscient que l'engin pourrait se
jeter contre lui et lui faire perdre l'équilibre. C'est alors qu'il
devine la caméra. Comme l'œil d'un minicyclope qui l'observe
et vers lequel il tend la main. Comme un chien fou qui joue et
qu'on excite en lui tendant une balle, le drone bascule des deux
côtés, recule vivement puis revient, recommence plusieurs fois,
puis se fixe soudain en arrêt. Soulniz se dit alors que si l'engin
est équipé d'une caméra, il peut aussi être équipé d'un micro
pour la prise de son. Alors il lui parle :

— Allez, viens, approche-toi, connard, viens jusqu'ici, approche.
C'est ce que tu es venu faire, non ? M'apporter la preuve que
tu tiens Rebecca ? Alors donne-la-moi et qu'on en finisse.

Le drone recommence son petit manège et Soulniz n'est pas
dupe. Celui qui le télécommande l'a entendu. C'est sa façon de
le lui faire savoir et de le narguer.

— Très bien, puisque tu m'entends, écoute bien ça : je ne sais
pas qui tu es, ni à quel jeu tu joues, ni pourquoi tu t'en es pris
à Beckie. Si tu veux quelque chose, fais-le-moi savoir et tu
l'auras. Mais s'il lui arrive la moindre chose, si tu la frappes, si
tu la violes ou si tu la tues, alors je te garantis que je consacre-
rai ce qui me restera de vie et d'argent à te retrouver pour te
déchirer la gueule avec mes dents. Arrête tes conneries de psychopathe et pose cet engin pour que je récupère ce téléphone.

Quelques touristes matinaux se sont regroupés autour de Soulniz et sourient de le voir parler au drone qui se moque de lui.
Aucun ne semble comprendre le français. Ils sont juste captivés
par l'engin suspendu au-dessus du vide à un mètre à peine du
bord de la falaise maintenant. Quelques-uns poussent même Soul-

niz à surprendre l'engin et à s'en saisir d'un geste vif. Peut-être est-ce même ce que celui qui le manœuvre espère. Le voir réagir par colère et impatience. Le faire d'un geste trop brusque. Perdre l'équilibre et basculer dans la rivière en contrebas, filmé par le drone au ras des eaux pendant que le courant le jetterait dans la chute. Et peut-être même que l'autre fou, de l'autre côté du canyon, force Rebecca à regarder l'écran de contrôle.

Alors il reste là, le bras tendu, face au drone immobile.

Puis soudain l'engin le contourne, effraie les touristes qui déguerpissent et se pose dans l'herbe.

Soulniz se précipite et récupère le téléphone et les écouteurs qu'il fourre aussitôt dans sa poche. Puis il se saisit du drone à bout de bras et le lève à hauteur de son visage, face à la caméra.

– Tu m'as bien compris, espèce de malade, libère ma fille. Si elle est avec toi dans cette voiture, laisse-la descendre et abandonne-la sur le parking. Je viendrai la chercher. Mais si tu lui fais le moindre mal, je ferai ce que j'ai dit.

Puis il prend son élan et balance le drone dans le vide.

– Ohhhhhhhh, clament en chœur les touristes en voyant l'engin inerte tomber vers les eaux furieuses, les hélices en panne, tournoyant sur lui-même.

– Ahhhhhhhh, crient-ils quand il réapparaît soudain, remontant de l'abîme, stable, suspendu en l'air à deux mètres au-delà du bord de la falaise, face à Soulniz à nouveau.

Lorsqu'une diode verte s'allume au-dessus de la caméra, il s'approche doucement à moins d'un mètre de lui.

– *See you in Mývatn*, dit une voix que Soulniz ne reconnaît pas.

Puis l'engin pivote sur lui-même et file en direction de l'autre berge. Soulniz saisit aussitôt ses jumelles et fouille des yeux la rive pour voir où il va se poser. Il le fait juste sur le toit de la Toyota trois portes. Celle sur le tumulus avec les phares allumés. La portière côté chauffeur s'ouvre et une silhouette en sort. Montée sur le marchepied, de dos, elle récupère le drone et disparaît à l'intérieur. Puis la Toyota lance trois appels de phares dans la direction de Soulniz, descend du tumulus en cahotant prudemment, et part en trombe rejoindre le chemin qui mène à la piste 864.

Soulniz se précipite aussitôt vers le parking, à contresens des touristes de plus en plus nombreux. Il connaît les itinéraires possibles. Les deux pistes de chaque côté du canyon rejoignent au sud la route 1, mais la piste 864 le fait beaucoup plus à l'est, or Mývatn est à l'ouest. Le chemin de son côté, par la 862, est plus court d'au moins dix kilomètres. C'est à tenter. Il peut rattraper la Toyota sur la route 1 avant Mývatn. Il bouscule tout le monde, se fait prendre à partie par des randonneurs furieux, mais réussit à rejoindre sa voiture et démarre en trombe en paniquant les premiers autocars qui manœuvrent.

La route n'est qu'une piste de caillasse à travers une plaine de rocailles érodées. Le ciel au-dessus est si vaste, et l'horizon si plat, que les nuages donnent l'impression de laminer la terre. Il conduit comme un fou, essayant de garder sa trajectoire pour ne pas verser dans les bas-côtés. La clarté du ciel l'aveugle, mais par chance tout le monde conduit phares allumés de jour et il aperçoit de loin les voitures à contresens. La piste est étroite et force souvent un des véhicules à se ranger. Il a branché ses feux de détresse pour ajouter à son urgence et fait comprendre à grands appels de phares rageurs que lui ne se rangera pas. Plusieurs fois, il frôle l'accident. Les autres doivent être affolés par le panache de poussière qu'il traîne derrière sa voiture, comme s'il fuyait une tornade qui s'obstinait à le poursuivre. Il parcourt les vingt-huit kilomètres jusqu'à la route numéro 1 en moins d'une demi-heure. Ensuite, le goudron lui donne des ailes. Il ne lui faut pas plus d'un quart d'heure pour les vingt-quatre kilomètres jusqu'à Mývatn. C'est ce qu'il a décidé. Prendre le ravisseur de

Rebecca de vitesse, foncer jusqu'à Mývatn, s'embusquer quelque part et repérer la Toyota quand elle entrera dans le village par la seule route possible. Après, il avisera. Il ne cherche à reconnaître aucun de ces paysages qui ont été le décor de ses plus beaux souvenirs. À peine s'étonne-t-il de découvrir, au bout d'une longue courbe à travers deux collines chauves et orangées, le champ de solfatares et de fumerolles de Hverarönd. C'est le contraire de Gunnuhver. Là-bas, c'est la force du Diable, la colère de la Terre qu'on admire avec terreur. Ici, ce sont les collines ludiques, la palette d'un artiste divin. Du moins, c'est ce dont Soulniz se souvient. Mais il passe entre les collines à vive allure, sans voir ce qu'il a parcouru quarante ans plus tôt et qui, sûrement, n'est plus.

# 40

# Mývatn

*… enfoiré de Charlie !*

Quand il aperçoit le carrefour avec la 860 qui part sur la gauche, il saute sur les freins et la voiture part en dérapage sur le bas-côté. Il se souvient de cette route qui mène aux grottes d'eau chaude de Mývatn où il voulait absolument retourner se baigner avec Rebecca. C'est aussi une autre route pour entrer dans le village et c'est là qu'il doit s'embusquer. Presque à hauteur du carrefour, sur la droite, une piste qui longeait la route, desservant probablement une usine dont il aperçoit le toit au loin, finit par la rejoindre. Soulniz enclenche la marche arrière et s'engage à reculons sur la piste. De là, il peut surveiller les deux directions. Il éteint les phares. Il n'a pas pu prendre plus de dix minutes à la Toyota. Il sera vite fixé.

Mais aucune Toyota ne passe, ni dans la demi-heure, ni dans l'heure qui suit. Peut-être que ce type a réussi à conduire plus vite que lui. Ou peut-être a-t-il anticipé l'embuscade et a-t-il décidé d'attendre des heures avant d'entrer dans le bourg. Après deux heures d'attente, Soulniz démarre et décide à contrecœur de rejoindre l'hébergement qu'il avait réservé pour Beckie et lui. Un chalet isolé sur la piste qui mène à l'aérodrome, à mi-pente d'une colline moussue brodée de fleurs rases, camarines orangées et dryades blanches. La véranda donne sur le front d'un vieux champ de lave dont on pourrait penser qu'il est venu mollement mourir ici. Il n'en reste qu'une terre plissée, fendue de failles comme des blessures sur une charogne desséchée par le temps.

Il entre dans le chalet et se laisse tomber dans un sofa en cuir. C'est avec l'île de Heimaey l'étape qu'il souhaitait le plus partager avec Rebecca. Il voulait la voir rire de peur dans la vapeur des fumerolles de Hverarönd, s'extasier en silence sur les eaux claires et brûlantes dans la chapelle de pierre des grottes, louer un cheval et partir au galop pour lever des nuées d'oiseaux blancs, et voilà qu'il est seul dans ce chalet à se demander si Rebecca n'est pas retenue prisonnière dans un autre chalet autour du lac. Dans quelles conditions. Et surtout pourquoi.

Il faut qu'il mange. Il n'a rien dans le ventre depuis la veille, mais il faut qu'il se douche avant pour se défriper le corps et l'esprit. Sous l'eau bouillante qui sent le soufre, il prend le temps de réfléchir. L'autre a dit qu'ils se reverraient à Mývatn, mais Mývatn est le nom du lac, pas du village. Le bourg s'appelle Reykjahlíd. Qu'est-ce que ça veut dire ? Est-ce qu'il loge ici, lui aussi, ou bien quelque part ailleurs au bord du lac ? C'est un des endroits les plus touristiques d'Islande. On y trouve toutes sortes d'hébergements. Camping, hôtels, lodges, maisons d'hôtes, AirB&B. Il peut être n'importe où. De toute façon, s'il connaît leur itinéraire, ou s'il a fait parler Rebecca, il sait où le trouver s'il veut le contacter. Mais Soulniz n'est pas d'humeur à l'attendre. Il n'y a que Reykjahlíd comme village, et la route, qui entoure le lac, ne fait pas plus de quarante kilomètres. Alors il va zoner toute la journée et, de temps en temps, faire le tour du lac pour repérer la Toyota. Il est moins de dix heures du matin, il va bien falloir que ce type mange ou achète des provisions ou prenne de l'essence. Il sort de la douche bien décidé à quadriller les parkings des restaurants, des stations-service et des boutiques, et à mettre la main sur ce salopard et lui casser la gueule jusqu'à lui faire avouer où il cache Rebecca. Il sort sur la véranda, mais quand il referme la porte, un frisson d'horreur lui électrise la nuque. Un tissu est cloué au bois par un poignard. Un de ces petits couteaux pliants avec lame à bouton et cran d'arrêt, de cette marque nordique au curieux nom d'apéritif qu'il a oublié, avec le manche en bois. Du bouleau. Le tissu est un slip de bain. Pour homme. Soulniz fixe la porte pendant longtemps puis sort son téléphone et appelle Kornélius.

– Bon sang, mais vous êtes où ?

– J'ai dû aller sur une scène de crime dans le Sud, et j'ai été retardé au retour. Je suis à Húsavík, dans l'appartement. Il y a eu du bazar ici.

– Quoi comme bazar ?

– Tout est sens dessus dessous, il n'y a plus personne et on a trouvé le nez en plastique de Nez-Rouge par terre.

– Écoutez, je n'en sais rien et je m'en fous. Je suis à Mývatn et il y est lui aussi. Je l'ai aperçu ce matin à Dettifoss, mais ce salaud était sur l'autre rive. Maintenant il est ici, à Reykjahlíd, et il vient de me laisser un message.

– Un message, quel message ?

– Un slip de bain pour homme planté dans ma porte avec un poignard.

– Quoi, c'est ça votre message, rien d'autre, pas un mot ?

– Non.

– Et ça vous dit quelque chose ?

– Pas pour l'instant.

– Alors, ne faites rien, attendez-moi, j'arrive. J'en ai pour une heure de route par la 87. J'essaye de comprendre ce qui s'est passé ici et je vous rejoins. Dans trois heures au plus tard je suis là.

– Je n'ai pas le temps. Je quadrille la zone et si je tombe sur lui, je le défonce.

– Ce n'est pas une bonne idée, Soulniz. Il peut ne pas vous dire où est Beckie. Il peut aussi avoir un ou plusieurs complices. Ne mettez pas votre fille en danger, ne faites rien sans moi.

– Non, je le trouve et je le tabasse jusqu'à ce qu'il parle. Vous savez où est Charlie ?

– D'après ce que nous nous sommes dit la dernière fois, il devrait déjà être rendu à votre prochaine étape. C'était où déjà ?

– J'avais prévu d'emmener Beckie dans le parc de l'Askja, vers le grand glacier, voir le lac de cratère d'Öskjuvatn.

– Belle trotte. Longue piste difficile avec quelques kilomètres de marche en prime.

– Oui, mais j'ai souvenir de ce lac d'émeraude aux eaux chaudes à quelques dizaines de mètres d'un autre lac turquoise et glacé, avec des neiges éternelles entre les deux...

– Oubliez la neige.

– Il y en avait à l'époque.

– Oui, mais l'activité volcanique est intense dans cette région ces derniers temps et la neige a fondu. Il y a même une pré-alerte. Un volcan s'active sous le glacier et on craint des inondations. Vous savez où loge Charlie, que j'essaye de le joindre ?

– S'il a calqué son itinéraire sur le nôtre, je suppose qu'il est à Drekki, là où s'arrête la piste. C'est le seul hébergement sur place.

– C'est peut-être mieux s'il est là-bas. Il n'y a qu'un chalet et quelques cabanons. Si le ravisseur de Beckie s'y rend comme prévu, il le repérera facilement.

– Qu'est-ce que vous avez foutu, Kornélius, où avez-vous disparu ? Si vous étiez resté avec moi, à nous deux, nous aurions déjà mis la main sur ce salaud.

– J'arrive, Soulniz, j'arrive et c'est ce qu'on va faire.

Soulniz raccroche et soudain, le silence du paysage immense face à la véranda lui donne le vertige. Le lichen, les mousses, les pierres poreuses, les replis de la lave, tout concourt à absorber le moindre son. Au loin, des voitures glissent en silence sur la route numéro 1. Au-dessus du chalet, un avion à hélices se dandine sans bruit contre le vent pour approcher de la piste derrière la colline. Et si la terre n'y suffit pas, c'est tout le ciel démesuré qui écrase le moindre murmure de vie. Soulniz saisit le manche du poignard qu'il arrache pour récupérer le maillot de bain. À sa surprise, il est encore tiède et il se demande si cela fait partie du message. Il se laisse glisser contre le chalet de bois pour s'asseoir à même le plancher de la véranda. Il ne doit pas se laisser aller. Ni au chagrin ni à la colère. C'est ce que cherche ce salaud, jouer avec ses nerfs. Il doit réfléchir sans penser à Beckie. Juste réfléchir. Prendre ça comme un défi. Ce type ne fait rien sans raison, alors pourquoi ce maillot ? Ça évoque le bain. S'il est tiède, c'est peut-être qu'il était chaud. Donc un bain chaud. Un *hot pot*, ou une piscine, ou… Les bains naturels d'eau chaude de Mývatn ! Le Blue Lagoon de l'intérieur, comme le vendent les agences de voyages. Si cet indice a un sens, ça ne peut être que ça. Il se relève aussitôt, chassant de son esprit l'idée que le poignard aussi pourrait avoir une signification. Il ne veut y voir qu'un moyen de clouer le maillot sur la porte. Beckie est vivante et ce salaud est du côté des eaux chaudes de Mývatn, à l'attendre pour le narguer, le visage peut-être caché derrière un masque fantomatique de silice. Comme ce type au Blue Lagoon. Comme…

— Oh, mon Dieu, non… cet enfoiré de Charlie !

# 41

# Húsavík

*Kornélius ne répond pas.*

– « Le courage n'est rien sans la réflexion », disait Euripide, alors réfléchis à ta situation. Es-tu vraiment en position de te montrer courageuse ?

Quand il parle, chaque mot projette hors de sa bouche un panache de condensation. Ils sont tous les deux à l'intérieur d'un entrepôt frigorifique, quelque part sur le port de Húsavík. Lui assis sur une caisse, engoncé dans une parka polaire par-dessus son costume, et elle nue, debout, les mains attachées à la tuyauterie givrée au-dessus de sa tête. Dehors, les sbires du Lituanien gardent les marins et les poissonniers à l'écart.

– Je ne sais rien, murmure Anita, le corps secoué de tremblements. Moi aussi, je cours après cette coke. Si je l'avais, tu penses bien que je serais loin de ce trou à l'heure qu'il est !

Il regarde son grand corps maigre, encore plus amaigri par la suspension, ses côtes saillantes, ses petits seins bleus par le froid, ses cuisses filiformes et se demande quel genre d'homme peut prendre du plaisir avec ce genre de femme. Mais il est bien placé pour savoir qu'en matière de jouissance, tous les goûts sont dans la nature. Peut-être même qu'il pourrait lui proposer de travailler pour lui après. Si elle survit.

À ses pieds, deux baquets en bois. Un seul fume. Il se lève, prend l'autre, et balance l'eau glacée sur la fille dont le corps se tétanise sous la douleur. C'est un million d'aiguilles qui la transpercent. Elle hurle des injures à faire rougir un hauturier.

– « La demande est chaude et le merci est froid », dit un proverbe allemand, mais je pense que nos amis teutons se trompent. Chez nous, nous dirions plutôt la demande est froide et l'insistance est chaude...

Il se saisit de l'autre baquet et jette l'eau chaude sur le corps glacé de la fille. La brûlure est immédiate. La morsure d'une nuée de fourmis ardentes, une immersion dans un bac à piranhas. Une douche d'acide.

Elle hurle mais ses mâchoires la trahissent, elle désarticule des mots qu'il ne comprend que par bribes. Con. Inutile. Sais pas. Pitié. Merde. Lui ne l'écoute pas. Il va frapper à la porte et demande à un sbire qui accourt de remplir les seaux. Sans rien dire. D'un signe de la main. De son index qui tourne pointé vers le bas, comme on demande à un barman de remettre ça. Quand il revient s'asseoir face à elle, la fille ne tient plus sur ses jambes qui flageolent. Seuls ses bras attachés la retiennent debout. Simonis se fait la remarque qu'elle en devient presque obscène, avec ses fesses de garçon et son sexe de gosse épilé.

Le deuxième baquet d'eau froide la redresse et la suffoque.

– Je ne me souviens plus quel auteur a dit ça, un Français je crois, mais il avait raison et tu devrais le croire : « On parle toujours des feux de l'Enfer, mais personne ne les a vus. Parce que l'Enfer, c'est le froid. » Alors es-tu vraiment sûre de vouloir de cet Enfer-là ?

– Je ne sais pas où est la coke...

– Oui, ça j'ai compris et je veux bien te croire. Mais si tu cours après, tu dois bien avoir une idée d'après qui tu cours, non ?

– Les Français...

– Quels Français ?

– Le père et sa fille…

Simonis secoue la tête et s'empare du baquet fumant.

– Tu cherches à m'embrouiller.

Mais la fille hurle à s'en déchirer la gorge et se débat comme une épileptique en pleine crise. Elle gigote des pieds et balance la tête et l'implore en gémissant de ne pas l'ébouillanter. Sa terreur est si soudaine que Simonis retient son geste et s'approche d'elle.

– Alors raconte-moi, murmure-t-il à son oreille.

Et Anita lui raconte ce qu'elle sait, qu'il sait déjà, et ce qu'elle croit, qui l'intéresse beaucoup plus. Elle pense que le gamin s'est fait doubler par la fille. Elle a réussi à assommer le père et a désossé sa voiture sans rien trouver. Ni dans ses bagages. C'est la fille qui a la coke. Ça ne peut être qu'elle.

– Eh bien, tu vois, tu viens peut-être de gagner une petite laine pour te réchauffer, murmure-t-il dans des panaches de buée blanche, un bon petit *lopapeysa* tricoté sans coutures pour ne pas gratter tes engelures. Tu me dis où elle est, et tu l'as.

Anita essaye de répondre, mais le froid lui engourdit la nuque et creuse son visage d'ombres bleues. Sa tête retombe contre sa poitrine et Simonis la redresse en la tirant par les cheveux.

– Je n'ai pas bien entendu.

– Je ne sais pas où elle est. Tout le monde la cherche. Enlevée, à ce qu'on dit…

– « L'homme n'est que mensonge », dit la Bible. À croire que la femme aussi. Tu veux dire que quelqu'un aurait enlevé la fille qui a ma cocaïne ?

– Demande à Kornélius.

– Kornélius ? Qu'est-ce que ce flic vient faire dans cette histoire de famille.

– Il cherche la fille pour son père.

– Pauvre idiote, Kornélius travaille pour moi, s'il pensait qu'elle avait ma drogue, jamais il n'aurait laissé quelqu'un s'en approcher. Et encore moins l'enlever.

– Sauf si personne ne l'a kidnappée.

– Quoi, qu'est-ce que ça veut dire ? s'inquiète soudain Simonis.

Anita a du mal à articuler pour répondre. Elle claque des dents et ne maîtrise plus les tremblements de ses mâchoires. Tout son corps se tétanise à nouveau.

– Tromper son monde. Disparaître avec la coke. Mise en scène…

– Nom de Dieu ! hurle Simonis en frappant du pied une pile de cartons de saumon.

Les boîtes congelées sont dures comme de l'acier et il s'y fracasse les orteils à l'intérieur de ses *moonboots* en écailles de poisson. Il sort en boitillant, refuse d'un bras rageur l'aide d'un garde du corps et s'éloigne du hangar pour téléphoner. Mais Kornélius ne répond pas.

# 42

# Drekagil

*... au moment même où il meurt.*

Trois cents kilomètres dans une plaine de cendres noires vaste comme une mer de poussière. La piste n'est qu'un ruban de cendres damées à travers de la cendre poudreuse, droite et longue, et qui se tord soudain pour se faufiler entre des téphras de lave. L'ivresse d'être seul au monde. De n'être plus rien qu'un infime élément d'un tout infini. Puis une rivière argentée, comme une flaque oubliée, qu'il faut passer à gué. Puis une autre rivière et un autre gué aux eaux plus lourdes. Un passage plus difficile. Une invitation à ne pas oser. À faire demi-tour. Mais de l'autre côté, à l'horizon, déjà la reine des montagnes, comme disent les Islandais. Le Trône de Dieu, l'avaient-ils baptisée à l'époque. Puis la plaine immense roussit. Vire à l'ocre, comme si, délaissant les cendres noires, on s'approchait du feu de la Terre. C'est l'Askja, avec le Drekagil, la gorge du dragon, canyon étroit et tarabiscoté d'où jaillit une rivière transparente. Des milliers de petits cailloux de pierre ponce y flottent, arrachés des restes brûlés du volcan par son courant. Charlie a déjà parcouru cette piste-là avec les autres douze ans à peine après la grande éruption de 1961, et il sait que tout ce qui existe autour n'est que le résultat des quatre millions de mètres cubes de téphras que des fontaines de lave ont répandus sur cent millions de mètres carrés.

Et de savoir la caldeira toujours active derrière ses murailles lui donne encore le frisson.

Quand il arrive au refuge, il a le sentiment de rejoindre la base avancée d'une expédition lunaire au bout d'une grande plaine caillouteuse. Cinq ou six petits bâtiments en bois, la plupart en forme de hutte, adossés dans le désordre à ce qui a dû être le front d'une autre énorme coulée de lave. Deux sont des dortoirs, il s'en souvient. Un autre l'accueil. Des sanitaires quelque part. Un container rouge hérissé d'antennes. Trois véhicules sont garés devant les bâtiments. Un camping-car bivouaque à l'écart sur un immense dégagement caillouteux. Sur la gauche, deux petites tentes jaunes piquées dans la pierraille.

Il faufile son Land Cruiser jusqu'à l'accueil et entre pour confirmer son arrivée. Quand il ressort, l'autre est là, bras croisés, adossé au Land Cruiser, à le regarder.

– Nom de Dieu ! murmure Charlie qui s'approche en secouant la tête. Je n'y crois pas ! Toi, ici ?

Ils tombent dans les bras l'un de l'autre, puis Charlie se libère de leur étreinte pour prendre l'autre à bout de bras par les épaules et le regarder.

– Alors c'est toi ? Putain, j'aurais dû m'en douter, ça ne pouvait être que toi, bien sûr ! Comment as-tu fait ?

– Comme toi. D'abord, j'ai été alerté sur les réseaux sociaux, puis j'ai suivi leurs préparatifs sur la page Facebook de sa fille. Alors je suis venu pour leur pourrir la vie, comme toi.

– Attends, moi je ne leur pourris pas vraiment la vie. Juste des conneries, des mauvaises blagues, mais toi, tu fais vraiment fort.

– C'est vrai que tes feux d'artifice et tes mots doux sur le pare-brise, ça fait un peu boy-scout.

– Tu me suis depuis le début ?

– Oui. Je les attendais sur le parking du loueur de voitures à l'aéroport quand je t'ai reconnu toi aussi.

– Pourquoi tu ne t'es pas montré ?

– Pour gâcher la surprise ?

– Non, pas à eux, mais à moi. Nous aurions pu nous amuser à leur pourrir la vie ensemble, non ?

– Désolé, Charlie, mais je crois que nous n'avons pas vraiment la même motivation sur ce coup-là. Moi, je voulais cogner beaucoup plus fort.

– C'est pour ça que tu as enlevé Beckie ?

– Quoi, moi, enlever Rebecca, mais tu n'y es pas du tout, mon pauvre gars ! C'est elle qui est venue avec moi.

– Non, tu déconnes !

– Cette fameuse nuit à Hvítserkur, elle m'est tombée dessus pendant que je m'apprêtais à crever les pneus de leur 4×4. On a failli se battre et, pour la calmer, je lui ai raconté pourquoi je m'amusais à pourrir le voyage de son père avec des feux d'artifice et des messages sur la voiture.

– Quoi, tu t'es servi de mes conneries ?

– Bien obligé, je n'avais pas vraiment commencé les miennes, à part le macareux dans son lit. Ça l'a bien fait marrer et c'est elle qui a eu l'idée de disparaître pour emmerder son père.

– Ils avaient pourtant l'air de bien s'entendre…

– Il faut croire que non, elle lui donnait le change.

– Et son copain, Galdur, son pêcheur d'Islande ?

– Juste un coup de baise, d'après elle, rien de plus. Mais baiser son père, ça l'excitait beaucoup plus.

– Et alors, elle est où maintenant ?

– Là-haut, dit l'autre en désignant la montagne derrière eux, elle est partie en randonnée jusqu'au lac Viti. Je l'ai déposée tout à l'heure au bout du chemin pour revenir t'attendre. On va la rejoindre, si tu veux.

– Et comment ! Une trempette dans les eaux laiteuses du Viti, ça ne se refuse pas.

– Et à poil, comme il y a quarante ans, pour respecter la tradition islandaise !

– Bien entendu ! On prend ma voiture, dit Charlie.

Au beau milieu de la steppe de pierres, un panneau jaune tordu par le vent indique la direction de la piste 894. Elle part du refuge et grimpe à travers la montagne vers le nord. Charlie est heureux comme un gosse. Il parle sans arrêt. Il se souvient de tout et le raconte en riant. De temps en temps, un rayon de soleil se glisse entre des amas de roche noire et embrase sa chevelure rousse à travers le pare-brise moucheté de poussière.

– Je n'en reviens pas. Ta combine avec Beckie, son faux enlè-vement, c'est grand. Soulniz est comme un dingue, tu sais.

– Ç'a toujours été un anxieux.

– Toujours je ne sais pas, parce que je l'ai perdu de vue pendant tout ce temps, mais c'est sûr qu'aujourd'hui il est aussi anxieux qu'à l'époque, à la fin, à Heimaey. Quand comptes-tu lui « rendre » sa fille ?

– À Heimaey justement.

– Cool, la tête qu'il va faire !

Après vingt minutes, la piste s'engage vers l'ouest à travers une épaisse coulée de lave d'un noir bien plus intense que le reste de la roche alentour. Un parking circulaire y a été creusé. Pas d'autre voiture et l'endroit devient soudain hostile. En quelques minutes, le paysage a changé. D'aventureux et lunaire, il est devenu sinistre. Le ciel en profite pour se plomber. Tout autour, la roche obscure qui les surplombe a gardé la forme de sa fusion. Oppressante.

– Je n'ai pas souvenir d'avoir traversé un tel chaos. Tu crois que cette lave plus noire que les autres vient d'une coulée plus récente ?

– Non, répond l'autre, la dernière éruption de l'Askja, c'était en 1961. Tout ce chaos était déjà là quand nous sommes venus en 1973, mais il y avait plus de neige, souviens-toi.

Charlie ne répond pas. Il regarde autour d'eux les parois tourmentées de ce puits lugubre, puis s'engage sur un sentier qui disparaît aussitôt pour n'être plus marqué que par des piquets jaunes plantés dans le sol.

– C'est loin pour le lac ? Je ne me souviens plus…

– Trois quarts d'heure environ, dit l'autre, qui le suit à quelques mètres.

Ils marchent en silence. D'abord, ils grimpent sur la lave noire d'où émergent de temps en temps des roches rouges, puis suivent les piquets qui mènent à la caldeira, entre la paroi plaquée de quelques croûtes de glace grise sur la gauche et, de l'autre côté, une large étendue de pierraille. Ils grimpent enfin une ultime côte pour escalader le rebord extérieur du cratère et restent quelques instants, le souffle coupé par la majesté brutale du lac Öskjuvatn. Majestueux parce que ce lac immense scintille d'une eau bleue aux reflets métalliques qu'on devine glaciale, enchâssé en altitude dans un écrin de falaises noires et abruptes. Et brutal parce que, grand de plusieurs kilomètres de diamètre, il n'est rien d'autre que la gueule du volcan qui s'est remplie d'eau après une terrible éruption. Pas la gueule en fait. L'effondrement de sa chambre magmatique. Toute cette masse d'eau, profonde de plus de deux cents mètres, Charlie l'imagine en flots de magma furieux forçant leur passage par la gueule étroite du volcan avant que tout ne s'effondre. De loin, on devine les vaguelettes qui frangent les rives d'un fin liseré d'écume.

– C'est aussi beau qu'à l'époque, murmure Charlie.

Puis il baisse les yeux et aperçoit à leurs pieds le Viti, le petit lac aux eaux laiteuses et chaudes, séparé de l'immense et glacé Ösjuvatn par un simple isthme de quelques dizaines de mètres à peine. Une eau de silice, bien plus basse que les eaux du grand lac, au creux d'un étrange cratère aux parois raides de roches ocre et jaunes. Le chemin rejoint le cratère par sa pente la plus raide. Charlie s'approche pour surplomber ce calme et chaleureux petit bijou de la nature.

– Quand tu penses que c'est le petit Viti qui a provoqué la grande éruption de 1875, avec sa petite gueule de rien. Deux milliards de mètres cubes de téphras dans les airs. Un nuage de cendre qui masque le soleil pendant des semaines. Ce petit lac vert pâle aux eaux chaudes et épaisses au fond de son trou de terres orange… Alors, elle est où Rebecca ?

– En bas, elle voulait faire trempette dans le Viti. Elle doit se sécher quelque part…

Charlie marque un long temps de silence, inspire profondément pour s'imprégner de la grandeur des lieux, puis s'engage dans le chemin qui descend la pente raide jusqu'au petit cratère.

– Bon, tu viens, dit-il, on va la rejoindre ?

– Non, dit l'autre dans son dos.

– Comment ça, non ? s'étonne Charlie en se retournant.

L'énorme pierre que l'autre brandit des deux bras au-dessus de sa tête lui fracasse le crâne et il bascule dans la pente. Son sang lui voile aussitôt les yeux mais il devine l'eau de silice du Viti qui bascule, un bout de ciel qui chavire, il sait qu'il se brise les os à chaque rebond, qu'il va mourir, et il a juste le temps de s'en étonner au moment même où il meurt.

# 43

# Mývatn

*… ton Français, on l'a !*

Mývatn. Un lac irisé a inondé le cœur d'une vaste plaine noire et effondrée. Isolant des roches. Échancrant ses rives de criques et de presqu'îles. Hérissant ses berges marécageuses de roseaux graciles aux toupets fragiles. Soulniz n'a pas attendu Kornélius. Depuis deux heures, il quadrille le lac et ses environs à la recherche de la Toyota. Les parkings des échoppes de Reykjahlíd, les campings autour du lac. Maintenant, il contourne à nouveau les eaux dans l'autre sens, le cœur à la dérive, au bord du chagrin. Il s'arrête d'urgence, les larmes aux yeux, face au lac qui scintille sous un froid soleil. Dans l'eau jusqu'aux genoux, à dix mètres de la rive, un homme équipé de cuissardes se penche sur l'eau. Par-dessus un chapeau de paille, une ample moustiquaire blanche enveloppe son visage, serrée autour du cou par un lacet. Soulniz avait oublié la signification de Mývatn : le lac aux mouches. De minuscules moucherons. Par nuées. Par myriades. Ils s'engouffrent dans la bouche, s'engluent dans les yeux. Se collent à la peau et démangent par réflexe. Une bénédiction pour les pêcheurs. Cette nourriture surabondante fait du Mývatn le lac le plus poissonneux du pays. Mais aussi le cauchemar des touristes les jours sans vent. Déjà les moucherons se collent aux vitres et au pare-brise, mais Soulniz sort quand même de la voiture. Il est à vingt mètres de la berge et se souvient soudain. Ces boules d'algues vertes dans l'eau peu profonde, rondes comme des balles de tennis, par milliers, en plusieurs couches, qui roulaient toutes ensemble sous le sac et le ressac d'un faible clapot. Puisqu'il ne pêche pas, c'est peut-être ce que l'homme observe. Soulniz décide de rejoindre la rive quand le pêcheur devine sa présence. Il se redresse aussitôt et lui adresse de grands signes de la main. Soulniz se souvient trop tard. Au-dessus de lui le ciel s'agite soudain du ballet furieux des sternes qui défendent leurs œufs ou leurs oisillons nichés à même le sol. D'autres jaillissent des herbes dans des bruissements brouillons, la tête coiffée d'une calotte noire et le bec rouge affilé, et rejoignent les autres qui tourbillonnent autour de lui. Puis la défense s'organise. Une à une elles piquent sur lui et le rasent d'abord, le frôlent, et enfin cherchent à piquer de leur bec son crâne et son visage. Il se protège aussitôt les yeux dans ses bras et rebrousse chemin à l'aveugle pour se réfugier dans sa voiture. Au-dessus piaillent des dizaines d'oiseaux en colère qui le gardent prisonnier à l'intérieur. Un ou deux, l'œil mauvais, se posent sur le capot et le défient du regard en se dandinant nerveusement sur leurs pattes palmées couleur de sang séché. Soulniz se maudit. Ils avaient commis la même erreur quarante ans plus tôt, et s'étaient laissé surprendre par la colère des sternes. Sauf qu'à cette époque, ils s'en étaient amusés, à courir partout pour les énerver, écrasant des nids et des œufs dans leur cavalcade, sautant en l'air pour frapper du poing celles qui les attaquaient de trop près, hurlant leur jeunesse imbécile contre ces oiseaux idiots.

Il émerge de ses souvenirs et descend la vitre quand l'homme frappe à sa portière,

– *Are you O.K. ?* s'inquiète-t-il, le visage toujours encapuchonné de gaze.

– Oui, tout va bien, le rassure Soulniz.

– J'ai essayé de vous prévenir de faire le détour.

– J'ai compris trop tard. J'aurais dû me souvenir, je suis déjà venu ici, il y a longtemps, et ça m'est déjà arrivé.

– Ils vous avaient prévenus pourtant.

– Comment ça ?

– Vous devriez apprendre à reconnaître leur cri d'alarme, celui qui vous intime l'ordre de ne pas faire un pas de plus. Quand ils passent au cri d'attaque, c'est trop tard, il ne vous reste plus qu'à fuir. Une chance qu'elles ne vous aient pas craché leur fiel dessus !

– Je voulais savoir ce que vous faisiez, penché au-dessus de l'eau.

– Je prenais soin d'une des dernières taches de marimos.

– Les boules d'algues ?

– Oui, *Aegagropila linnaei* de la famille des *Cladophoraceae*, pour faire le savant. Elles tapissaient certaines rives par millions jusqu'il y a encore quatre ans, mais elles disparaissent depuis sans que nous comprenions vraiment pourquoi.

– Vous êtes scientifique ?

– Non, je suis surtout pêcheur, mais tout ce qui touche à l'équilibre du lac m'intéresse. Et puis, vous connaissez peut-être la légende ?

– Quelle légende ?

– Celle qui dit que prendre soin des marimos fait que vos rêves se réaliseront.

– Oh, vous savez, je ne crois plus beaucoup aux rêves, et encore moins aux légendes.

– Vous avez tort, nous avons tous besoin de croyances pour affronter cette si rude et si courte vie. Vous ne croyez en rien ?

– En ce moment, je crois surtout en la colère et la vengeance.

– Pourquoi pas, admet le pêcheur, après tout ce pays n'est-il pas que colère et vengeance des éléments entre eux ? Et regardez la beauté que ça donne.

Puis il se redresse et tape deux fois sur le toit de la voiture.

– Allez, bonne colère, et que les marimos concrétisent vos rêves de vengeance.

Soulniz regarde l'homme contourner la colonie de sternes qui lancent aussitôt leurs cris d'alarme et agitent leurs ailes. Lorsqu'il le voit entrer dans l'eau à nouveau, il démarre en direction de Reykjahlíd. Il n'a pas fait six kilomètres, en remontant vers le nord par la 848, quand il la voit. Sur la droite de la route, au carrefour avec une étroite piste en pierres qui mène au néo-cratère de Hverfjall, la Toyota est là, qui attend sagement de prendre la route à son tour. Trop tard pour freiner. Soulniz passe devant elle, puis la surveille dans son rétroviseur. Lorsqu'il la voit s'engager vers le nord elle aussi, il se rassure et ralentit. Un kilomètre plus loin, il profite d'un dégagement pour mettre son clignotant et se ranger, le temps que la Toyota le dépasse. Il n'ose pas regarder qui la conduit. Il fait mine de lire une carte. Comme un touriste égaré. Dès qu'elle est passée, il redémarre et la suit à distance. Deux cents mètres plus loin, le clignotant droit de la Toyota s'allume et Soulniz craint qu'elle ne s'engage sur la piste qui mène aux grottes d'eau chaude. Il n'y a rien de ce côté-là que deux trous d'eau limpide et bouillante dans une fracture de la roche. Pas d'habitation, pas de chalet, rien qui puisse retenir Rebecca prisonnière. Mais la voiture passe le croisement avec la 860 et, après un maigre bouquet d'arbustes, s'engage à droite sur un parking en mâchefer brun. Daddi's Pizza. Ce salaud va manger. Ce fumier qui a enlevé sa fille va juste se payer une pizza. Ce type a juste faim ! À moins qu'il ne vienne commander quelque chose à emporter pour nourrir Beckie aussi. C'est possible. Ça tient debout. Il faut qu'il le laisse faire et le suive ensuite jusqu'à l'endroit où il la séquestre.

Il se gare à l'écart et regarde l'homme descendre de voiture. Malgré la haine qu'il lui porte, il doit reconnaître qu'il n'a rien d'un kidnappeur. Pas très grand, un peu enveloppé, presque débraillé, sans âge. Quarante ans peut-être. Il se dirige vers le long cabanon en bardage de clins sous un toit de tôles grises, monte lourdement les quelques marches d'une terrasse en bois encadrée de claustras et entre dans le restaurant. Soulniz attend avant de le suivre et l'épie par la vitre. À l'intérieur, la salle est petite et de nombreux clients attendent pour une table. Sur la gauche, quelques autres patientent pour des plats à emporter. Il a perdu l'homme de vue, mais comme il entre pour le repérer, il se cogne presque contre lui qui ressort déjà sur la véranda, sans le regarder, un bock de bière à la main. Dehors un ciel aux reflets d'aluminium a poncé le soleil et découragé les touristes. Les habitués, eux, sont à l'intérieur. L'homme hésite, choisit parmi les tables désertes et s'installe en posant devant lui un petit présentoir affichant le numéro 35. Soulniz reste coincé à l'intérieur. Ce type a enlevé Beckie après les avoir suivis pendant plusieurs jours. Il le connaît par la force des choses. S'il veut lui tomber dessus par surprise, il ne doit pas se montrer. C'est déjà un miracle qu'il ne l'ait pas vu en sortant avec sa bière. Il reste à l'intérieur à épier cet homme ordinaire qui cache un monstre. Il le dévisage en même temps qu'il réalise que la théorie de Kornélius s'effondre. Il ne connaît pas ce type, par ailleurs beaucoup trop jeune pour avoir été un de ceux de la bande de l'été 73.

– *35, Myfluga with Mývatn smoked trout, cream cheese and pine nuts*, annonce la serveuse en poussant la porte d'un coup de hanche.

L'homme lève le bras, admire la spécialité maison que la femme pose devant lui et se jette dessus avec gourmandise. Il n'a même pas l'air d'un geek capable de faire décoller un drone. Et pourtant, c'est bien la Toyota que Soulniz a observée ce matin aux jumelles sur l'autre rive de Dettifoss. Mêmes autocollants. Même immatriculation. Il a vérifié.

Quand l'homme a englouti sa pizza, il se lève, tourne le dos au restaurant et termine tranquillement sa bière en contemplant le lac de l'autre côté de la route. Soulniz en profite pour sortir discrètement et aller se cacher en embuscade entre deux voitures sur le parking. Cinq minutes plus tard, quand l'homme cherche à regagner la sienne, Soulniz l'aborde sans sourire.

– C'est ta voiture ?

– *I beg your pardon ?*

– *Is this your car ?*

– *Yes it is, why ?*

Sans lui répondre, Soulniz l'alpague par une manche et, avec toute la violence qu'il contient depuis des jours, le tire à l'abri des regards entre les voitures. L'homme hurle sa surprise et sa terreur, mais Soulniz étrangle son cri d'un coup de genou dans le ventre.

– Où est-elle, connard, où est ma fille, où est Rebecca ? Réponds-moi.

Il le gifle à la volée et la tête de l'homme cogne et rebondit contre les carrosseries. Il se protège entre ses coudes, mais une autre gifle en revers lui dévisse la tête.

– Ne joue pas au con, dit-il en français, je t'ai vu à Dettifoss. J'ai reconnu ta voiture. Alors parle, dis-moi où est Rebecca.

La peur et la surprise passées, l'homme se ressaisit et cherche à se défendre, hurlant pour appeler à l'aide.

– Je t'aurai fracassé avant que quelqu'un arrive, siffle Soulniz. Où est-elle ?

Il va pour le frapper quand quelqu'un retient son poing. Puis d'autres bras le ceinturent par-derrière et le tirent sur le parking.

Soulniz hurle de rage pour se libérer, mais on le force à lâcher l'agresseur de Beckie.

— Laissez-moi, laissez-moi, il a kidnappé ma fille ! hurle Soulniz en anglais.

Trois personnes le ceinturent maintenant. Deux autres aident l'homme à se relever.

— Que se passe-t-il ? demande quelqu'un.

— Ce fils de pute a enlevé ma fille !

— Quoi, qu'est-ce que vous dites ?

— Il a enlevé ma fille, il a enlevé Rebecca et depuis plusieurs jours il joue au chat et à la souris avec moi.

— Qu'est-ce que c'est que cette histoire ?

— Ce type est un fou furieux, s'énerve l'homme à la Toyota qui reprend de l'assurance. Je ne sais même pas qui c'est !

— J'ai vu sa voiture ce matin à Dettifoss, il m'a envoyé un drone par-dessus les chutes !

— Mais qu'est-ce que c'est que ce délire !

— Vous avez bu, monsieur ?

— Que quelqu'un appelle la police.

— Vous étiez à Dettifoss ce matin ?

— Bien sûr que non, je n'y ai encore jamais mis les pieds. J'ai juste prévu d'y aller cet après-midi.

— Vous mentez, j'ai vu votre voiture là-bas ce matin.

— Mais ce n'est pas ma voiture, espèce de dingue, je fais le tour de l'île à vélo. Je viens juste de la louer pour aller voir les chutes justement, parce qu'il paraît que la piste est trop difficile à vélo !

— Ce n'est pas votre voiture ?

— Je viens de vous le dire, abruti !

— Vous m'avez dit le contraire il y a cinq minutes.

— Mais j'ai dit ça parce que c'est ma voiture pendant le temps où je l'ai louée, c'est tout, pauvre imbécile !

Ceux qui le retiennent sentent que la colère a cédé chez Soulniz et qu'ils peuvent le lâcher. Il se rajuste et n'ose pas les
regarder.

– Ce n'est vraiment pas votre voiture ?

– Bien sûr que non. Location ! s'énerve l'autre à son tour.
Comment faut-il que je vous le dise ?

– Et vous ne me connaissez pas, ni moi ni ma fille, Rebecca ?

L'homme est sur le point de laisser exploser sa colère à son
tour quand arrive la voiture de police. Les policiers sont jeunes,
blonds et barbus et le plus jeune blond et barbu des deux s'enquiert
calmement de ce qui se passe.

Soulniz suppose que sa victime leur explique qu'il lui est tombé
dessus pour le tabasser sans raison.

– C'est vrai, monsieur ? demande un des flics en anglais.

– S'il vous a dit que je l'ai agressé, oui, c'est vrai, je le
reconnais.

– Et vous pouvez nous expliquer pourquoi ?

– J'ai cru que c'était le ravisseur de ma fille.

– Votre fille a disparu ?

– Oui.

– Et pourquoi avez-vous pensé que monsieur était son ravisseur ?

– Parce qu'il roule dans sa voiture.

– Dans sa voiture ? Dans la voiture de votre fille ?

– Non, dans celle du ravisseur.

– Parce que vous avez été témoin de l'enlèvement ? Votre
fille a été embarquée de force à bord de ce véhicule ?

– Je n'en sais rien. Elle a juste disparu, mais ce matin j'ai vu
quelqu'un de l'autre côté de Dettifoss qui m'a envoyé un message
depuis ce véhicule.

– Un message par drone ! précise d'un air entendu un des
témoins de la bagarre.

– Par drone ? Seriez-vous sous l'emprise de l'alcool, monsieur, ou d'une drogue ? Êtes-vous sous médicaments ?

– Non, mais je vous en prie, croyez-moi, c'était cette voiture. Les mêmes autocollants, la même immatriculation.

– C'est votre voiture, monsieur ? demande le policier à l'homme de la Toyota.

– Bien sûr que non, c'est une voiture de location. Je l'ai louée il y a une heure pour une demi-journée. Je voulais aller voir Selfoss et Dettifoss.

Il sort des papiers de sa poche et les tend au policier qui vérifie tranquillement. L'autre sort un sachet de bonbons Opal de la poche de son uniforme, en mange un, en propose un à son partenaire qui accepte, puis fait tourner le sachet parmi les témoins.

– C'est bien une location, dit le premier policier en retournant vers Soulniz, et j'ai bien peur que vous vous soyez trompé. Monsieur ne pouvait pas être au volant de cette voiture ce matin.

– Je suis désolé, bredouille Soulniz, j'ai vraiment cru que…

– Bon, est-ce qu'il y a des bobos, quelqu'un veut porter plainte ?

– Laissez tomber, maugrée la victime, faites ce que vous voulez de ce type. Je ne vais pas pourrir ma journée à remplir de la paperasse pour cet illuminé.

Il tourne les talons, rejoint sa voiture et démarre en trombe.

– Je suis confus, bredouille Soulniz. Pardonnez-moi pour le dérangement.

Mais comme il s'apprête à rejoindre sa voiture à son tour, le policier le retient par le bras.

– À propos de cet enlèvement, monsieur…

– Écoutez, ma fille a disparu et j'ai peut-être un peu paniqué. Ce n'est peut-être qu'une fugue. Je peux être un peu con quelquefois, comme vous avez pu le constater, et la vie n'est pas un long fleuve tranquille, entre nous.

– Vous voyagez en famille ?

– Non, juste elle et moi. Sa mère est morte il y a quelques années. Ça l'a beaucoup secouée.

– Oui, je comprends, mais il faudrait signaler sa disparition. C'est un beau pays chez nous, mais notre nature est dure et sauvage. Le moindre accident peut virer au drame. On peut tomber dans un repli de lave avec une cheville foulée et ne jamais être retrouvé. Il y a quelques jours on a repêché le corps d'un homme tombé dans une solfatare.

– Oui, je sais, j'en ai entendu parler.

– Ah oui, qui vous a dit ça ?

– Un ami. Un policier lui aussi. De Reykjavik. Kornélius…

– Kornélius, Kornélius Jakobsson, vous connaissez Kornélius ?

– Oui, pourquoi ?

Le policier ne répond pas et compose un numéro sur son portable.

– Kornélius, ton Français, on l'a !

# 44

# Mývatn

*... morte de froid.*

– Mais quel con je suis !

Kornélius émerge de son demi-sommeil et regarde Soulniz assis sur le canapé, son lit de fortune. Il cherche sa montre et vérifie l'heure. Presque vingt-trois heures.

– Pour dormir sur une banquette quand on a loué un chalet avec deux chambres, oui, on peut dire ça comme ça.

– Ça n'a rien à voir, c'est à propos du maillot de bain.

– On peut voir ça demain peut-être, non ?

– Non, dit Soulniz en sautant dans ses vêtements, je viens de comprendre le message.

– En dormant ?

– En cauchemardant mon premier voyage ici.

Kornélius se lève à contrecœur, malaxe son visage dans ses mains et s'habille lui aussi.

– Après tout, c'est déjà presque demain ! Bon, alors, vous m'expliquez ?

– Le maillot, ce n'est pas seulement pour le bain, c'est aussi pour moi. C'est un maillot d'homme. C'est ça le message. Un bain pour les hommes.

– À Mývatn, en Islande ? Mais tout est mixte ici !

– Aujourd'hui peut-être, mais pas à l'époque. Vous connaissez les grottes de Grjótagjá ?

– Bien sûr, c'est à cinq minutes d'ici.

– Nous nous y sommes baignés à l'époque. Deux grottes. Une pour les femmes, l'autre pour les hommes. C'est ce qu'il voulait me faire comprendre. Le bain dans l'eau chaude de la grotte des hommes.

Kornélius n'a pas le temps de donner son avis. Soulniz est déjà dehors et grimpe dans sa voiture. Il a à peine le temps de sauter à bord que l'autre démarre déjà. Ils prennent la piste du nord, à travers un paysage qui devient fantomatique dans la lumière des phares. Des nuages noirs comme des fumées jouent et s'effilochent autour de la lune. La lande de pierre se fond dans la nuit puis soudain se feutre de reflets froids. Soulniz conduit sans prudence et ils y sont en cinq minutes. Un bout de lande arasée en guise de parking, deux voitures et un camping-car, et une faible lueur qui dessine l'entrée étroite de la première grotte. Ces deux grottes ne sont pas des cavités dans le sol, ce sont des trous dans un long rempart en ruine de roches noires. On n'y descend pas pour entrer dans la terre. On s'y glisse entre deux mondes. Comme au pont des Continents ou à Thingvellir, les grottes sont sur la ligne de faille qui sépare les continents. Le rempart, c'est le rejet, le débord d'une des deux plaques qui forme un mur. Ensuite, les hasards du chaos rocheux à l'intérieur ont créé ces improbables cavités.

– Qu'est-ce qu'ils fichent ici ? s'énerve Soulniz en découvrant une demi-douzaine de jeunes nus ou en maillot dans la grotte qu'ils ont illuminée d'une multitude de petites bougies.

– Bain de minuit à l'islandaise, une sorte de tradition à Mývatn, sourit Kornélius.

– Il faut qu'ils dégagent !

– Je m'en occupe.

Il sort sa carte et fait déguerpir les gamins au nom de la baignade interdite, des eaux dangereuses et des risques d'effondrement.

– Tout le monde dégage, et vous laissez les bougies.

Un couple plus âgé de naturistes allemands tente de résister au nom de la *Demokratie*, de la *Freiheit* et de l'*universales Recht auf den Genuss*, mais Kornélius les menace de confisquer leur camping-car pour contrôle technique, histoire de leur faciliter l'étape du lendemain. Ils regagnent leur véhicule le sein triste et la fesse molle et démarrent les derniers sans prendre la peine de se rhabiller.

Kornélius attend quelques minutes pour s'assurer que tout le monde est bien parti, puis rejoint Soulniz qui est entré dans la grotte. L'éclairage vacillant des petites flammes dansantes rend l'endroit plus magique encore que dans son souvenir. La voûte n'est qu'un amoncellement suspendu de cubes de basalte qui se bloquent les uns les autres dans un improbable équilibre. À la fois minéral, solide et fragile. Qu'une pierre bouge et tout s'effondre sur le même chaos de basalte en miroir qui tapisse le fond de l'eau. Une eau limpide, cristalline, dont il garde le souvenir bleu d'une baignade diurne et qui, dans la lumière des bougies, a perdu toute couleur. Un panneau discret interdit par prudence la baignade. À cause de l'eau bouillante que deux éruptions du Krafla ont portée à près de cinquante degrés deux ans à peine après leur baignade en 1973. À cause des bactéries dont cette température pourrait favoriser le développement. Et à cause des dangers d'effondrement de tout cet assemblage instable dans ce pays qu'ébranlent jusqu'à soixante-dix tremblements de terre par jour.

– Que de fausses peurs pour préserver le site, bougonne Soulniz qui se déshabille.

Kornélius regarde le Français se mettre nu et glisser dans l'eau comme on se glisse, suspendu, dans l'espace. L'illusion d'optique est totale ; entre la voûte et le fond de l'eau, Soulniz semble flotter dans le vide. Puis il s'agite et la surface invisible se ride du reflet des bougies.

– Elle est vraiment chaude, suffoque le Français.

– C'était écrit, dit Kornélius debout sur un bloc en promontoire. Qu'est-ce qu'on cherche ?

– Je n'en sais rien. Quelque chose en rapport avec Rebecca. Un objet. Un indice qu'il aurait laissé.

Il nage, et le reflet des flammes sur l'onde fait danser les ombres. Ils sont comme à l'intérieur d'une géode dont les blocs de roche sont les cristaux éteints. La seule pureté est la transparence de l'eau qui déforme et blanchit le corps de Soulniz. Il explore la grotte, se glisse derrière chaque rocher qui affleure et plonge malgré la chaleur qui augmente avec la profondeur. Sa peau le pique et ses yeux s'irritent, mais il ne renonce pas. C'est Kornélius qui le rappelle à la réalité.

– Il n'y a rien ici, et s'il y avait eu quelque chose, les touristes qui ont défilé toute la journée l'auraient probablement embarqué.

– Il y a forcément quelque chose, sinon pourquoi m'y aurait-il donné rendez-vous ?

– Si j'ai bonne mémoire, il ne vous a rien promis de tel. Il vous a juste dit que vous vous verriez à Mývatn.

Soulniz ne l'écoute pas. Il se hisse hors de l'eau sur un rocher plat et se parle à lui-même.

– À moins que ma mémoire me trahisse. Nous nous sommes baignés dans les deux grottes à l'époque. Peut-être que celle des hommes, c'est l'autre.

Kornélius l'a entendu et se moque un peu.

– Il suffit de vous souvenir si vous vous êtes baignés en compagnie de femmes ou pas !

– Il n'y avait personne d'autre que nous ce jour-là. Nous nous y sommes baignés à l'aurore et les autres voyageurs ne sont arrivés que deux bonnes heures après nous.

Il sort de la grotte, nu et mouillé, et Kornélius le rejoint en évitant de salir ses souliers.

– Ce sont des Jimmy Choo, explique-t-il.

Mais Soulniz ne l'écoute pas. Dans le froid qui lui cisaille les articulations, il se râpe la plante des pieds sur la pierre ponce et les graviers de lave pour rejoindre l'autre grotte. Mais sans la lueur des bougies, celle-là n'est qu'un vide sombre et sinistre. Un antre menaçant. Tombal. Ce n'est plus une architecture en équilibre dans la lumière, c'est un chaos démoniaque dans le noir. Une ruine. Un fracas. Soulniz fouille des yeux l'obscurité sans oser s'y aventurer.

– Et si vous vous trompiez ? suggère Kornélius.

Soulniz se retourne et le géant est là, juste derrière lui, ses vêtements à la main.

– Comment ça ?

– S'il ne vous avait pas attiré ici pour vous laisser un indice, mais juste pour que vous y reveniez ?

– Et pour quelle raison aurait-il fait cela ?

– Réfléchissez, ce type vous suit ou vous précède sur les étapes d'un itinéraire que vous avez déjà emprunté quarante ans plus tôt. Peut-être que c'est l'étape elle-même qui a un sens. Souvenez-vous : différait-elle des autres à l'époque ?

Soulniz réfléchit.

– Nous n'étions plus que quatre. Doug nous avait quittés à l'étape de Húsavík.

– Doug ?

– Un barbu un peu mystique féru de Tolkien avec un grand chapeau de cuir

– Pourquoi était-il parti ?

– Un petit groupe de Danoises s'était entiché de sa dégaine de gourou sur le bateau qui nous emmenait à l'approche des baleines.

– Quoi, il lisait aussi *Bilbo* aux cétacés ?

– Non, celui qui parlait aux animaux, c'était Marty, un gars du Minnesota.

– Une belle caravane d'allumés, votre petite bande !

– C'étaient les années soixante-dix, s'excuse Soulniz, cheveux longs, sandales et cigarettes parfumées. Mais Marty parlait vraiment aux corbeaux.

– Ne dites pas de mal de ces oiseaux, je les aime beaucoup.

– Je n'en dirai jamais de mal. J'ai vu Marty leur apprendre à faire des choses incroyables. En fait, nous avons loué la voiture uniquement pour la fin du voyage. Nous avons fait la première partie du voyage jusqu'à Húsavík en stop. Notre petit groupe se faisait et se défaisait au hasard des voitures qui ne pouvaient pas nous embarquer tous les cinq. À un moment, je me suis retrouvé seul avec Marty, moi sur la route à attendre un véhicule, et lui allongé sur les rochers à appeler les corbeaux. Qui sont venus. Nombreux. Vraiment très nombreux. Ils voletaient ou se dandinaient tout autour de lui et lui, il jouait avec eux. À faire semblant d'avoir peur, ou à faire semblant de leur faire peur, et les autres s'éparpillaient comme une volée de gosses qui s'amusent puis reviennent. Quand enfin une voiture s'est arrêtée, j'ai appelé Marty. Il m'a demandé d'attendre le temps de faire une photo avec les corbeaux. Je lui ai proposé de la prendre pour lui, mais il a refusé. Il a posé son Instamatic sur un rocher, a pris la pose en face avec tous les corbeaux sur lui, et a attendu que celui auquel il parlait à voix basse sautille jusqu'à l'appareil. L'oiseau semblait vraiment l'écouter. De temps en temps, il basculait la tête de côté, comme pour être sûr de bien comprendre. Puis il s'est approché, a contourné l'appareil photo, et d'un coup de bec a appuyé sur le bouton rouge du déclencheur…

– Et vous fumiez quoi à l'époque ? se moque Kornélius.

– Je vous jure que c'est vrai. Marty avait un truc particulier avec la nature, et surtout avec les corbeaux.

– Et vous savez ce qu'ils sont devenus, ce Doug et ce Marty ?

– Non. En revenant à Reykjavik, j'ai trouvé un boulot comme homme de pont sur un bateau en partance pour Terre-Neuve et j'ai embarqué dans la nuit. Je n'ai dit au revoir à personne et je n'ai eu de nouvelles d'aucun d'eux par la suite.

– Et à part vous et ces deux allumés ?

– Il y avait Charlie, bien entendu. Charlie et ses aquarelles, ses boîtes à fusains, ses encres de Chine et son saxo à vous tordre le cœur avec une mélodie en mode mineur dans un horizon désolé de cendres sous un ciel noir…

– Et le dernier ?

– Le dernier, c'était Jeff, un fou furieux, celui qui a tué la fille…

– La fille de Heimaey ?

Mais Soulniz n'a pas le temps de répondre. Une voiture entre dans le parking en balayant de ses phares le paysage qui pivote sur ses ombres. Quand Kornélius et Soulniz tout nu sont pris dans la lumière, des gyrophares se mettent à clignoter au-dessus de la voiture de la *Lögreglan*. Soulniz reconnaît aussitôt les deux policiers qui en descendent : la même patrouille que devant Daddi's Pizza.

– Dîner aux chandelles ? demande en anglais le barbu blond qui désigne du menton la première grotte.

– Et plus si affinités ? insinue l'autre flic, qui a toujours son sachet de bonbons à la main.

– Vous feriez mieux de vous habiller, dit Kornélius en tendant à Soulniz ses vêtements, sinon ça va finir par jaser.

– Pas de quoi jaser, répond un des flics, d'ailleurs Lars et moi ne sommes pas partenaires que dans la police. Mais malheureusement cet endroit est interdit de nuit, pour les baignades comme pour les amours, même si, je le reconnais, ce que vous en avez fait est très romantique.

— Nous n'avons rien fait, explique Kornélius, d'autres avaient illuminé la grotte avant nous. Je leur ai juste confisqué l'éclairage pour que Soulniz puisse plonger à la recherche d'indices.

— Toujours pour la disparition de votre fille ?

— Oui, je pensais qu'ils pouvaient être passés par ces grottes et avoir laissé des indices, précise Soulniz.

— Un kidnapping touristique en quelque sorte ?

— Ce serait un peu long à expliquer, intervient Kornélius, mais il y a un peu de ça.

— Eh bien soyez prudents, parce que c'est un mauvais jour pour les touristes, d'après nos collègues.

— Des accidents ? s'inquiète Kornélius.

— Oui, répond le policier, un type s'est fracassé le crâne en tombant de la falaise qui borde le cratère du Viti, et sur un des petits glaciers de l'autre côté du fjord, en face de Húsavík, on a retrouvé une fille morte de froid.

# 45

# Askja

*… justement, surtout pas !*

Il est encore tôt et ils n'ont croisé aucune voiture. Un nuage imbibé de pluie s'est échoué sur l'horizon. C'est comme s'ils conduisaient vers le vide, vers la fin du monde. Un vide dans l'espace. Le bout d'une Terre redevenue plate. La piste de cendres tassées s'y perd, loin devant eux. Il n'y a plus que deux couleurs au monde, du noir et du gris. De temps en temps, des rochers surgissent, immobiles, trolls menaçants qui les regardent passer et les tirent de leur fatigue hypnotique. Kornélius fouille d'une main dans un sac en papier dont il sort une banane. Il en propose une à Soulniz qui n'en veut pas.

— Nous sommes les premiers consommateurs de bananes d'Europe, dit Kornélius comme s'il s'agissait d'une fierté nationale.

— Vous les produisez dans les serres chauffées par la géothermie ? fait mine de s'intéresser Soulniz pour ne pas piquer du nez.

— Non, celles-là sont pour nos recherches en agronomie. Celles destinées à combler notre gourmandise, nous les importons.

Puis ils ne disent plus rien pendant une heure, roulant dans la même direction, sur la même piste, à travers le même lugubre désert, le temps qu'au loin le nuage se dissipe et qu'apparaisse le premier gué.

— Par contre, je prendrais bien un *salmiak* si vous en avez.

Kornélius fouille dans sa poche et lui tend le sachet de bonbons.

— Les roses sont les plus salés.

Ils s'attendaient à traverser une rivière paresseuse sur vingt mètres. Ce sont des eaux pressées qui se bousculent sur une trentaine de mètres de large. Sur chaque berge elles ont noyé les traces qui indiquent sous quel angle entrer dans l'eau et en sortir, quel arc de cercle imaginer pour suivre le gué. Ils s'arrêtent et descendent pour observer le courant. Soulniz pense que c'est trop dangereux. Kornélius cherche comment passer. Il s'est renseigné auprès de ses collègues et s'attendait à trouver la rivière en crue. Peut-être pas à ce point-là, mais il a emprunté un 4×4 en conséquence.

— On peut passer.

— Je ne crois pas.

— La voiture est haute et le moteur est puissant.

— Quoi, vous voulez passer en force ?

— Non. On passe en première, les quatre roues motrices enclenchées, en biais contre le courant. Nous aurons de l'eau jusqu'à mi-portières, mais les prises d'air du moteur sont en hauteur. Nous pouvons passer.

— Je préfère que nous attendions l'arrivée d'un autre véhicule, au cas où, dit Soulniz sans quitter des yeux les eaux qui défilent devant eux.

— Il n'y en aura pas. Il est encore tôt, mais dans une heure le courant sera plus fort et la rivière plus large. Une voiture de patrouille va sûrement barrer la route plus haut pour décourager les imprudents.

— Et dans l'autre sens ?

— Je pense qu'ils vont dévier le trafic vers la 905. Nous ne verrons personne dans ce sens-là non plus.

Soulniz regarde ce paysage de désolation tout autour de lui. Ce pays qu'il sait être si beau devient soudain hostile. L'eau, un danger froid et fourbe à l'affût du moindre faux pas. Le désert tout autour, un complice immobile et voyeur. Et le ciel au-dessus d'eux recommence à rassembler des nuages comme une meute prête à pousser la rivière au crime. Il ne se sent vraiment pas d'y aller, mais Kornélius semble confiant.

– Nous avons notre chance, dit-il en hochant la tête.

– Ce n'est pas d'une chance que j'ai besoin, s'offusque Soulniz, c'est d'une certitude.

– Quoi, vous croyez vraiment que ce pays est un pays de certitudes ? Une île à cheval sur deux plaques tectoniques. Cent trente volcans dont au moins trente systèmes actifs. Certains sous le plus grand glacier d'Europe. Vingt-cinq mille tremblements de terre par an. À quelle certitude voulez-vous vous raccrocher ?

Soulniz ne répond pas. Il regarde Kornélius remonter dans le 4×4, soupire pour se vider de tout espoir de le convaincre et le rejoint dans la voiture.

– Remontez votre vitre, dit le flic.

– Ce n'est pas plus pratique pour surveiller la hauteur de l'eau ?

– Vitres closes, on flotte mieux et plus longtemps si le courant nous emporte.

Mais quand Kornélius met le contact, un choc secoue le véhicule qui s'affaisse côté passager.

– C'était quoi, ça ? s'inquiète Soulniz.

Sans répondre, Kornélius le plaque sur son siège avec violence et se couche sur lui.

– On nous tire dessus.

– Quoi ? Mais qui ?

– Votre ami, je suppose, qui d'autre ?

Ils restent un long moment immobiles à attendre un autre coup de feu qui ne vient pas.

– Ne bougez surtout pas, dit Kornélius.

– Qu'allez-vous faire ?

– Je sors, mais pas vous.

– N'y allez pas, Kornélius, si c'est lui, ce type est un fou furieux.

– Et qui voulez-vous que ce soit d'autre ? Vous pensez que nous sommes un pays de bandits de grands chemins où des voleurs embusqués détroussent les voyageurs imprudents ? Il n'y a pas d'assassins chez nous. Deux homicides par an en moyenne, et le plus souvent des crimes domestiques ou familiaux. Il n'y a aucune raison pour que ce tireur soit islandais. Restez allongé à l'intérieur, je crois comprendre ce qu'il se passe.

– Vous êtes armé, au moins ?

– Non. À part quelques hommes des forces d'intervention, les policiers de ce pays ne sont pas armés.

– Connerie ! siffle Soulniz entre ses dents.

– Ne bougez pas sans que je vous le dise !

Kornélius cherche la poignée à tâtons, ouvre la portière de son côté et attend. Puis il se glisse à l'extérieur, accroupi derrière la tôle, et attend encore. Il hésite, longtemps, puis lève les mains et se relève doucement. Personne de l'autre côté de la rivière qui enfle et se gonfle de remous. Seulement le désert de lave et la piste qui file entre des rochers fondus.

– Je crois que vous pouvez descendre à votre tour, murmure Kornélius en inspectant des yeux chaque cache dans laquelle aurait pu s'embusquer le tireur.

– Vous êtes sûr ? s'inquiète Soulniz.

– Il ne m'a pas descendu, constate Kornélius.

– Peut-être parce que c'est à moi qu'il en veut.

– S'il avait voulu vous descendre, il avait largement le temps de le faire quand nous étions hors du véhicule, debout et immobiles, à supputer nos chances d'atteindre l'autre berge. Ou de le faire à travers le pare-brise quand nous étions sur le point de démarrer, prisonniers dans l'habitacle.

– C'est de la psychologie de scène de crime qui m'échappe un peu, commente Soulniz. Il reste qu'un homme armé et qui vient de nous tirer dessus est tapi quelque part en face et nous garde dans sa ligne de mire.

– Flic, c'est un métier, explique Kornélius. Ce type ne nous a pas descendus alors qu'il pouvait le faire. Et que fait-il à la place ? Il tire dans un pneu. Vous ne vous demandez pas pourquoi ?

– Vous m'excuserez, Kornélius, mais ma curiosité intellectuelle est inversement proportionnelle à la vitesse d'une balle de fusil.

– Parce qu'il voulait juste nous immobiliser.

– Quoi ? s'étonne Soulniz, toujours plaqué sur son siège.

– Oui, son message est clair : faites demi-tour.

– Comment pouvez-vous déduire ça d'un simple coup de feu ?

– Parce que s'il avait voulu nous piéger sur place pour nous descendre ensuite, il aurait crevé un autre pneu. Et même un troisième, probablement, s'il avait pensé que nous avions peut-être une bombe anticrevaison. En n'en crevant qu'un seul, il nous donne la possibilité d'utiliser la roue de secours et de faire demi-tour.

– Mais qu'est-ce qu'il défend ? Que veut-il nous empêcher d'atteindre, l'Askja ? Il va bloquer l'accès à tout un volcan embusqué tout seul avec une arme ?

Kornélius ne répond pas tout de suite. Il est toujours debout, à scruter les rochers, mais quelque chose dans son attitude a changé. Il s'écarte de la voiture et baisse doucement les bras tout en laissant ses mains bien visibles, légèrement écartées.

– C'est nous.

– C'est nous quoi ?

– C'est nous qu'il défend.

– Comment ça ?

– Il nous a empêchés de passer le gué, sans nous empêcher de faire demi-tour. Il ne voulait pas que nous traversions la rivière.

– Pourquoi, il avait peur que nous le pourchassions ?

– Nous ne l'avons pas vu quand nous observions l'autre rive. Nous serions probablement passés à un mètre de lui sans le voir, caché dans les roches.

– Pourquoi alors ?

– Pour nous empêcher de commettre une erreur.

– Quelle erreur ?

– Ce gué est le premier d'une série de deux, et le second est réputé le plus dangereux. Peut-être qu'il sait dans quel état est l'autre rivière et qu'il a voulu nous éviter de rester coincés entre deux crues et de nous mettre en danger.

– Vous pensez vraiment que ce type, qui a kidnappé ma fille, se préoccupe de me sauver la vie ?

– S'il veut continuer à jouer avec vous comme il le fait depuis le début, oui, il a besoin de vous garder vivant.

– L'enfoiré ! lâche Soulniz en se redressant.

Il descend de la voiture à son tour, rejoint Kornélius, et ils attendent en silence côte à côte que l'autre se montre. Après quelques minutes, une silhouette se glisse hors des rochers et leur fait face à vingt mètres de l'autre rive. Quelqu'un qui les observe avec des jumelles. Kornélius prend les siennes dans le compartiment de la portière et fait le point. L'homme est emmitouflé dans un coupe-vent rouge et porte son fusil en bandoulière. De sa capuche resserrée autour de son visage masqué par les jumelles ne dépassent que quelques mèches rebelles de cheveux roux.

– Charlie n'était pas supposé nous devancer dans l'Askja ?

– Si, pourquoi ? s'inquiète Soulniz.

Sans répondre, Kornélius lui tend les jumelles, et il découvre l'homme qui leur a tiré dessus.

– Alors c'est vraiment lui, c'est vraiment Charlie. Quel putain d'enfoiré. Je ne voulais pas y croire mais là... quel enfant de salaud ! murmure-t-il entre ses mâchoires crispées de rage.

Se faire berner par les rires et la bonne bouille de Charlie !

Kornélius ne s'occupe déjà plus de l'homme. Il ouvre le coffre et sort les outils pour changer la roue.

– Quoi, nous allons le faire sous sa surveillance ?

– Je crains qu'il veuille s'assurer que nous fassions bien demi-tour.

– Moi, je suis partisan de réparer, de traverser la rivière en trombe et d'aller lui rouler dessus.

– Mauvaise idée. Il nous voit venir, il nous crève un autre pneu au milieu du gué et nous sommes morts.

Soulniz se résout à aider Kornélius. Ils changent la roue, font demi-tour et repartent vers le nord.

– Et Charlie, s'interroge soudain Soulniz, comment fait-il, c'est lui maintenant qui est coincé entre deux rivières en crue ?

– Je suppose qu'il a le véhicule pour. Il est peut-être aussi équipé pour attendre demain matin. Les rivières sont souvent à leur plus bas à l'aube. De toute façon, nous savons maintenant à qui nous avons affaire.

– Vous allez pouvoir mettre vos services dessus maintenant, n'est-ce pas ?

– Je ne suis pas sûr. Charlie s'est montré plutôt malin jusqu'ici et surveille nos moindres gestes. Sans compter que nous n'avons toujours pas localisé Rebecca. Ce serait prendre un grand risque. Je propose que nous continuions à jouer son jeu.

– Pardonnez-moi, mais c'est une stratégie imbécile, il nous balade depuis le début et nous sommes complètement à la ramasse.

– Faux, nous progressons. Nous avons compris qu'il ne nous suivait pas mais qu'il nous précédait, qu'il connaissait à l'avance votre itinéraire, et surtout nous savons maintenant qui il est. De chasseur, il est devenu chassé.

– Un chassé qui se paye le culot de nous tirer dessus pour nous faire faire demi-tour. Il faut des renforts, diffuser son signalement. Je n'ai plus vraiment confiance en vous, Kornélius. Si vous ne le faites pas, je le ferai, moi !

– Vous ne réfléchissez donc jamais ? S'il nous a fait faire demi-tour, c'est pour être sûr que rien ne nous empêchera d'être à la prochaine étape. C'est là qu'il veut que vous soyez demain. C'est ça le sens de son geste. Ce type veut vous emmener quelque part, et ce quelque part c'est là où est Rebecca !

– Raison de plus pour en finir. Envoyez des hommes à chaque étape que nous avions prévue. C'est un pays minuscule. Un étranger rouquin, ça se remarque.

– Et puis quoi, le faire paniquer, le piéger, prendre le risque de l'affoler ? Pour l'instant, il pense maîtriser le jeu et c'est notre principal atout. Il croit mener la danse et c'est tant mieux. Ne l'acculons pas au pire.

Soulniz réfléchit aux paroles de Kornélius, pioche un *salmiak* dans le sachet et répond, le visage tourné vers le paysage qui défile :

– Vous oubliez juste une chose. Dans l'appartement de Húsavík, nous avons expliqué à Charlie notre tactique. Il sait ce que nous allons faire.

– Tant mieux. Qu'il se croie supérieur à nous, qu'il pense avoir toujours un coup d'avance. Ce qu'il ne sait pas, par contre, c'est que nous savons maintenant que c'est lui.

– Il se doute sûrement que nous l'avons reconnu.

– Non. Il s'est montré le visage caché par les jumelles et la capuche de son coupe-vent. S'il pensait que nous l'avions reconnu, il nous aurait provoqués à visage découvert. Nous allons l'avoir. Vous et moi. Pour vous rassurer, j'appellerai des renforts dès que nous l'aurons localisé et que nous serons certains que Rebecca est hors de danger.

– Vous avez peut-être raison, finit par admettre Soulniz. Alors, allons à la prochaine étape.

– Non, justement, surtout pas !

# 46

# Akureyri

*... comme le ferait une fiancée.*

L'avion atterrit dans le contre-jour d'un miroir. Une piste construite à fleur d'eau, comme un ponton, sur une lagune au fond du fjord d'Akureyri. Derrière les baies vitrées, Kornélius regarde le Fokker se poser contre le vent, sous une pluie grise et fine qui se plaque soudain en bourrasque contre les vitres. L'engin freine et soulève des trombes d'embruns comme de la fumée liquide. Puis, dompté et assagi en bout de piste, il fait demi-tour et revient sagement rejoindre le tarmac. Les passagers débarquent par une passerelle qu'un employé encapuchonné retient pour résister aux rafales.

Il est venu attendre Ida, et c'est Botty qui descend la première. Suivie par Ida qui, de toute évidence, garde ses distances. Le soleil qui perce les nuages et irise un furtif arc-en-ciel ne suffit pas à apaiser son trouble. Derrière Ida apparaît une autre femme qu'il connaît aussi, puis une autre, et une autre encore, et son désarroi devient une panique.

– Nous avons croisé ton fan-club dans l'avion, sourit Botty en le rejoignant sans l'embrasser.

Ida les dépasse sans un mot pour Kornélius qui regarde, inquiet, s'approcher les autres femmes.

– Mais que faites-vous là ?

– Quoi, tu as oublié le concert ?

– Le concert ?

– Il a oublié ! soupire Isgerdur, la maîtresse de chorale.

Le concert ! La chorale ! La représentation exceptionnelle au Hof de Hakureyri. Le *krummavisur* en solo. Il a complètement oublié !

– C'est demain, et vu que tu as manqué toutes les répétitions, tu as intérêt à être là pour la générale.

– C'est que nous avons deux ou trois petites choses plus importantes à régler que la répétition d'une vieille rengaine moyenâgeuse, intervient Botty.

– Il n'y a pas plus important que la survie du passé culturel de l'Islande, répond d'un air pincé la cheffe de chœur.

– La mort d'une jeune Islandaise contemporaine peut-être, hasarde Botty, moqueuse.

– Quoi, tu es là pour la fille du glacier ? s'étonne Kornélius.

– Au départ, oui, mais en cours de route on nous a aussi affectés au touriste fracassé dans le cratère du Viti.

– Nous, qui ça, nous ? Toi et moi ?

– Non, Ida et moi.

Kornélius se retourne et cherche Ida des yeux sans la trouver.

– Où est-elle passée ?

– Je pense qu'elle est partie pour le glacier.

– Quoi, déjà, toute seule ?

– Elle ne m'aime vraiment pas, tu sais.

Il tend la main pour prendre son sac, mais elle refuse et passe devant lui.

– La galanterie n'est qu'un reliquat de la culture machiste du genre masculin dominant. Surtout de la part d'un polygame !

– Hé, je ne suis marié avec personne ! se défend Kornélius en lui emboîtant le pas.

– Je sais, réponds Botty en souriant, moi c'était une aventure confiture, et elle, c'est une aventure qui dure.

– Confiture ?

– Oui, le temps d'un petit-déj'. Même café, mais pas la même mouture !

Kornélius refuse de comprendre et la suit en secouant la tête quand un homme l'aborde.

– Inspecteur, excusez-moi, alors c'est vrai, c'est bien vous qui chantez le *krummavísur* en solo demain ?

– Excusez-moi, bougonne Kornélius qui n'a vraiment pas la tête à ça. Je suis pressé, une enquête urgente…

– Je comprends, je comprends, dit l'homme en l'accompagnant. Je voulais juste vous dire que j'en serai. Je serai dans la salle, bien entendu. Je ne manquerais ça pour rien au monde. Je me demandais juste si après le concert nous pourrions échanger quelques mots. Partager une bière peut-être. Je suis un passionné de nos légendes islandaises…

Kornélius ne lâche pas Botty d'un pas tout en continuant à chercher Ida des yeux.

– Oui, écoutez, on verra ça plus tard, d'accord ? On se voit plus tard, je dois vraiment y aller…

L'homme prend ça pour une acceptation et le remercie chaleureusement, puis arrête de le suivre et le regarde partir, un sourire radieux et satisfait sur son visage buriné.

– Kornélius ?

Il se retourne vers la maîtresse de chorale qui l'interpelle de loin au milieu de la garde rapprochée de ses choristes.

– Quand tu auras fini avec tes morts, n'oublie pas tes promesses aux vivants. Si tu n'es pas à la répétition cet après-midi, je supprime le *krummavísur* du répertoire.

– Vieille fille et dominatrice, ça doit faire une sacrée pause café, ça, non ? se moque Botty.

Kornélius ne répond pas. Il la prend par le bras et l'entraîne vers la sortie. Une fois hors de l'aéroport, Ida n'est plus là.

– Elle est partie ?

– Oui, une voiture de la police locale nous attendait.

– « Nous », et elle est partie seule ? Alors comment fait-on ?

– Tu as ta voiture de collection, je suppose ?

– Pas ici. J'ai loué un 4×4 pour rejoindre le Français à Mývatn. Nous avions prévu d'aller dans l'Askja. Pas une piste pour ma Saab.

– Dommage, j'aurais mieux aimé ta voiture de vieux beau.

– Tu sais ce que c'est qu'une voiture de vieux beau ? C'est la voiture dont un pauvre type a eu envie toute sa vie et qu'il n'a réussi à se payer que quand il était déjà vieux. Ça se respecte.

– Tu parles, ça fait trente ans que tu as ce coupé Saab. Tu te l'es payé quand tu étais encore un jeune con, pas quand tu es devenu un vieux beau, dit-elle en le prenant par le bras, tout sourire, comme le ferait une fiancée.

# 47

# Húsavík

*… rouge en plastique.*

– Tu ne l'as pas redescendue ? s'étonne Kornélius.

– Je ne voulais pas polluer votre scène de crime, répond Ida en ignorant Botty qui sourit en silence. C'est vous les enquêteurs, je vous la laisse pour vos premières constatations.

– Et on peut connaître les tiennes ? demande Botty avant que Kornélius ait le temps de déployer un rideau antimissile.

– Mort par hypothermie, le corps brûlé sous ses vêtements, répond Ida en s'adressant à Kornélius.

– Pardon ?

– Ida, je t'en prie…

– Mort par hypothermie, le corps brûlé sous ses vêtements. Je suis légiste, je sais ce que je dis.

– Tu veux dire que…

– Qu'elle est morte par hypothermie, le corps brûlé sous ses vêtements, je viens de te le dire.

– Et qu'est-ce que tu en conclus ?

– Qu'elle est morte par hypothermie, le corps brûlé sous ses vêtements. Maintenant, vous en concluez ce que vous voulez, moi j'ai fait mon job et je retourne à Akureyri.

Elle s'éloigne pour regagner son 4×4 où l'attend un chauffeur de la police locale. Ils sont isolés sur un massif raboté par le temps et les vents et tapissé de neige à l'ouest du fjord. Le paysage est magnifique, sous un ciel d'une pureté étonnante maintenant. L'air est si limpide et clair que les lignes de crête semblent découpées au scalpel.

D'un haussement de sourcils, Kornélius fait signe à Botty de l'attendre sans rien dire qui pourrait envenimer les choses et court rattraper Ida.

— Attends, ne fais pas ta tête, après tout ce chemin que nous venons de faire…

— Fallait prendre un hélico, lâche Ida.

— Merde, arrête un peu ça, s'il te plaît. On parle d'une morte là.

— Je sais qu'on parle d'une morte. Je me suis coltiné la balade jusque là-haut, figure-toi. Une heure de marche. Et j'ai même balisé le terrain pour que vous ne vous égariez pas au cas où vous auriez la tête à autre chose. Tu trouveras cette pauvre fille entre les séracs d'un petit glacier. J'ai demandé qu'on la sorte de la faille, mais j'ai pris des photos qui seront au dossier. J'ai laissé deux hommes là-haut avec une civière pour la redescendre quand vous en aurez fini.

Elle parle sèchement, même si elle veut donner à son discours le ton détaché d'une technicienne au rapport. Le chagrin qu'elle retient blesse Kornélius qui ne sait pas quoi dire. Alors, il reste sur le même registre.

— Et ces histoires de brûlures ?

— Elle en a plein le corps. La réaction très particulière d'un épiderme en hypothermie qu'on réchauffe trop vite. Comme si, gelée, elle avait été aspergée d'eau bouillante.

— *Post mortem ?*

— Non. *Ante.*

— Autre chose ?

– Oui. À confirmer à cause de la rigidité du corps, mais probablement une épaule déboîtée.

– Conséquence de la chute dans la crevasse.

– Probablement pas. Plus par élongation que par choc. Et des traces suspectes autour des poignets. Sans doute des liens.

– D'accord, donc, si je te comprends bien, nous sommes plus dans la configuration d'un acte criminel après torture ou maltraitance que dans celle d'un accident.

– C'est ma conclusion.

– Et à quoi on suspend quelqu'un sur le vieux glacier d'une montagne chauve ?

– Et où trouve-t-on de l'eau chaude sur un glacier ?

– Donc, nous ne sommes pas sur la scène de crime principale.

– Non, on a transporté cette pauvre fille ici, mais il n'est pas impossible qu'elle ait été encore vivante quand on l'a balancée dans la crevasse.

– Tu vois…, dit Kornélius en lui prenant la main.

– Je vois quoi ? se défend-elle en la retirant brusquement.

– Que nous travaillons toujours bien ensemble.

– Oui, c'est ça, travaillons, tu as raison.

Elle monte dans la voiture et fait signe au chauffeur de démarrer mais Kornélius l'arrête.

– Tu vois autour de nous ?

– Quoi ? s'impatiente Ida.

Il lui montre d'un geste panoramique le paysage raboté par le temps, aplani par les vents, dégauchi par le lourd rabot des glaces. Un monde oublié, d'une infinie solitude.

– Qui nous a alertés, qui a découvert le corps dans ce désert en altitude ?

– Un gamin. Un gamin avec un drone. Un gosse passionné de glaciers qui s'entraînait à piloter son engin avant d'aller sur-

voler le Vatnajökull. Il est là-haut, avec les hommes que je t'ai…
que je vous ai laissés.

— D'accord. Rien d'autre ?

— Si. Elle est nue sous une sorte de combinaison de ski.

— Nue ?

— Oui, complètement. Pas de sous-vêtements. Rien.

— Qu'est-ce que ça veut dire ?

— C'est vous les flics, c'est votre boulot. Ah si, encore un truc.
Dans la crevasse, on a trouvé ça. Je l'ai récupéré pour ne pas
que ça se perde, mais j'ai fait des photos sur place. Je ne sais
pas si c'était à elle ou si c'était déjà dans la glace.

Ida sort de sa poche un sachet transparent et le lui tend par
la vitre. Puis, sur son ordre, le chauffeur démarre et elle n'a pas
le temps de voir la stupeur sur le visage de Kornélius.

— Par l'Enfer ! souffle-t-il.

Dans le rétroviseur, elle le regarde remonter la pente raide et
dépasser Botty qui ne comprend pas puis lui emboîte le pas.
Intriguée, elle hésite une seconde à faire arrêter la voiture pour
les rejoindre, mais son ressentiment est trop fort. Elle ne comprend vraiment pas pourquoi il se met dans un tel état pour un
simple nez rouge en plastique.

# 48

# Akureyri

*... nous avons beaucoup parlé de toi !*

— Soulniz ?

— Kornélius, vous avez des nouvelles ?

— Soulniz, il faut que je vous parle, où êtes-vous ?

— Où voulez-vous que je sois, à Mývatn évidemment, là où vous m'avez dit d'attendre en revenant de l'Askja. Alors, vous avez des nouvelles ?

— Anita est morte.

— ...

— Soulniz ?

— C'est lui ?

— Non. Je pense que ce sont les Lituaniens. Ils courent toujours après leur drogue.

— Si vous êtes sûr qu'ils ont tué Anita, alors vous allez pouvoir les coffrer, non ?

— Ce n'est pas si simple, Soulniz.

— Comment ça, ce n'est pas si simple ?

— Écoutez, il faut que je vous parle des Lituaniens et de la drogue. Et de moi.

— Et de vous ? Que voulez-vous dire ? s'inquiète aussitôt Soulniz. C'est quoi le rapport ?

– Pas au téléphone, Soulniz. Remontez à Akureyri que je vous explique tout ça calmement.

– Calmement ? Qu'est-ce que…

– Akureyri, Soulniz. Au Hof, le centre culturel, j'y suis pour les répétitions du concert. Vous me demanderez à l'accueil.

– Putain, ne me dites pas que vous répétez votre foutu concert pendant que…

Kornélius raccroche et Soulniz reste le geste suspendu, entre rage et stupeur. Puis il rassemble ses affaires, jette le tout à l'arrière de la voiture et démarre en trombe pour Akureyri où il arrive une heure et demie plus tard.

Le Hof est une citadelle circulaire de verre dans un cerclage ajouré de béton brut, posée sur un îlot artificiel dans un recoin de la lagune. Un rempart contre les éléments extérieurs. Soulniz demande après Kornélius à l'accueil et une hôtesse en chandail traditionnel l'accompagne jusqu'à une vaste salle de spectacle tout en velours brun et bois blond. Depuis la scène, Kornélius l'aperçoit et descend à sa rencontre. Comme il le rejoint, la chorale attaque une version viking a cappella de *Happy* de Pharrell Williams et Kornélius l'invite d'un geste à prendre place dans un des fauteuils de la salle vide.

– Merci d'être venu aussi vite.

– Comme si vous m'aviez laissé le choix.

– Je suis coincé ici par la répétition et le concert de demain.

– Vous êtes flic ou saltimbanque ?

– Il se trouve que j'essaye d'être les deux.

– Eh bien moi je me fous du saltimbanque et j'aimerais que le flic se bouge un peu plus.

– Je me bouge, Soulniz, je me bouge, vous pouvez me croire.

– Qu'est-il arrivé à Anita ?

– Je pense que les Lituaniens ont cherché à lui faire dire ce qu'elle savait sur la cocaïne.

— Et qu'est-ce qu'elle était supposée savoir ?

— Je n'en sais rien. Autant que nous, je suppose. Que Galdur l'a volée et que Beckie l'a planquée.

— Ils cherchent toujours à savoir où est Beckie ?

— Ça se pourrait, mais Anita n'a rien pu leur dire, puisqu'elle-même ne savait pas où est votre fille.

— Écoutez, foutez-les tous au trou, que nous puissions chercher Beckie sans avoir à nous inquiéter d'eux.

— Je ne peux pas, Soulniz.

— Pourquoi pas, si vous êtes convaincu qu'ils sont les assassins d'Anita.

— …

— Kornélius ?

— Parce que, d'une certaine façon, sans vraiment travailler pour eux, je suis lié aux Lituaniens.

— Quoi ?

Il crie si fort que sur la scène la chorale déraille.

— Quoi, reprend-il à voix basse, vous travaillez pour les Lituaniens, vous êtes un flic ripou ! Putain, et moi qui vous fais confiance depuis le début. Je comprends maintenant pourquoi vous teniez à vous occuper tout seul de cette affaire sans alerter la police locale ! Mais c'est fini, Kornélius, je vais de ce pas voir les flics d'ici et je leur déballe tout !

— Ne faites pas ça

— Je vais me gêner !

— Ne faites pas ça, répète Kornélius en le retenant par la manche pour l'empêcher de se lever.

— Lâchez-moi ! ordonne Soulniz en criant.

Alors Kornélius le sèche d'un court crochet au menton et Soulniz s'écroule entre les sièges.

— Kornélius ! hurle depuis l'estrade la cheffe de chorale hystérique dont les troupes se contractent comme une méduse mordue par un thon. Tu vas régler tes problèmes de flic hors de cette salle. Immédiatement !

Kornélius enfouit son visage dans ses mains et inspire profondément pour évacuer toutes les mauvaises ondes qui spiralent autour de lui, puis redresse Soulniz d'une main, jette son corps inanimé sur son épaule et sort pendant que la chorale entame un Bobby McFerrin façon « Doo Wop » à la nordique.

*Don't worry, be happy !*

Dans les couloirs, il croise plusieurs personnes qui n'osent rien dire, puis entre dans une autre salle, plus petite, déserte, et dépose Soulniz dans un fauteuil. Le Français revient déjà doucement à lui.

— Je n'y crois pas, bredouille Soulniz en se massant la mâchoire, vous m'avez sonné, ma parole !

— Vous m'y avez obligé. Vous vous énerviez sans me laisser le temps de m'expliquer.

— Je ne me souviens même plus de ce que je disais.

— Que j'étais un flic corrompu.

— Ah oui, c'est vrai, c'est ça. Un ripou.

— Bon, alors écoutez-moi maintenant.

Et il raconte à Soulniz son deal avec Simonis. La coke en échange de sa dette.

— Mais quel con je suis ! Depuis le début je mets le destin de ma fille entre vos mains et vous n'êtes rien qu'un flic pourri ?

— Je ne suis pas un pourri, s'énerve Kornélius à son tour, c'est juste un deal, un seul. Je lui ramène la drogue et c'est tout. Même pas le voleur !

— Ah oui ? Allez raconter ça à Nez-Rouge alors, ça la fera peut-être rire une dernière fois dans son petit casier réfrigéré à la morgue !

– Simonis n'a pas respecté notre accord et je vais m'occuper de lui, mais pas avant d'avoir récupéré la coke, et pas seulement pour ma dette. Derrière le Lituanien, il y a des commanditaires beaucoup plus féroces. Donc, il faut mettre la main sur cette coke au plus vite, et comme la seule personne à savoir où elle est, c'est votre fille, ça devrait plutôt vous rassurer. Parce que ça veut dire que j'ai toutes les raisons du monde de la retrouver moi aussi, et le plus vite possible, vous pouvez me croire.

– Justement, vous croire devient de plus en plus difficile. Vous m'avez menti avec le coup de la voiture rouge, vous m'avez menti sur la cocaïne, qu'est-ce que vous me cachez d'autre encore ?

Kornélius le regarde longtemps avant de répondre par une question :

– Et vous, Soulniz, qu'est-ce que vous me cachez ?

– Moi ?

– Oui, j'avais trop la tête ailleurs pour avoir les idées claires avec cette histoire de cocaïne et quelques affaires plus intimes, mais ça devient plutôt évident maintenant. Charlie, si c'est bien lui, vous pourrit la vie pour quelque chose qui s'est passé à l'époque. Que s'est-il passé à Heimaey ?

– Je vous l'ai déjà raconté. Le volcan, les volontaires, je vous ai tout dit.

– Et la fille, Abbie ?

– Abbie ? Quoi Abbie ?

– Elle est morte sur l'île à l'époque, non ? Vous ne m'avez pas dit qu'un certain Jeff l'avait tuée ?

– Jeff n'a pas tué Abbie. Abbie est morte par accident.

– Racontez quand même…

Soulniz lui raconte alors cette nuit-là. Les volontaires, au pied de l'école qui leur servait de dortoir. Le vin d'herbe que Jeff avait trouvé dans une cave et qui coule à flots. Beaucoup sont ivres. Soulniz aussi. L'éruption est officiellement terminée depuis plus d'un mois maintenant. L'île va être à nouveau ouverte aux touristes, les habitants vont revenir s'occuper de leurs maisons, et la brigade des volontaires va être dissoute. Les cœurs s'épanchent, la nostalgie feutre les voix. Abbie écoute la tristesse se glisser entre leurs silences. Elle reste un peu à l'écart. Elle l'a toujours été. Elle n'est pas des leurs. À voix basse, elle demande à Soulniz de la raccompagner à la maison. La maison que les autres ont aménagée pour eux et que demain ses propriétaires vont regagner. Une dernière nuit, dit-elle, mais Soulniz n'est pas pressé de quitter ceux qui vont bientôt se disperser à travers le monde. Abbie insiste. Soulniz fait la sourde oreille. Jeff s'en amuse. Lui veut bien la ramener à la maison. Si Soulniz ne veut pas, lui veut bien. Et dans un éclat de rire, il prend Abbie dans ses bras et la dépose dans le godet d'un Bobcat. Tout le monde éclate de rire, même Abbie, qui essaye d'en sortir, mais avant qu'elle n'y parvienne, Jeff saute aux commandes et fait démarrer le petit bulldozer sous les vivats. Il a actionné les vérins et soulevé le godet. Abbie est à deux mètres du sol et risque de se faire écraser si elle saute. Soulniz s'en amuse d'abord, puis s'en inquiète et finit par courir après l'engin qui remonte la rue déserte. Les autres l'encouragent, puis partagent une autre bouteille et les oublient pour parler d'autre chose. Cent mètres plus loin, c'est déjà le bout du village et la lande échevelée d'herbes hautes dans la nuit. Le Bobcat avance en trouant l'obscurité du faisceau de son projecteur. Soulniz panique. Ils ont dépassé la maison. De l'autre côté du repli devant eux, c'est déjà le haut d'une falaise au-dessus de l'océan.

– Je les suivais d'assez loin. J'ai vu l'engin disparaître de l'autre côté du remblai puis le faisceau pointer vers le ciel et sombrer. Alors j'ai couru jusqu'au sommet de la côte et j'ai aperçu la tache blanche du Bobcat couché dans l'herbe, à quelques mètres à peine du vide. Jeff avait dû prendre le dévers de travers. Avec le centre de gravité déséquilibré par le godet en hauteur, l'engin a versé et glissé en creusant dans l'herbe une longue traînée de terre. Je me suis précipité pour chercher Abbie. J'ai hurlé son nom dans le fracas qui montait de l'océan. Je ne l'ai pas vue. Ni Jeff. Puis la lune a déchiré les nuages et j'ai aperçu Jeff à un mètre du bord de la falaise. Je me suis couché dans l'herbe, j'ai rampé jusqu'au vide et, dans les gerbes fluorescentes de l'écume, en bas, j'ai deviné le corps d'Abbie fracassé sur les rochers.

– Qu'avez-vous fait alors ?

– Rien. Je suis resté à plat ventre, hébété, la tête dans le vide, à pleurer, trente mètres au-dessus du corps d'Abbie que chaque vague disloquait un peu plus.

– Et Jeff ?

– Je n'en sais rien. Tout à coup, il y avait du monde autour de moi. Des volontaires. Des autorités de l'île. Je ne comprenais rien de ce qui se disait mais il y avait de la colère dans leurs voix. J'ai entendu mon nom et j'ai pris un coup, puis deux. Des bras m'ont tiré sans ménagement à l'écart pour me protéger. Puis j'ai entendu Jeff répéter son histoire. Qu'il avait arrêté le Bobcat au clair de lune. Qu'il avait rejoint Abbie dans le godet. Qu'ils s'embrassaient. Que j'avais surgi. Que j'étais ivre de jalousie. Que j'avais sauté aux commandes et perdu le contrôle. Que l'engin avait versé et qu'Abbie avait basculé du haut de la falaise avant que lui soit éjecté à son tour et s'assomme en tombant. Il disait que c'était lui qui était allé chercher les secours.

– Et c'est maintenant que vous me racontez ça ?

– Pourquoi, vous croyez vraiment que Jeff est derrière l'enlè-vement de Rebecca ? Quel intérêt y aurait-il ?

– Celui de se venger si sa version est vraie.

– Je vous jure que je dis la vérité. Abbie s'était déjà fracassée en bas de la falaise quand je suis arrivé. Et puis nous sommes convaincus tous les deux que Charlie est notre kidnappeur, non ?

– Oui, lâche Kornélius, sans conviction. Mais ça nous donne ce qui nous manquait.

– C'est-à-dire ?

– C'est-à-dire un mobile.

– Ah oui, et lequel ?

– La vengeance. La vengeance amoureuse de celui qui vous tient pour responsable de la mort d'une belle Anglaise qu'il aimait en secret.

– Vous croyez vraiment que Charlie était amoureux d'Abbie ?

– Lui ou n'importe quelle personne présente ce jour-là.

– Ça n'a pas de sens, murmure Soulniz, quarante ans après !

– La vengeance est une justice sauvage, a dit un philosophe, c'est dire si elle se moque de la prescription.

– Mais pourquoi Rebecca ?

– Vous avez pris une femme qu'il aimait, il prend une femme que vous aimez…

– Nom de Dieu, Kornélius, dans ce cas ça veut dire…

– Oui, je sais, ça signifie qu'il peut vouloir s'en prendre à Rebecca et ça change la donne.

Soulniz s'effondre soudain. Il se tasse dans le fauteuil, une enclume sur les épaules. Il prend la main de Kornélius dans les siennes.

– Vous allez m'aider, n'est-ce pas, vous allez m'aider ?

– Oui, soupire Kornélius, ça va me foutre dedans, c'est sûr, mais je vais vous aider.

Et devant Soulniz, il appelle Botty et lui raconte toute l'histoire : le *Loki*, Galdur, la coke, Simonis, Charlie, Nez-Rouge.

– Je vais avoir besoin de toi sur ce coup-là, Botty, tu me suis ?

– Ça va te coûter cher en café, tu sais !

– Je ne plaisante pas, Botty, il y va de la vie d'une gamine. Tu peux te mettre discrètement sur la piste de ce Charlie ?

Il lui décrit l'individu. Passeport français, la soixantaine, petit, roux, taches de rousseur, les yeux verts, moustache et barbichette grisonnantes.

– Il s'appelle vraiment Charlie Brown ? demande Botty.

Kornélius interroge Soulniz qui confirme que c'est bien un surnom, mais qu'il ne se souvient plus du vrai nom.

– Ça ne serait pas Serge Drouar par hasard ? propose Botty.

De nouveau Kornélius interroge Soulniz qui bondit sur ses pieds.

– Si, effectivement, je m'en souviens maintenant, mais comment sait-elle ça ?

– Comment tu sais ça ? s'étonne Kornélius.

– Parce que j'ai son passeport dans la main et qu'il est devant moi.

– Génial ! s'emporte Kornélius, tu ne le lâches pas et tu me le gardes au frais, Botty.

– Ah, ça, c'est plutôt à ta légiste qu'il faut le demander, les chambres froides, c'est son rayon. Je te la passe.

– Ida est là ?

– C'est plutôt moi qui suis chez elle. Enfin, à la morgue je veux dire.

– Mais qu'est-ce que vous faites toutes les deux à la morgue ?

– Notre boulot, monsieur l'inspecteur, intervient Ida. Tu te souviens, le crâne fracassé dans le cratère du Viti ?

– Non, ne me dis pas que c'est Charlie !

– Si tu tiens à l'appeler comme ça, oui, c'est lui.

– Par l'Enfer, un accident ?

– Ah, pour ça, il faut que je te repasse ta détective privée.

– Botty, accident ou crime ?

– Techniquement, d'après ta légiste, c'est un accident. Une

chute d'une quarantaine de mètres dans une pente raide et caillouteuse.

— Mais ?

— Mais quelques gouttes de sang suspectes tout en haut sur
le rebord du cratère et un témoin qui a vu ton Charlie partir en
voiture vers le cratère depuis le refuge de Drekki avec un passager à bord.

— Et tu as…

— Repéré la voiture, oui, toujours sur le parking sauvage taillé
dans la lave.

— Alors il faudrait…

— … Vérifier les entrées et les sorties du Drekki dans le registre
qu'ils tiennent pour garder une trace de tous les passages, oui,
c'est fait.

— Alors tu devrais…

— … Vérifier les listes d'immatriculation qu'ils dressent eux-
mêmes au cas où des imprudents oublieraient de s'enregistrer,
oui, c'est fait aussi.

— Et… ?

— Et trois voitures sont reparties après l'heure estimée de la
mort de Charlie. Deux familles et un homme seul. Je suppose
que tu veux savoir sous quel nom s'est enregistré l'homme seul.

— Charlie Brown ? tente Kornélius.

— Perdu ! Deuxième chance…

— Botty, je t'en prie !

— Charles « Linus » Schulz. Tu cours après un assassin vita-
miné à l'humour, Kornélius. J'ai fait les recherches qui s'imposent
sur l'immatriculation de son véhicule : Nissan Pathfinder bronze
louée à Akureyri, retour prévu à l'aéroport de Keflavík dans cinq
jours. Apparemment sous un faux nom. J'ai donné l'ordre de la
repérer sans l'intercepter et de suivre tous ses déplacements – au
cas où.

— D'accord, d'accord, t'es un bon flic, Botty, si c'est ce que tu veux entendre.

— Je préférerais que tu me dises que je suis une bonne amante, mais je prends le compliment quand même. Bon, je te passe quelqu'un qui brûle de te parler, salut...

— Botty, non ! Attends... Ida ? Euh, bon, alors rien de plus sur le cadavre ?

— Non, il est toujours mort. Et toi, tu vas bien ?

— Moi, oui, pourquoi ?

— Pas d'otite, pas de vertiges de Ménière, rien aux oreilles ?

— ...

— Pas d'acouphènes ?

— Mais pourquoi tu me demandes ça, Ida ?

— Parce que quand quelqu'un parle de toi dans ton dos, on dit que tu as les oreilles qui sifflent. Du mal quand c'est l'oreille droite, du bien quand c'est l'oreille gauche.

— Mais pourquoi tu ?...

— Parce que Botty et moi, nous avons beaucoup parlé de toi !

# 49

## Maison du Père Noël

*… et démarre sans attendre.*

C'est une petite maison dans un petit jardin le long d'une petite route. Une maison de bois rouge avec d'énormes faux bonbons anglais et des sucres d'orge en bois peint collés sur le toit. Les gouttières sont décorées de fausses stalactites en contre-plaqué blanc. Une cheminée en fausses pierres meulières et une petite tour crénelée complètent le décor un peu kitsch de cette maison du Père Noël, à quelques minutes au sud d'Akureyri en bordure d'une rivière. Ida se reproche toujours de céder à la tentation chaque fois qu'elle vient dans le Nord. C'est un piège à touristes qu'elle devrait savoir éviter, mais elle ne peut résister aux décorations et aux friandises. Des dizaines de variétés de bonbons vendus en vrac dans de grands sacs, et des centaines de boules de Noël. Chaque fois, elle repart avec un kilo de sucreries qui n'atteignent jamais le mois de décembre, et quelques boules fragiles et gracieuses qu'elle choisit comme si elle avait toujours six ans. Mais cette année, une émotion particulière a guidé son choix. Si elle a pris une boule en verre transparent irisé de reflets mordorés pour elle, elle en a aussi choisi deux autres. Une pour Kornélius et une pour Botty.

– Connaissez-vous Harlan Coben ? lui demande l'homme sur le parking.

– Pardon ?

– Harlan Coben, l'auteur de polars, le connaissez-vous ?

L'homme est petit, brun, plutôt maigre. Un mètre soixante-cinq, soixante-dix kilos, évalue Ida qui retrouve ses réflexes professionnels. Discrètement élégant. Trop déjà pour être islandais. Balte peut-être.

– Coben a dit : « Le monde n'est ni joyeux ni cruel, il est simplement aléatoire. »

– Ça frôle l'aphorisme, répond-elle en passant devant lui.

– Appliqué à un véhicule, cela s'appelle les aléas de la crevaison.

Ida s'arrête et regarde sa voiture. Le pneu avant droit est crevé.

– L'arrière gauche aussi, dit l'homme comme s'il s'excusait. Un président français a dit : « Les emmerdes, ça vole souvent en escadrille ! »

– *Toujours*. Jacques Chirac a dit que les emmerdes volaient *toujours* en escadrille, rectifie Ida.

– Vous connaissez Jacques Chirac ? Décidément, l'effet Coupe du monde m'étonnera toujours. Est-ce que je peux faire quelque chose pour vous, vous déposer quelque part ? Vous n'avez qu'une seule roue de secours, je suppose.

– Plutôt perspicace pour un bonimenteur.

– Et pas de bombe anticrevaison, n'est-ce pas ? Je vous amène à une station-service et je vous ramène ici, si vous voulez.

– Non merci, je vais téléphoner à un ami.

– Si vous pensez à Kornélius, vous pouvez l'oublier.

Ida se raidit soudain et fixe l'homme dont le regard a changé. La condescendance a laissé place à une froide dureté qui ne la trompe pas. Cet homme est mauvais et il n'est pas seul. De son SUV BMW aux vitres teintées sortent deux acolytes à la mine bien moins avenante que celle de leur patron. Ida fait un pas en arrière, mais l'homme sort une arme.

– Faites bien attention, madame la légiste, il est parfois plus facile de mourir que d'obéir, et c'est une femme qui a dit ça. C'était il y a quelques siècles déjà, mais ça reste si vrai ! Je vous en prie, suivez mes hommes et montez dans cette voiture.

– Que me voulez-vous ?

– À vous, rien. À votre amant, qu'il respecte sa parole.

– Une parole, envers vous ? Vous ne semblez pas homme à en avoir !

– Je vous en prie, n'abusez pas de ma patience. Je ne vous tuerai pas, mais je pourrais vous abîmer.

– Si vous me forcez, je crie.

– Si vous criez, je vous troue le genou.

Ida hésite, puis suit les deux sbires. L'un l'accompagne sur la banquette arrière, l'autre se met au volant et démarre sans attendre.

# 50

# Akureyri

*Celui de Soulniz !*

La salle se remplit dans un brouhaha feutré. Avec vingt mille habitants, Akureyri est la capitale du Nord. Elle s'applique à offrir à ses concitoyens autant d'événements culturels qu'elle le peut. Même une chorale au répertoire hétéroclite. Depuis les coulisses, Kornélius regarde le public s'installer. Il ne ressent aucun trac sur scène, jamais. La maîtresse de chorale lui a rapporté un jour le bon mot d'une diva française à une débutante un peu trop sûre d'elle. « Vous verrez, aurait-elle dit, le trac ça vient avec le talent. » Mais Kornélius est conscient de n'avoir ni l'un ni l'autre et s'en satisfait. Son succès ne tient qu'à son organe, et s'il surveille la salle, c'est juste pour le premier rang où il a réservé un des meilleurs sièges pour Ida.

— Elle viendra, le réconforte Botty, nous nous sommes réconciliées, rassure-toi.

— Justement, ce n'est pas fait pour me rassurer.

Ce soir, Isgerdur, la maîtresse de chorale, a décidé de commencer par son *krummavisur* a cappella en solo suivi de « Oh Happy Day » façon *Sister Act*. Kornélius a décidé qu'il chanterait pour Ida, sans la quitter des yeux. Mais maintenant le rang est plein, sauf le fauteuil vide d'Ida, et bientôt les lumières se tamisent dans la salle. C'est alors qu'une silhouette descend l'allée sur le côté, dans la pénombre, et vient prendre la place d'Ida. Quand il la reconnaît, le cœur de Kornélius manque un battement dans sa poitrine. C'est Simonis qui s'installe, à son aise, jambes croisées, le regard fixé sur le rideau d'où il sait qu'il l'observe. Lorsque le rideau s'ouvre sur Kornélius seul en scène, sous les applaudissements réservés d'un public cultivé, Simonis plonge une main dans la poche de son manteau et en sort une balle de plastique rouge qu'il fixe sur son nez.

Le *krummavisur* de Kornélius est d'une force et d'une intensité qui saisissent la salle d'un frisson soudain. Un chant d'une rage sourde, à peine contenue. Une plainte plus qu'une complainte, tellurique, viscérale, qu'il concentre sur un seul homme au premier rang vers lequel convergent bientôt tous les regards. Malgré toute son arrogance, malgré la cruauté et la violence dont il se sait capable, Simonis se sent bientôt écrasé par le chant de Kornélius et oppressé par la tension du public. Il commence par ôter le nez en plastique rouge, essaye de se donner une contenance, change plusieurs fois de position, croise et décroise les jambes, puis cède, se lève et sort sans se retourner par la porte la plus proche. Pendant quelques instants, Kornélius continue à charger son chant de hargne en fixant le fauteuil vide, puis un autre mouvement attire son attention au fond de la salle et il devine Ida, essoufflée, qui vient jusqu'à son fauteuil en s'excusant du regard. Alors le chant de Kornélius explose d'une force lumineuse qui transporte le public que le final dresse dans un tonnerre d'applaudissements. Mais à la surprise générale, d'une voix chaude et maîtrisée cette fois, Kornélius reprend depuis le début la complainte des corbeaux pour ne la chanter, les yeux dans les yeux, que pour Ida, confuse, heureuse, les larmes aux yeux, dans le fauteuil au premier rang.

Plus tard, dans les coulisses, Kornélius s'isole des compliments énamourés d'Isgerdur et des choristes. Il rejoint Ida, qu'entourent déjà Soulniz, Botty et Galdur.

— Que s'est-il passé avec Simonis ?

— Il m'a cueillie sur le parking de la maison du Père Noël et m'a forcée à monter dans sa voiture.

— Il ne t'a fait aucun mal, j'espère.

— Non, il m'a juste fait déposer à vingt kilomètres de la ville pour m'abandonner au milieu de nulle part. Je crois qu'il voulait surtout te faire peur à toi plus qu'à moi.

— Ce salopard a réussi. Quand je l'ai vu avec le nez rouge d'Anita, j'ai vraiment pris ça pour une menace envers toi.

— Il faut nous débarrasser de ce type, intervient Soulniz, il ne faudrait pas qu'il retrouve Rebecca avant nous.

— Ne vous en mêlez surtout pas, Soulniz, ce type est un véritable fulmar.

— Quoi, vous croyez vraiment que c'est le genre d'oiseau à me faire peur ?

— Quand le fulmar se sent en danger, Soulniz, il vous pourrit la vie au sens propre. Il régurgite sur vous une bile huileuse et nauséabonde à l'odeur de poisson décomposé qui s'imprègne partout et dont on ne peut pas se débarrasser. Jamais. Ce qui est touché est à jeter. Définitivement. Alors, avant de l'attaquer, il faut être sûr de ne lui laisser aucune chance de se défendre, et c'est pareil avec le Lituanien. Laissez-moi m'en occuper. Que personne d'autre que moi ne prenne le risque de se pourrir la vie. Et toi, qu'est-ce que tu fais là ? dit Kornélius en se tournant vers Galdur.

— J'en avais marre d'attendre planqué sans rien pouvoir faire, et puis je ne voulais pas manquer le concert. Alors, qu'est-ce qu'on fait pour Beckie ?

Kornélius va pour répondre quand il aperçoit le fêlé des

légendes islandaises qui s'avance vers eux à travers la foule des choristes.

— Ah non, pas lui…, murmure-t-il.

— Qui c'est ? demande Botty.

— Tu ne le reconnais pas ? s'étonne Ida, c'est le pêcheur de la crique où on a retrouvé le corps calciné du gamin du *Loki*, tu ne te souviens pas ?

— Par l'Enfer, je n'avais pas fait le rapport ! s'excuse Kornélius. Il m'a abordé à l'aéroport. Il est venu à Akureyri exprès pour moi et je lui ai plus ou moins promis que nous parlerions folklore et légendes après le concert.

— Eh bien, fais-lui signe de nous rejoindre, il a quand même traversé le pays pour toi, non ?

Kornélius lève la main pour inviter l'homme à s'approcher, mais quand tous se retournent pour l'apercevoir, le visage de l'homme se décompose et il s'enfuit en bousculant Isgerdur dans sa panique.

— Qu'est-ce qui lui prend à votre groupie ?

Kornélius fixe Soulniz mais ne lui répond pas. Parce que ce dont il est sûr, c'est que ce qui a terrorisé le pêcheur, c'est de voir un visage. Celui de Soulniz !

# 51

# Akureyri

*... lequel des deux a la plus grosse !*

Quelqu'un a ouvert du vin de France. Un « Chasse-Spleen »,
dit l'étiquette. Kornélius se laisse glisser dans le *hot pot*
jusqu'aux épaules. L'eau le brûle presque et dénoue ses muscles.
Elle dégage des liserés de vapeur légère sous le ciel moiré du
crépuscule. Ida et Botty sont dans le bain face à lui et il ne
sait pas très bien comment les regarder. Il y a Galdur aussi,
tout sourire. Seul Soulniz reste imperméable à la magie du
moment. Kornélius suppose qu'il ne peut s'empêcher de penser
à Rebecca.

C'est Botty qui en a eu l'idée. Une des maisons de son père
dans ce quartier chic d'Akureyri. Quelques dizaines de résidences
à l'américaine, vastes et basses, de plain-pied le long de la lagune
où se mirent les montagnes encore un peu enneigées de l'autre
rive. Avec ce bain chaud et spacieux sur la pelouse, luxueusement
reconstitué à l'aide de pierres choisies et éclairé de l'intérieur.
Chacun savoure la grâce du moment dans la chaleur de l'eau et
la fraîcheur de la nuit qui s'étoile. C'est ainsi que se font et se
défont les choses dans ce pays. Dehors, en plein air, dans les
bains chauds. C'est là, presque nus dans la chaleur, qu'on parle
de famille, d'affaires ou de politique. C'est comme un café pari-
sien où on vient causer de tout et de rien, régulièrement, toute

sa vie. Kornélius connaît des parents ou des amis qui s'y retrouvent depuis des années, les mêmes jours de la semaine, à la même heure, toujours. L'eau bouillante calme les colères et ramollit les mots trop vifs. Les choses se disent et s'acceptent plus facilement. Il n'a pas souvenir d'une seule dispute dans un *hot pot*. L'idée de Botty était judicieuse. Chacun récupère son propre bien-être, s'affranchit de ses tensions et vide son esprit de tout le superflu qui l'embarrasse. Et maintenant ils sont dans cette eau chaleureuse depuis plus d'une heure, à boire un nectar de vin français et à attendre que Kornélius parle.

– Donc, voilà ce que nous savons à ce jour. Rebecca a disparu à Hvítserkur et ce n'est pas Charlie qui l'a enlevée, ce dont nous avions fini par nous convaincre, même si c'est lui qui s'était amusé à pourrir le début du voyage de Soulniz et Beckie depuis leur départ de Keyfkavík.

– Est-ce que nous sommes certains que Rebecca a été enlevée ? Ne pourrait-on pas retenir aussi l'hypothèse d'une fugue ou d'une mauvaise blague ?

– C'est possible, mais envisageons d'abord la première hypothèse. Si kidnappeur il y a, nous sommes d'accord pour dire qu'il connaissait à l'avance, comme Charlie, l'itinéraire de Soulniz.

– Par les réseaux sociaux et la page Facebook de Rebecca.

– Auxquels tout le monde a pu avoir accès d'une façon ou d'une autre.

– Donc, quelqu'un qui connaissait Soulniz ou Rebecca, et qui avait la motivation et les moyens de préméditer une action.

– Pas quelqu'un de l'âge de Rebecca alors. Plutôt quelqu'un lié à Soulniz. Adulte, avec des moyens matériels importants. Tout coûte cher chez nous, hébergement, location de voiture.

– Nous savons aussi qu'il a une arme, un drone…

– Il faut chercher l'arme. Impossible à passer en fraude, très difficile à importer, compliqué à acheter sur place. Ou sur le marché parallèle. Cherchons dans cette direction.

— Par ailleurs, Soulniz a une histoire avec notre île. Cet accident avec la mort d'une jeune femme à Heimaey en 1973.

— Donc, la possibilité d'une vengeance. Œil pour œil, jeune femme pour jeune femme.

— Dans ce cas, chacun des volontaires de l'époque pourrait être le jaloux belliqueux, mais comment aurait-il su pour le voyage ?

— Charlie nous a donné une piste. Il a dit, à un certain moment, avoir cherché à retrouver des volontaires de l'époque pour l'aider à monter son canular.

— En fait, il a dit qu'il avait lancé des hameçons, mais que personne n'avait mordu. Sauf qu'un ancien aurait pu mordre sans se manifester, histoire de préparer son mauvais coup tout seul de son côté.

— Ça restreint le nombre des volontaires concernés. Quand Charlie et Soulniz parlaient de cette époque, ils ne mentionnaient qu'un petit groupe de cinq ou six personnes. On doit pouvoir les identifier et vérifier si l'un d'entre eux est entré sur le territoire dans les jours qui ont précédé l'arrivée de Soulniz et de Rebecca.

— Sauf que Soulniz ne se souvient pour la plupart d'entre eux que de leur prénom. Mais les recherches restent possibles.

— Donc, un type que Soulniz a connu en 1973 lui en veut d'avoir provoqué la mort d'une jeune femme et enlève sa fille pour se venger…

Chacun réfléchit en silence.

— … et nous sommes revenus à notre point de départ, termine Kornélius.

La nuit est tombée à présent, et le ciel immense est piqué d'étoiles. Une lune orangée s'est glissée au-dessus des montagnes qu'elle souligne de reflets feutrés. Un autre silence s'installe avant que Soulniz parle, le regard perdu dans le clapot de l'eau :

– Pas tout à fait. Je pense que nous avons appris deux ou trois choses importantes.

– Dites-nous...

– La première, c'est que si nous avons cru Charlie coupable, c'est parce que nous avons cru le reconnaître. Dans l'Askja, par exemple. Or nous n'avons aperçu de lui que ses cheveux. Celui qui a enlevé Rebecca est donc roux comme l'était Charlie.

– Sauf hypothèse d'une perruque pour tromper son monde, ça se tient en effet, et ça devrait permettre de resserrer la liste des volontaires de l'époque.

– Autre chose : depuis Hvítserkur, ce type a été présent à Húsavík, à Dettifoss, à Mývatn, dans l'Askja... il n'a pas pu le faire avec Beckie bâillonnée à l'arrière de sa voiture ou ligotée dans le coffre. Je connais Beckie. Elle se serait défoncé le crâne contre l'intérieur du coffre pour signaler sa présence.

– Cela voudrait dire qu'il n'a pas Beckie avec lui quand il se déplace.

– Ce qui veut dire qu'il la séquestre quelque part. Dans un endroit fixe.

– Conclusion : sauf s'il ne fait que des allers-retours de nuit sur les pistes, il lui faut quelqu'un pour la nourrir ou s'occuper d'elle.

– C'est ça. Ce type a très probablement un complice.

– Ce n'est pas aussi évident, intervient Soulniz, il peut aussi l'avoir déjà...

– Non, coupe Kornélius, c'est une hypothèse à laquelle je ne veux même pas penser.

– Et pourquoi pas ? rétorque Soulniz. Vous croyez que je n'y pense pas jour et nuit ?

– Peut-être, mais ses petites mises en scène ont obligatoirement un sens et ça ne va pas dans celui que vous redoutez.

– Kornélius a raison. Il aurait pu pousser Beckie dans les eaux de Dettifoss sous vos yeux s'il avait voulu vous atteindre.

– Et d'un autre côté, pourquoi tout ce cirque s'il s'est déjà débarrassé d'elle ?

– Botty a raison. Je pense que ce type, avec ou sans complice, veut vous amener quelque part pour régler un compte et qu'il garde Beckie pour ça.

– Mais nous savons où c'est, explique Botty. Si tout ça a un rapport avec la fille morte à Heimaey, c'est là-bas qu'il vous attend. Avec Beckie.

– Alors il doit continuer à croire que nous nous sommes pris à son jeu, poursuit Kornélius. Soulniz, vous allez respecter votre itinéraire, et moi je vais prendre de l'avance sur lui, à Heimaey. C'est un petit port, sur une petite île, je devrais pouvoir trouver quelques pistes.

– Vous oubliez qu'il a fait foirer notre dernière étape et que ce soir je suis avec vous dans un *hot pot* à Akureyri au lieu d'être dans un chalet de location quelque part du côté d'Egilsstaðir, sur les rives du Lögurinn.

– Oubliez ce soir, mais demain, il faut que vous soyez là où vous aviez prévu d'être. Lui y sera, j'en suis sûr. Quelles étaient vos étapes prévues après Egilsstaðir ?

– Höfn, Skaftafell, Vík et Heimaey.

Dans l'eau, Botty appuie ses deux pieds contre le pied de Kornélius. Et Ida fait de même sur son autre pied. Elles sont côte à côte, en face de lui, et se sourient. Il ne sait pas comment réagir et boit du vin pour se donner une contenance. Elles lèvent leur verre en silence à sa santé. Ensemble. Personne ne sait à quoi ou à qui rêve Galdur. De coke ou de Beckie. Il a fermé les yeux et sourit aux anges, le nez dans la fraîcheur des étoiles. Et Soulniz à son tour se laisse gagner par la magie de l'instant.

Il s'abandonne à la chaleur de l'eau et du vin comme on s'accorde le repos du guerrier. Pour mieux tuer le lendemain.

— Sinon, Botty, vous en êtes où avec l'affaire de la solfatare ?

— Et toi, tu en es où dans ta course à la cocaïne ?

Ils rient et, pour ne pas répondre, Kornélius propose un autre verre à tout le monde. Quand il sert Soulniz, il se penche vers lui et murmure à son oreille :

— Ce pêcheur, c'est quand il a vu votre tête qu'il a eu si peur. Vous le connaissez ?

— Pas que je me souvienne, mais je ne l'ai vu que de dos. Il avait déjà fait demi-tour quand j'ai compris de qui vous parliez.

— C'est un type étrange qui vit sur la côte, en face des îles Vestmann. Un fou furieux qui pêche à l'ancienne, tout seul, à la rame, avec une traîne d'une centaine d'hameçons derrière sa chaloupe.

— Je ne vois pas. Vous êtes sûr que c'est de moi qu'il a eu peur ? Ça ne serait pas plutôt de vous ?

— Non, nous nous sommes déjà rencontrés. C'est dans sa crique que s'est échoué le corps carbonisé d'un marin sur lequel nous avons enquêté, Ida, Botty et moi. Nous, il nous connaît déjà et il n'a pas manifesté la moindre appréhension à notre égard. D'ailleurs, il voulait même m'inviter à boire une bière après le concert.

— Un marin à voile, peut-être, répond Soulniz sans que Kornélius perçoive l'allusion.

— Je ne comprends pas.

— Une façon chez nous de stigmatiser un homo. On dit qu'il l'est comme un foc, parce que c'est la seule voile à toujours prendre le vent par-derrière…

— C'est plutôt insultant, constate Kornélius.

— Oui, je m'en excuse, c'est vrai. Nous sommes culturellement assez arriérés sur ces questions chez nous.

Botty profite de ce court moment de gêne pour intervenir :

– Ce type, il t'a vraiment invité à prendre une bière après le concert ?

– Oui. Je l'ai croisé à l'aéroport quand je suis venu t'att... enfin, vous attendre. Il y tenait beaucoup. Il a dit qu'il était venu spécialement pour m'entendre chanter le *krummavisur*.

– Il n'a pas dû être déçu. Ton interprétation de ce soir devrait entrer dans la légende, dit Ida.

– C'est justement de légendes qu'il voulait que nous discutions.

Chacun sent que Botty est sur le point de dire quelque chose qu'elle évalue encore dans sa tête avant de l'énoncer.

– Tu te rends compte de ce que tu dis, Kornélius ?

– Quoi ? s'étonne-t-il.

– Un type un peu mystique, qui vit confit dans des traditions à l'ancienne, qui habite une maison de tourbe aux boiseries gravées de runes, souviens-toi, et qui t'invite pour que vous parliez de légendes...

– Et alors ?

– Qui t'invite toi, Kornélius. Toi, un troll de presque deux mètres et cent vingt kilos.

– Là, tu exagères !

– Je t'ai eu sur moi, Kornélius, n'oublie pas. Cent vingt kilos au moins.

– Cent vingt-trois, corrige Ida.

– Ce n'est pas vrai, s'offusque Kornélius.

– Tu te pèses en cachette chez moi, dans la salle de bains, sur mon pèse-personne à mémoire...

– Bref, reprend Botty, tout ça ne te rappelle rien ?

Vexé par ce qui vient de se dire, Kornélius ne cherche même pas à réfléchir.

– Non, mais tu vas nous le dire, je suppose.

C'est Ida qui répond à la place de Botty :

– C'est le profil exact de la personne que vous recherchez dans l'affaire de l'ébouillanté de la solfatare. Un psychopathe qui aborde une grande brute dont il veut s'approprier la force physique.

– Par l'Enfer, s'étrangle Kornélius, vous ne croyez quand même pas que ce type en avait après moi pour me détrousser comme une peau de lapin ?

– En tout cas, ça y ressemble. N'oublie pas que c'est Hafnar qu'on a retrouvé dans la silice. Un gars qui fréquentait la même salle de force que toi. Je sais que ce n'est pas flatteur pour toi qui aimes être le premier et le meilleur, mais tu étais peut-être le deuxième choix de ce marin fou. Peut-être bien qu'il t'avait déjà repéré là-bas toi aussi.

Kornélius ne répond pas et recadre en silence dans sa tête toutes les images et les informations que suggère cette hypothèse. Puis il se tourne vers Soulniz.

– Vous voyez les vertus du *hot pot*, Soulniz, les bienfaits de l'eau chaude. Isolés et presque nus en petit groupe, on pense mieux et plus longtemps.

– *Certains* pensent mieux ! corrige Botty.

– Non, répond Kornélius avec sérieux, c'est collectif. Le confort et l'abandon physique de ce bain m'ont amené à parler à Soulniz du pêcheur. Puis de son invitation. À en parler devant vous, sans qu'aucune autre tâche ne puisse vous distraire de votre écoute, dans ce vase clos et chaleureux. Et toi, tu as saisi ce qui m'échappait parce que ma pensée restait là, entre nous, ne demandant qu'à être reprise.

– C'est ça votre théorie ? demande Soulniz. Que tout est meilleur dans un bain chaud ? Qu'il faudrait forcer les grands de ce monde à se baigner ensemble pour résoudre les problèmes. Mettre Trump et Kim Jong-un nus dans un *hot pot*.

– Aucune chance, avance Galdur qui n'a pas dit un mot jusqu'ici, ces deux-là chercheraient aussitôt à savoir lequel des deux a la plus grosse !

# 52

# Sur la route

*D'être parti trop longtemps.*

Il a roulé toute la nuit. Presque huit heures pour parcourir les six cents kilomètres depuis Akureyri. Huit heures à ruminer deux obsessions. Celle d'avoir perdu sa chance de faire boire ce policier et de gagner sa confiance. Et celle d'avoir commis l'erreur de se montrer à Soulniz. Deux idées qui le hantent pendant tout son lugubre voyage sur les pistes et les routes désertes à contourner la moitié du pays, à travers des landes sombres et désolées, entre des montagnes noires, le long de rivières fourbes avec, de loin en loin, des fermes éteintes et les fantômes invisibles de chevaux immobiles. Et cette autre peur, sournoise, lancinante, d'avoir commis plus qu'une erreur. Une faute. Une négligence. Une imprudence. Celle de l'avoir laissée. D'être parti trop longtemps.

# 53

## Crique aux Corbeaux

*Et alors seulement, elle pleure.*

C'est un marin. Il connaît les nœuds. Celui qu'il a fait autour de son cou se resserre dès qu'elle s'éloigne du lit. Il a lié ses mains dans son dos et ses pieds aussi. Elle peut juste s'asseoir sur le lit sans s'étrangler. Sur une table, il a laissé une gamelle d'eau dans laquelle elle lape comme un chat. De la nourriture aussi, de la chair de poisson cuit, qu'elle attrape comme elle peut avec les dents. Il n'est pas méchant. Il est juste effrayant. Calmement muré dans sa folie, dans ses croyances délirantes. Irraisonnables. Elle n'a pas trouvé la moindre faille pour atteindre sa raison, et encore moins sa pitié. Un taiseux. Depuis qu'il l'a attachée, il n'a échangé avec elle que quelques mots. Pas même des phrases. Juste des mots qui n'attendaient pas de réponse. Il parle plus à ses maudits corbeaux qui, depuis qu'il est parti, la surveillent derrière les volets. Elle les entend sautiller sur le toit en tôle, ou piquer du bec dans le bois du mur pour lui rappeler qu'ils sont toujours là. Elle pense à un film qu'elle n'a jamais vu mais dont son père lui a raconté l'histoire. Des corbeaux qui terrorisent une petite ville américaine. Mais elle n'a pas peur de ces oiseaux de malheur. Elle a peur de la mer qui gronde dehors et dont elle entend les vagues se fracasser tout contre la cabane. Elle l'a vu sortir par une trappe. La cabane doit être sur pilotis et l'idée que la mer puisse lancer sa fourbe écume sous elle la terrorise. Mais elle va réussir. Même si elle s'y est râpé la langue, si elle s'y est écorché les lèvres, si ses gencives saignent et que ses dents la blessent, elle va y arriver. Par chance, le lit n'est constitué que d'un maigre matelas sur une couchette en bois. Même sur l'extrême pointe des pieds, le cou tendu, elle peut garder un semblant d'équilibre malgré ses mollets et ses cuisses tétanisés par l'effort. Elle a décidé de s'y mettre dès qu'elle a compris qu'il était parti pour longtemps. Pour la nuit peut-être. Alors, debout sur le lit, elle essaye depuis des heures de défaire avec ses dents le nœud qui retient la corde à une des poutres de la cabane. Elle y est presque, et les corbeaux invisibles le comprennent et s'agitent de plus en plus autour de la baraque. C'était un nœud compliqué, mais elle a eu tout le temps de comprendre comment il était fait pendant le jour, avant de s'y attaquer dans l'ombre de la nuit. Avec calme. Avec méthode. Dans une hargne et une douleur maîtrisées. Et voilà que la dernière boucle se délace. Maintenant elle peut sautiller dans la cabane. Une sorte de refuge pour pêcheur où sont stockés des avirons, des suroîts, des filets, des lignes et des hameçons. Avec des outils bien rangés au-dessus d'un établi. Elle n'a pas de mal à trouver une lame. Elle en a beaucoup plus à trancher les liens qui maintiennent ses mains dans son dos. Elle se blesse. Le sang coule entre ses doigts. Ensuite, libérer ses pieds n'est qu'un jeu d'enfant et elle est libre. Elle a repéré où il pose sa lampe à pétrole et où sont rangées les allumettes. Bientôt, une lueur vacillante agite l'intérieur de la cabane puis se stabilise. Elle n'a rien d'autre sur elle que ses sous-vêtements. Elle se souvient que celui qui l'a enlevée lui a ôté le T-shirt *Slip Knot* qu'elle portait pour dormir. *Slip Knot*, quelle ironie quand elle repense au nœud coulant qui la retenait prisonnière. Elle reprend le couteau, attrape la couverture sur le lit et la découpe en son milieu pour s'en faire un poncho. Rangées près de la porte, elle trouve des bottes un peu grandes pour elles mais les enfile quand même. Elle a toujours le couteau à la main, mais cherche une autre arme et se saisit d'une sorte de courte gaffe terminée par un crochet en fer. Mais quand elle ouvre la trappe, une nuée de corbeaux croassant de colère lui voltigent dans les jambes et envahissent la cabane. Paniquée, elle frappe à l'aveugle de sa gaffe et de son couteau, et devine des têtes qui se brisent et des ventres qui laissent échapper leurs tripes. Elle bat en retraite, hurlant sa terreur et sa rage. La cabane est envahie par une dizaine de corbeaux qui claquent contre elle des ailes et du bec. Elle protège ses yeux derrière son bras, recule, trébuche, renverse une table. Du verre se brise. Un souffle chaud enfle soudain dans la pièce et, quand elle ouvre les yeux, la lampe cassée a mis le feu à la baraque. Les corbeaux paniquent à leur tour et elle en profite. Elle se précipite par la trappe et la referme de l'extérieur, insensible aux cris furieux des oiseaux prisonniers des flammes.

Sans les voir, elle en devine d'autres qui s'agitent autour d'elle dans la nuit. Elle hésite, cachée entre les pilotis vermoulus, dans l'odeur forte des algues et des vagues. Une lune pâle et haute irradie de reflets le rempart de la falaise. Maintenant, au-dessus d'elle, le feu ronfle dans la cabane. De la fumée bleue fuse en sifflant entre les lames du plancher. Déjà, des flammèches se glissent à travers le bois qui se fend. Alors, sans plus réfléchir, sans plus craindre les oiseaux invisibles autour d'elle, elle se précipite vers l'étroit chemin qui taillade en biais la roche pour remonter vers le ciel. Elle n'est qu'à mi-hauteur quand la cabane s'embrase soudain, laissant jaillir dans la nuit des oiseaux en flammes qui s'affolent dans le ciel pour retomber et mourir en s'éteignant dans l'océan. La lueur des flambées ronflantes agite les ombres qui dansent sur la roche et trompent son équilibre. Par deux fois, son pied la trahit. Elle trébuche et manque de basculer dans le vide. Quand elle atteint enfin le sommet et se croit sauve, elle découvre avec horreur une centaine de corbeaux immobiles dans l'herbe, sur le bord de la falaise, becs tournés vers l'incendie en contrebas. Surmontant sa peur, elle se risque à travers la masse mouvante des oiseaux qui sautillent à peine de côté pour la laisser passer. En bas dans la crique, le vent attise le feu et fait remonter dans le ciel des tourbillons de braises que les volatiles surveillent en levant la tête. Et leurs yeux noirs luisent soudain du même reflet de feu. À chaque pas de Beckie, ils bruissent des ailes et lorsque leurs plumes lisses frôlent ses bottes elle se retient de courir en les écrasant tous. Quand elle atteint la maison, elle est derrière eux et ils ne la regardent plus, hypnotisés par l'incendie. Alors, elle cherche à entrer et sans prudence, sur sa seule intuition, elle brise une vitre pour passer par une fenêtre. C'est minuscule. Une grande partie de l'unique pièce est creusée à même la colline. Elle ne sait pas trop quoi faire. Elle commence par chercher des vêtements, en trouve et s'habille comme un homme. Puis elle repère un ordinateur et se précipite dessus. Par chance il n'est qu'en veille et une session est toujours ouverte, non protégée. Elle réfléchit deux secondes, puis accède à son blog pour se remémorer leur itinéraire. Ce soir, ils auraient dû être à Höfn. Elle trouve les coordonnées de l'hébergement que son père avait réservé et cherche des yeux un téléphone qu'elle ne trouve pas. Alors, elle envoie un courriel pour savoir si M. Soulniz est bien arrivé, mais il est cinq heures du matin d'après l'horloge de l'écran et personne ne répond. Pourtant, quelque chose lui dit que c'est là qu'il faut aller, que même si son père n'y est pas, le chalet est réservé. Qu'elle pourra s'y reposer, prendre une douche chaude, manger, se refaire une santé et appeler partout où il est peut-être déjà passé et partout où il pourrait aller. Puis elle fouille encore partout sans trouver d'argent. Mais alors qu'elle se prépare à sortir pour tenter sa chance, les phares d'une voiture balayent le paysage et elle comprend qu'il est de retour. Elle éteint, récupère la gaffe, se plaque contre le mur à côté de la porte et surveille l'extérieur par la fenêtre.

Il a vu les corbeaux et la lueur de l'incendie qui monte de la crique. Il a sauté de son pick-up arrêté n'importe comment devant la maison, moteur en marche et grands phares allumés, et court jusqu'au bord de la falaise constater la catastrophe. C'est à ce moment qu'elle prend sa décision. Elle ouvre la porte sans bruit, sort dans la nuit derrière lui, les mains crispées sur la gaffe, et avance en silence parmi les oiseaux de malheur qui croassent à voix basse. Mais elle oublie les phares. Quand elle passe dans la lumière, son ombre danse sur le dos de l'homme qui se retourne. Alors elle se jette sur lui en hurlant et, dans un mouvement de surprise, il trébuche en arrière, bascule dans le noir et disparaît dans le vide. Elle s'arrête net dans sa course, stupéfaite que cela ait été aussi facile. Tous les corbeaux se sont avancés en se dandinant jusqu'au bord de la falaise, comme pour regarder en bas. Puis soudain ils reculent à petits pas et dégagent un espace là où le pêcheur a disparu. Là où une main surgit de la nuit et s'accroche à la roche. Et voilà l'homme qui se hisse sur l'herbe, dans l'espace dégagé par les corbeaux qui l'entourent et semblent l'encourager. Elle hurle à nouveau, court en shootant dans les corbeaux effarés, brandit la gaffe à deux mains et fracasse celles de l'homme qui lâche prise et retombe.

Et c'est aussitôt la curée. Les corbeaux, horrifiés, s'envolent en tourbillons dans un vrombissement soyeux puis se jettent sur elle pour lui crever les yeux. Beckie traverse leur colère tête baissée, les abattant au hasard à grands moulinets de sa gaffe, et se précipite dans la voiture dont elle claque la portière. Emportés par leur rage, les oiseaux se fracassent contre les vitres qui se maculent de leur sang où s'engluent leurs plumes. Des forcenés. Des kamikazes. Des possédés qui se suicident en se jetant contre le pare-brise dans l'espoir de l'éclater pour venir ficher leur bec dans sa gorge. Le choc de leurs crânes qui se brisent contre la tôle résonne comme une grêle. Elle enclenche la vitesse et démarre, fait demi-tour en écrasant les oiseaux blessés tombés au sol, puis fonce à travers la nuée hystérique jusqu'à la route. Si la mémoire qu'elle a gardée de la carte est bonne, c'est à droite vers l'est qu'elle doit remonter par la route numéro 1. Elle s'y engage à tombeau ouvert et, à plus d'un kilomètre de la crique encore, des oiseaux vengeurs viennent se tordre le cou en s'écrasant sur le toit de la voiture. Puis les choses se calment, même si elle surveille le ciel autant que la route. Elle se reprend. Vide le lave-glace pour nettoyer le sang et les plumes sur le pare-brise. Maîtrise sa respiration. Évacue sa peur. Et alors seulement, elle pleure.

# 54

# Höfn

*... il l'assomme d'un coup de poing.*

– Une chance que ce n'ait pas été des fulmars, dit en anglais l'homme qui attend son tour.

Son propre 4×4 est maculé de boue. Mais il dit que c'est normal quand on roule sur les pistes de son pays. Plus normal que de traverser une nuée de corbeaux. Beckie ne répond pas et nettoie consciencieusement le pick-up avec le jet gratuit de la station-service. Qui n'offre en fait aucun service. C'est juste une pompe sur une sorte de parking désert le long d'une rue sans maisons qui descend jusqu'au port.

– J'espère que tu ne prends pas d'essence aussi.

– Pourquoi, tu as peur que je vide la pompe sous ton nez ?

– J'aurais surtout peur que ton pick-up chope une quinte de toux et se mette à fumer comme un Jamaïcain. Ton engin est équipé d'un moteur à essence et cette pompe ne délivre que du diesel. Si tu veux du sans-plomb, il faut remonter Vikurbraut jusqu'à Hafnarbraut. Tu trouveras une station Olis juste en face du château d'eau.

– C'est gentil, mais je n'ai pas de ronds pour de l'essence.

– Et tu vas où après ?

– Skaftafell.

– J'espère que tu tiendras encore cent bornes alors, parce qu'il n'y a pas de station-service avant Freysnes, l'oasis au pied du glacier, comme ils disent. D'un autre côté tu n'auras pas de mal à trouver la station : Freysnes, c'est un mini-market et un petit restaurant avec une station-service et rien autour.

– Si je ne peux pas me payer d'essence ici, ça m'étonnerait que je puisse m'en payer là-bas, non ?

C'est juste un gars dans la trentaine. Un brave gars, sans doute, qui voulait échanger quelques mots avec une étrangère. La prévenir pour le diesel. Une dégaine à être charpentier. Ou marinpêcheur, elle n'a jamais été très forte en dégaines. Maintenant, elle le désarçonne. Il devine une sorte d'urgence qu'elle dissimule mal dans sa posture rebelle. Il ne sait plus quoi dire.

– Tu en veux un ? propose-t-il en sortant un sachet de *salmiak* de sa poche.

– De ces saloperies ? dit-elle. Oui, j'en veux bien.

– C'est quoi ton truc ? demande-t-il en lui tendant le paquet de bonbons. Qu'est-ce que tu fais sans un rond dans un pick-up collector maquillé au corbeau mort ?

Elle grimace quand ses dents percent le cœur salé de la réglisse et l'acidité lui tétanise l'articulation des mâchoires. Il s'en amuse puis redevient sérieux.

– Tu as besoin d'aide ?

– Si tu peux me payer un petit-déj', ça m'arrangerait, répond-elle.

Il la regarde, cherche à comprendre quel genre de fille elle est, fagotée dans des vêtements d'homme qui ne sont pas à sa taille, puis se décide.

– Viens, suis-moi, dit-il en remontant dans son 4×4.

Ils roulent deux minutes à peine jusqu'au port de Höfn et il se gare devant un petit *diner* à l'américaine, blanc avec un toit bleu au milieu d'un parking désert sous un grand ciel lourd d'une pluie à venir. Elle le suit à l'intérieur où il salue les deux filles derrière le comptoir. L'endroit est chaleureux, ambiance snack-bar,

et sent bon le pancake et les œufs sur le plat. Elle prend ça.
Avec un Coca. Et du bacon aussi, des saucisses et des oignons
frits. Avec des frites. Lui prend un sandwich au poisson pané
avec une bière noire, une Maltextrakt. Elle aussi, à la place du
Coca. Puis il mange en silence et elle dévore.

– Je m'appelle Jonas, dit-il.

– Moi, c'est Beckie.

– Alors Beckie, c'est quoi ton histoire ?

Elle décide de lui mentir parce qu'il ne pourrait pas la croire
et que, de toute façon, elle ne saurait même pas par où commencer.

– Une embrouille avec mon père. Il peut être un peu con
parfois, alors ça me gonfle et je me tire.

– En lui piquant ses fringues ?

– Non, les fringues, c'est une autre histoire. Un malentendu,
tu sais, genre la mauvaise rencontre avec le mauvais gars.

– Ah. Pas de mal au moins ?

– Non, pas pour moi. Un peu pour lui, là où ça fait mal justement.

– Et pour ton père ?

– Quoi mon père ?

– Il doit s'inquiéter, non ? Tu sais où le retrouver ?

– Oui, oui, ne t'en fais pas. Il est ici, à Höfn, je sais où le
retrouver. Je vais juste le faire poireauter un peu, histoire qu'il
comprenne.

– Tu es sûre que tu ne veux pas l'appeler ?

– D'abord, le type à qui j'ai arrangé les roubignoles m'a taxé
mon portable. Ensuite, ça gâcherait la surprise.

Puis soudain elle se tait. L'horreur de la nuit lui revient en
pleine figure. Un vertige l'étourdit. Elle ne peut pas tout expliquer
à ce garçon. Ce qu'on lui a fait. Ce qu'elle a fait. Cet homme
dont elle a fracassé les doigts pour qu'il tombe de la falaise dans
l'incendie de sa baraque. Tous ces corbeaux. Tout ce qu'elle

veut maintenant, c'est retrouver son père. Tomber dans ses bras s'il est là. L'attendre s'il n'est pas encore arrivé. Profiter de la chambre, se doucher sous une eau bouillante même si elle pue le soufre, s'allonger. Profiter du téléphone pour l'appeler.

Lui devine qu'elle cache quelque chose. Il voit des larmes mouiller ses yeux et détourne le regard, gêné. Ils perdent leurs pensées chacun de leur côté, au-delà de la baie vitrée qui donne sur le petit port.

— Höfn, dit-il en soupirant, le seul vrai port du Sud, paraît-il. Même pas deux mille habitants. Une presqu'île dans une lagune ensablée de cendre noire. Des îles tout autour, pas plus grosses que des rochers. Tu as visité Höfn ?

Beckie fait « non » de la tête.

— Tu devrais. Une église comme un entrepôt avec un clocher comme un silo. Trois totems de béton édentés en guise de monument aux marins disparus. Un musée à la gloire d'un seul auteur, comme une étagère géante posée sur une pelouse. Un bar joyeux et carrelé comme une salle d'autopsie. Tu viens d'où, toi ?

— Paris, lâche Beckie entre deux bouchées.

— Putain ! soupire le garçon.

Ils laissent encore passer un long silence puis commandent des cafés.

— Il faut que j'y aille, c'est mon jour pour les mômes aujourd'hui.

Elle s'étonne du regard et il lui sourit avec fierté.

— Le choix du roi, fille et garçon.

— Je croyais que c'était l'inverse ?

— Tu parles, le roi s'en fout pourvu qu'il ait les deux. À propos, tu sais vraiment où retrouver ton père ?

— Oui, il a réservé un chalet ou une maison d'hôtes. Un truc comme Edda, je crois.

– Il n'y a pas de chalet ou de maison d'hôtes de ce nom à dix kilomètres à la ronde. Par contre, le seul Edda à Höfn, c'est cet hôtel, là, juste en face.

Ils sont sur le pas de la porte et il lui montre du doigt un long bâtiment blanc d'un seul étage, à vingt mètres à peine, construit comme un motel au milieu d'un parking. La dernière construction avant une lande d'herbe jaune brûlée par le sel marin. Jusqu'à une mer grise et plate et un horizon froid qui se perd sous un ciel immense.

Elle dépose une bise sur la joue du garçon étonné, rentre la tête dans les épaules en s'abritant d'une bruine venue de nulle part et traverse le parking en courant pour rejoindre l'hôtel.

C'est un établissement chaleureux à la nordique. Fonctionnel comme une start-up, froid comme une clinique, largement vitré sur la désolation extérieure avec d'improbables chaises longues tournées vers le vide de l'océan sur un deck de bois gris. La jeune femme à l'accueil a le sourire appliqué des hôtesses de l'air.

– Est-ce que M. Soulniz s'est déjà enregistré ?

La jeune femme vérifie dans son ordinateur, même si trois voitures seulement sont garées sur le parking.

– Oui, mademoiselle.

– Une chambre double avec deux lits, c'est bien ça ?

– Oui, c'est ça, mademoiselle.

– Je suis Rebecca Soulniz, sa fille, puis-je avoir la deuxième clé ?

La jeune femme ne demande pas à vérifier son identité. Elle magnétise une carte et lui donne le numéro de la chambre avec le sourire adéquat.

– Voulez-vous que je le prévienne ?

– Non, ment Beckie, il m'attendait un peu plus tard dans la journée, mais je vais lui faire la surprise.

Elle monte à l'étage et cherche la bonne porte au bout d'un long couloir aux couleurs acidulées. Elle glisse la carte dans la serrure magnétique, pousse la porte en grand et entre dans la chambre, le cœur pris d'une joie qui la surprend.

– Coucou !

– Coucou, répond l'homme qui se retourne brusquement, une arme à la main.

Il est agenouillé devant le minibar, un gilet de sauvetage à la main, et le cœur de Beckie tombe en poussière dans sa poitrine. C'est l'homme qui l'a kidnappée et l'a confiée à la garde du pêcheur. Le temps qu'elle réalise, il se relève, l'attrape par le bras, la tire à l'intérieur de la chambre et referme la porte.

– Décidément, tu es une fille pleine de ressources, s'étonne-t-il en anglais. Qu'est-il arrivé à Marty ?

– Où est mon père ? Qu'est-ce que tu lui as fait ?

– Rien encore, et il n'est pas là. Je lui déposais justement un nouvel indice pour notre petit jeu de piste, dit-il en brandissant le gilet.

– C'est quoi ce délire encore, de quel jeu tu parles ?

– Le jeu de piste qui mène à toi, ma belle !

Il ouvre le petit réfrigérateur, y fourre le gilet de sauvetage et prend bien soin de laisser dépasser une longue lanière quand il claque la porte d'un coup de pied.

– Il est malin, je suis sûr qu'il comprendra. Plus malin que toi en tout cas. Tu vas m'obliger à faire des choses que tu regretteras. Tourne-toi.

– Va te faire foutre, il y a des gens plein l'hôtel et j'ai un copain qui m'attend dans le hall.

– Bien essayé, mais il n'y a que trois chambres occupées, dont la vôtre, dans tout l'hôtel, et le type à qui tu as claqué une bise est reparti dans son tas de boue.

Il s'est approché et pose le canon de son arme sur le front de Beckie.

— Tu n'oseras jamais tirer.

— Qui te parle de tirer ?

Et, de sa main libre, il l'assomme d'un coup de poing.

# 55

## Höfn

*… Et pourquoi inconsciente ?*

Il hait les corbeaux. Il en a peur. Ce sont de loin les oiseaux les plus intelligents de l'île. Qu'on les appelle freux, corneilles ou choucas, il ne les aime pas. Il a lu des trucs sur eux. Dans des laboratoires, ils ont réussi à reconstituer des puzzles. Ils savent utiliser des outils. Ils se parlent par gestes et imitent des bruits et des voix, ou même le cri d'autres animaux. Ils se fabriquent des jouets. Dans les Écritures, c'est même un corbeau qui montre à Caïn comment enterrer Abel. Et ils ont de la mémoire.

Alors, quand il en aperçoit toute une bande sur le pick-up de la fille, dans son rétroviseur, ça l'intrigue et il décide de faire le tour de l'hôtel pour aller voir ce qu'ils font là.

Lorsqu'il débouche à l'autre bout du parking, le type sort de l'hôtel en portant la fille dans ses bras et les corbeaux s'envolent en restant groupés, tournoient au-dessus du pick-up, puis fondent soudain sur la fille inconsciente. L'homme est obligé de poser Beckie au sol et de se battre à coups de poing contre les charognards. Le garçon accélère, pile devant l'homme et saute de sa voiture pour l'aider, malgré son aversion pour ces oiseaux de malheur. La fille de l'hôtel, terrorisée, tient sa tête blonde à deux mains et hurle derrière la porte vitrée.

Le garçon sort une pelle de son coffre et la mouline à travers la nuée criarde.

— Mettez-la à l'abri dans votre voiture, hurle-t-il à l'homme qui lui obéit aussitôt.

Il les protège en se battant contre les oiseaux jusqu'à ce qu'il entende claquer la portière. Puis il entend claquer une autre portière, le moteur qui hurle et la voiture qui démarre en crissant des pneus.

Dans l'instant, les corbeaux disparaissent et lui reste là, la pelle ensanglantée à la main, à regarder par-dessus son épaule la voiture qui s'enfuit. La fille de l'hôtel se tord le cou à surveiller le ciel de tous les côtés avant d'entrouvrir la porte avec prudence.

— C'était quoi, ça, Jonas ?

— Je n'en sais rien. Et la fille, elle avait quoi ?

— Son père a dit qu'elle a fait un malaise. Il a parlé d'hypoglycémie je crois.

— Hypoglycémie ? Tu parles, elle a mangé la moitié d'un sachet de *salmiak* et je viens juste de lui payer un petit-déjeuner complet.

— Tu la connaissais ?

— Non, je l'ai rencontrée il y a une heure à la pompe. Paumée et fauchée.

— Et tu lui as payé un petit-déjeuner ? Tu ne m'as jamais offert de petit-déjeuner, à moi.

— Parce que tu n'es ni paumée ni fauchée, Ada, et que si nous avons fait l'amour deux ou trois fois, c'est que nous sommes des amis d'enfance et que ça devait bien finir par arriver. Pas de quoi faire un petit-déjeuner.

— N'empêche que tu lui en as offert un, à elle !

— C'était son père ? demande-t-il pour ne pas répondre.

— C'est ce qu'il a dit.

— Et tu sais où ils vont ?

– Non. À l'ouest ou à l'est, je suppose, vu qu'au nord, c'est le glacier et au sud, c'est la mer, se moque-t-elle, boudeuse.

Au sol gisent une dizaine d'oiseaux fracassés dont certains agonisent sous le vent rasant qui agite leurs plumes blessées.

– Tu vas me nettoyer ça, hein ?

– Pas question, déjà que j'ai horreur de ces bestioles.

– C'est toi qui les as tuées, je te rappelle !

– Et je te rappelle qu'ils essayaient de crever les yeux de tes clients !

– N'empêche qu'il faut les enlever d'ici avant que d'autres clients n'arrivent.

– Trop tard, dit-il en désignant du menton la voiture qui s'engage sur le parking.

Ils regardent l'homme qui se gare à deux mètres des corbeaux et descend en regardant le massacre d'un air suspicieux.

– Que s'est-il passé ici ? demande-t-il en anglais.

– Une attaque de corbeaux, répond le garçon.

– Contre qui ? s'étonne l'homme en regardant autour de lui le parking et le port vide de toute âme.

– Contre des clients qui partaient.

– C'est dégueulasse, dit l'homme en enjambant les cadavres éventrés pour se diriger vers l'hôtel.

– Ah, tu vois, je te l'avais dit, lance la fille au garçon.

– D'accord, d'accord, je vais voir ce que je peux faire, tu as de quoi j'espère, se résigne-t-il en entrant à son tour dans l'hôtel.

À l'intérieur, la fille revient à son métier et à sa place derrière le comptoir et enfile à nouveau son sourire d'hôtesse de l'air.

– Que puis-je pour vous, monsieur ?

– Une chambre, je suppose…

– Je vais voir ce qu'il nous reste.

L'homme laisse courir un regard étonné sur le parking presque désert.

– J'ai réservé, dit-il.

– Ah, d'accord, très bien, et à quel nom s'il vous plaît ?

Il donne son nom et la fille suspend son geste, les yeux écarquillés et les lèvres en moue de carpe.

– Vous êtes M. Soulniz ?

– Oui, je suis M. Soulniz.

Le regard de la fille court plusieurs fois du hall vers le parking puis se perd dans l'écran de son ordinateur.

– C'est impossible, dit-elle.

– Je vous assure du contraire, mademoiselle, je suis M. Soulniz. Une chambre double avec deux lits pour une nuit. J'ai vos courriels de confirmation.

– C'est impossible, vous êtes tout seul…, murmure la fille.

– Ma fille va me rejoindre.

– C'est impossible…

– Comment ça impossible ? s'impatiente Soulniz.

Comme il hausse le ton, le garçon, qui cherche de quoi nettoyer le parking dans le local technique, se rapproche du comptoir.

– Votre fille, monsieur…

– Quoi ma fille ?

– Elle s'est déjà enregistrée il y a une demi-heure à peine, monsieur…

– Ma fille ! s'écrie aussitôt Soulniz. Vous avez vu ma fille ?

– Oui, monsieur…

– Et…

– Et elle est montée vous rejoindre dans votre chambre, monsieur.

– Dans ma chambre ? Mais bougre de conne, je viens juste d'arriver, et vous ne me l'avez même pas encore donnée, ma chambre !

– C'est la 113, monsieur. Vous avez déjà été enregistré il y a cinquante-sept minutes au nom de Soulniz.

– Mais bordel de merde, c'est moi Soulniz, hurle-t-il en pla-
quant son passeport sur le comptoir.

Puis il se retourne, repère l'escalier, bouscule le garçon, sa
pelle et ses balais, et monte les marches quatre à quatre jusqu'à
l'étage.

– Monsieur, vous ne pouvez pas ! hurle la fille.

– Je m'en occupe ! dit le garçon, qui se lance avec elle à la
poursuite de Soulniz.

Quand ils le rejoignent dans le couloir, il essaye déjà d'enfoncer la porte à grands coups de pied et d'épaule. Le garçon se
précipite sur lui et le maîtrise pendant que la fille glisse sa carte
magnétique dans la serrure. Soulniz se libère de l'emprise du
garçon et se précipite aussitôt à l'intérieur avant de s'arrêter net.
C'est une petite chambre d'hôtel d'étape. Vide. Sans personne.
Sans bagages.

– Où sont-ils ? bredouille Soulniz, sonné.

– Ils sont partis, dit le garçon.

Soulniz se laisse tomber sur le lit. Le garçon ne sait pas trop
quoi faire et la fille inspecte la chambre.

– Mais qu'est-ce que c'est que ça ? dit-elle en s'accroupissant
devant le minibar.

Elle prend d'une main la sangle qui dépasse, ouvre la porte
de l'autre et sort le gilet de sauvetage du bout des doigts comme
on tient un rat mort par la queue.

– Un gilet de sauvetage ! s'étonne le garçon.

– Qu'est-ce qu'il fait dans le minibar ? Vraiment, monsieur,
nous sommes désolés, la politique de l'hôtel…

– Mais fermez-la avec votre hôtel, vous donnez les clés à
n'importe qui, vous laissez monter des jeunes filles mineures
dans la chambre d'hommes inconnus…

Il ne termine pas sa phrase et se lève pour lui prendre des
mains le gilet de sauvetage.

– C'est quoi, Ice Laguna ? demande-t-il en désignant un écusson sur le gilet.

– Une société qui organise des excursions sur la lagune glaciaire de Jökursárlón, répond le garçon. C'est un endroit où…

– Je sais, coupe Soulniz, je connais. Depuis combien de temps sont-ils partis ?

– Qui ? demande la fille, obnubilée par le gilet de sauvetage.

– Ma fille et l'autre salaud dans les bras de qui vous l'avez jetée.

– Il y a moins de dix minutes.

– Ce sont eux que les corbeaux ont attaqués ?

– Oui. Enfin presque…

– Comment ça presque, ils les ont attaqués oui ou non ?

– Pas tous les deux, murmure le garçon, qui redoute la colère qu'il sent grandir chez Soulniz. Votre fille seulement.

– Rebecca ? Ils n'ont attaqué que Rebecca, comment est-ce possible ?

– Ces satanées bestioles ont une bonne mémoire, peut-être qu'elle leur a fait quelque chose.

– Et eux, que lui ont-ils fait, ils l'ont blessée, elle a eu peur ?

– Non monsieur, croit le rassurer la fille, son père, enfin je veux dire l'homme de la 113, la protégeait dans ses bras.

– Ce salaud la tenait dans ses bras ?

– Oui monsieur, intervient le garçon pour éviter à la fille de se prendre en pleine figure la fureur de Soulniz. Votre fille était inconsciente. Il a dit qu'elle avait fait un malaise. Hypoglycémie, qu'il a dit.

Mais la rage de Soulniz n'explose pas. Elle retombe au contraire. Elle le laisse épuisé, vidé, et le garçon s'en inquiète. Il le prend par le bras et veut le conduire jusqu'à un des fauteuils design chromés de la chambre. Mais Soulniz se dégage calmement et sort dans le couloir.

– Merci, mais je vais y aller, dit-il, comme quelqu'un qui se résout à quelque chose. Est-ce que je peux garder le gilet ? reprend-il en rejoignant les escaliers.

Le garçon fait signe que oui.

– Je suis encore désolée pour ce gilet dans le minibar, monsieur, ce n'est vraiment pas notre habitude...

– Ce n'est pas grave.

– ... et nous serons très heureux de vous offrir le dîner de ce soir pour nous en excuser, monsieur.

– Non merci, refuse-t-il poliment.

– ... et nous aurons même plaisir à remplacer le poisson du jour par du homard, monsieur.

– ...

– ... Il est excellent, monsieur. Höfn est le premier port de pêche d'Islande pour le homard, vous n'en trouverez pas de plus frais.

– Mais je me fous de votre homard ! hurle Soulniz.

La fille se pétrifie à mi-chemin de l'escalier et regarde le Français dévaler les marches, suivi de Jonas qui l'accompagne jusqu'à sa voiture.

– Monsieur, vous avez perdu ça, dit-il en ramassant un petit papier plié.

Soulniz regarde par-dessus son épaule sans ralentir le pas.

– Ce n'est pas à moi.

– Mais c'est tombé du gilet.

Cette fois, il s'arrête si brusquement que le garçon se cogne contre lui. Soulniz lui arrache le papier des mains et le déplie : « 17 heures. East Side. » Il comprend aussitôt.

– Combien de temps pour Jökulsárlón ?

– Une heure.

Soulniz réfléchit. Ce salaud lui a donné rendez-vous dans plus de six heures sur la berge de la lagune glaciaire qui n'est qu'à

une heure de route. Que va-t-il faire pendant tout ce temps ?
L'autre étape n'est qu'à une autre petite heure après la lagune.
Il avait prévu de prendre le temps d'amener Rebecca jusqu'aux
remparts gris des glaciers et de rester à les regarder se creuser
de blanc et de bleu au passage des nuages. Ça veut dire que ce
salaud peut déjà être à Holmur, à l'entrée du parc de Skavtafell,
dans l'auberge à la ferme où il a réservé une chambre avec vue
sur des prairies verdoyantes parcourues de chevaux libres et fous,
jusqu'aux moraines du magnifique Vatnajökull. Mais pourquoi
Rebecca est-elle avec lui ? Et pourquoi inconsciente ?

# 56

# Lagune de Jökulsárlón

*... toi tu meurs et pas moi.*

— En cinq minutes tes extrémités s'engourdissent et tes
muscles ne t'obéissent plus vraiment. Quand ta température descend au-dessous de trente-cinq degrés, tu entres en hypothermie,
et le froid va t'anesthésier. Il endort ton organisme. Ton rythme
cardiaque baisse. À trente-deux degrés, ta conscience et ta vue
se troublent. À trente degrés, tu plonges dans le coma. Ta respiration ralentit. Ta tension chute. Sous les vingt-huit degrés,
ton cœur s'arrête...

Rebecca ne l'écoute pas. Elle regarde le front du glacier dont
son père lui a tant parlé en préparant leur voyage. Ils sont arrivés par l'est et elle a vu la petite foule autour des camions de
location d'équipements. Les speedboats, les camions amphibies,
les touristes harnachés. Puis ils ont passé le pont métallique sous
lequel glissaient jusqu'à la mer toute proche de lourds blocs de
glace. L'homme a ensuite forcé son chemin sur la droite pour
remonter l'autre rive de la lagune par une vieille piste abandonnée. Il a garé son 4×4 à l'abri des regards, derrière un îlot. Et
maintenant, il menace de la noyer.

— Moi, je porterai une combinaison de survie. Je résisterai
plus d'une heure. Toi, tu n'auras que des vêtements qui se gor-
geront d'eau glacée. Je veux juste qu'il te voie. C'est tout. Mais

si tu tentes quoi que ce soit, je fais chavirer notre canot et tu te noies, tu m'as bien compris ?

Beckie n'écoute toujours pas. De colère, elle se perd dans la contemplation obstinée du glacier immobile face à elle, et qui pourtant se dissout et se disloque de temps en temps dans une eau d'émeraude. Des blocs de glace, sculptés par la fonte ou le vent, et qui dérivent ensuite imperceptiblement vers le sud. Une migration désespérée. Des blocs turquoise ou immaculés, illuminés de vertes transparences, translucides parfois, et quelquefois rayés d'un épais trait de craie noire.

– Ces glaces ont mille ans, raconte l'homme en vérifiant les liens qui enserrent les chevilles et les poignets de Beckie. Les bleu céleste sont les plus jeunes. Elles se sont détachées du glacier il y a quelques heures à peine. D'ici quelques jours la glace se sera oxydée au contact de l'air et elle perdra de sa transparence pour devenir blanche et opaque.

Beckie se dit qu'elle peut essayer de gagner sa confiance et de détourner sa méfiance. Alors elle lui parle des icebergs.

– Et ces rayures noires ?

– La trace des éruptions. Les couches de cendres prises sous les nouvelles neiges. Un spécialiste pourrait les dater et te dire quel volcan, au cours des mille dernières années, a sali cette neige.

– Pourquoi tu fais ça ? tente Beckie.

Il ne répond pas tout de suite et s'abîme dans la contemplation de cette nature sublime. Sous leurs yeux se dissolvent des trésors vieux d'un millénaire qui donnent à leur agonie des formes légères de sculptures aériennes et vont se fondre dans l'écume de l'océan. Mourir en beauté…

– Dans la montagne, les glaciers se fracturent à l'intérieur dans des craquements macabres. Violents comme des coups de tonnerre quelquefois. Mais pas celui-ci, et tu sais pourquoi ?

Comme il n'a pas répondu à sa question, elle ne répond pas à la sienne.

– Parce qu'il flotte. Deux tiers de ses glaces sous la surface mais la lagune est profonde de presque trois cents mètres. Alors le glacier flotte et ses icebergs, quelquefois hauts de trente mètres, se fracturent dans le seul bruit des éclaboussures.

– Tu n'as pas répondu à ma question. Pourquoi tu fais tout ça ? Pourquoi tu t'acharnes contre mon père ?

– Tu te rends compte que cette lagune n'existait pas il y a un siècle à peine ? Ces cinq kilomètres jusqu'à la mer, c'est ce que le glacier a abandonné à reculons en moins de cent ans. Et dans cent ans, il aura creusé un fjord profond jusqu'au cœur de la montagne. Sais-tu seulement ce que c'est que d'avoir le cœur qui se creuse ?

– Quoi, c'est pour une histoire de cœur votre embrouille ?

– Pour une histoire d'amour, précise l'homme, pensif.

– Eh bien, tu te trompes, mon père n'aime personne. Tu sais que ma mère s'est donné la mort ? Tu crois qu'on se suicide quand on est aimée ? Même moi, il ne m'aime pas. Il a soi-disant organisé ce voyage pour nous réconcilier, sans comprendre que nous ne sommes même plus sur la même plaque. Notre histoire, c'est pire que la dérive des continents. Alors, si tu crois l'attirer quelque part en te servant de son amour pour moi, tu te trompes.

– C'est toi qui te trompes. Ton père a su aimer au moins une femme dans sa vie, et je suis bien placé pour savoir à quel point il tient à toi.

– Une femme, quelle femme ?

– Tu le sauras toujours assez tôt.

La question l'a sorti de sa rêverie et son ton est redevenu cassant. Elle décide de ne pas le pousser dans ses retranchements et reste un long moment silencieuse à contempler le paysage.

– De temps en temps, ils basculent sur eux-mêmes, explique

soudain l'homme, de nouveau contemplatif. La partie immergée roule contre le ciel à son tour. Quelquefois la glace est jaune quand elle a emprisonné le soufre d'une éruption.

Mais Rebecca n'écoute plus. Elle regarde des phoques joueurs s'amuser entre les glaces qui dérivent. Au loin, de gros Zodiac gris chargés de touristes engoncés dans des combinaisons de survie filent depuis le pont jusqu'à une distance prudente du front de glace. Une embarcation plus petite et plus rapide les précède pour les guider afin qu'ils ne heurtent pas une glace sournoise à fleur d'eau. De gros camions amphibies à bennes ouvertes crapahutent à travers la lande de l'autre rive. Ils sont surchargés de touristes emmitouflés dans des tenues d'une autre couleur et entrent dans l'eau à la façon de gros hippopotames frileux pour aller flotter lourdement entre les icebergs.

– On y va, dit l'homme qui observait l'autre rive avec ses jumelles.

Il l'aide à descendre de la voiture et la prend dans ses bras pour la porter jusque dans un canot qu'elle n'avait pas vu et qu'il a dû préparer et cacher à l'avance. Il pousse l'embarcation à l'eau. Elle est si limpide et glacée que Beckie a la sensation de glisser sur un plancher de verre. Quand il monte à bord à son tour, le canot tangue et elle se rend compte à quel point elle est vulnérable.

– N'oublie surtout pas : si nous chavirons, toi tu meurs et moi pas.

# 57

# Terminal de Landeyjahöfn

*... l'arme qu'il empoche.*

Il y a des ferries coquets et bariolés qui relient des îles enso-
leillées. D'autres qui quittent des ports endigués pour des pon-
tons accueillants. D'autres encore qui passent le phare peinturluré
d'une jetée pour se dandiner dans la houle jusqu'à des quais
pavés d'histoire et bordés de restaurants et de cafés animés.
Celui de Landeyjahöfn est un gros navire accosté à un vaste
parking en ciment tout au bout d'une lande rase qui vient mourir dans la mer sur une plage de galets. Trois digues de pierres
de lave empilées protègent le mouillage des assauts incessants
de l'océan. La terre finit là, abrasée par le vent, sous un ciel
accosté gris qui dessine à la mer un horizon froid et lointain.
C'est le port d'un seul navire, avec les îles Vestmann pour seule
destination. Rien d'un havre. Juste un embarquement, sans âme,
sans maisons, sans habitants. Il ne reste aux voyageurs, pour
échapper à la désolation de la lande, qu'à lui tourner le dos
pour s'abîmer dans la contemplation résignée de l'infinie solitude
de la mer.

Kornélius a abusé de sa carte de police pour monter à bord
avant tout le monde et grimper jusqu'au plus haut des ponts
accessibles. Un peu de hauteur dans ces horizons laminés. Derrière lui, les touristes se disputent déjà les meilleures places sur

ce navire immense. Quand son téléphone sonne, il se tourne, dos au vent, pour pouvoir répondre.

– Tu es où ? demande Botty.

– Landeyjahöfn.

– Tu vas aux îles Vestmann ?

– Botty, Landeyjahöfn ne dessert QUE les îles Vestmann.

– Oui, bon, peut-être, en tout cas il faut que tu repasses d'abord par la maison du pêcheur, tu sais, celui qui avait l'intention de se faire un pyjama avec tes jolies fesses.

– Pourquoi ?

– Un corps calciné dans la crique.

– Un autre ?

– Probablement tombé du haut de la falaise droit dans sa cabane en feu, mais identifiable celui-là. C'est ton pêcheur.

– Mon pêcheur ?

– Lui-même. Rôti dans le brasier, mais pas assez pour dissimuler des marques de coups. Un coup à la tête pour le balancer de la falaise, je suppose, et d'autres sur les doigts, pour lui faire lâcher prise probablement. Homicide, sans aucun doute.

– L'arme ?

– Sur place, une courte gaffe à crochet, avec tout ce qu'il faut de sang et de cheveux pour en être sûr.

– Si c'est si clair que ça, pourquoi tu as besoin de moi ?

– J'ai besoin de toi pour assouvir mes fantasmes œdipiens, Kornélius, tu le sais bien. Mais pour l'enquête, j'ai juste besoin de toi pour éclaircir quelques points.

– Lesquels ?

– La gaffe d'abord. Il n'y avait aucun outil de pêche dans la maison sur la falaise. Par contre, on en a trouvé des restes calcinés dans les ruines du cabanon.

– Ça ne veut pas dire grand-chose. Tu crois que quelqu'un serait monté de la crique pour régler son compte au pêcheur ?

– Pourquoi pas ?

– Et comme il n'y a aucun accès par le bas de la falaise, tu penses à quelqu'un qui aurait été dans le cabanon…

– Pourquoi pas.

– Séquestré…

– Pourquoi pas.

– Rebecca Soulniz…

– Pourquoi pas.

– Botty ?

– Oui ?

– Si tu me disais ce que tu sais au lieu de me faire poireauter…

– Dans la maison en tourbe, on a trouvé toute une série de photos. Elles datent de 1973 et…

– Et on y voit Soulniz du temps des volontaires de Heimaey, c'est ça ?

– Oui, mais on y voit aussi…

– Ce pauvre Charlie.

– C'est exact, mais pas que, on y voit surtout…

– Surtout le pêcheur aussi.

– Et le pêcheur…

– Le pêcheur s'appelle Marty.

Botty marque un temps de silence avant de dire, vexée :

– Mais comment tu sais déjà tout ça ?

– Parce que je suis un bon flic, Botty. Je me souviens maintenant d'un Américain dont m'a parlé Soulniz. Un type du Minnesota, un peu mystique, qui s'appelait Marty et qui parlait aux corbeaux. Tu te souviens des corbeaux dans la crique le jour où on a retrouvé le premier corps calciné ?

– Oui, je m'en souviens, mais tu verrais leur tête aujourd'hui, aux corbeaux. Un vrai massacre, par dizaines. C'est pour ça qu'il faut que tu viennes.

Kornélius hésite puis se décide.

– Non, je ne peux pas, j'ai déjà embarqué. Tu n'es qu'à une demi-heure de route. Je retiens le ferry, envoie-moi une voiture avec les photos.

– Attends, il y a aussi un album un peu particulier. On y voit le pêcheur, chaque fois dans un décor différent, mais toujours avec le même type. Apparemment une photo par an si j'en crois leurs changements de tête.

– Combien de photos ?

– Quarante en tout. Les dernières sont des impressions laser, mais les autres sont des photos et trois portent la date du tirage : août 1981, août 1985, août 1991...

– Attends, si ces types se voient tous les mois d'août et qu'il y a quarante photos...Tu peux me décrire la première ?

– On voit le pêcheur devant l'entrée d'un cimetière, celui de Heimaey je crois, avec le portail et la croix blanche dessus.

– Comment est le cimetière ?

– Triste comme un cimetière.

– Je ne plaisante pas, Botty. Sale, propre, déblayé ?

– Propre apparemment. Le portail est un peu sale jusqu'à hauteur d'homme, c'est tout.

– 1974 ! hurle Kornélius. Août 1974, un an après le déblaiement de la ville par les volontaires. Un an après l'accident et la mort de l'Anglaise ! Et le type avec le pêcheur, c'est un rouquin, n'est-ce pas ?

– Merde, Kornélius, comment fais-tu pour savoir tout avant tout le monde ? Et à propos, qu'est-ce que tu vas faire à Heimaey ?

– Récupérer la fille de Soulniz. C'est là-bas que ça va se terminer, souviens-toi, c'est toi-même qui es arrivée à cette conclusion dans le *hot pot*.

– Il est où, Soulniz, à propos ?

– Il suit l'itinéraire prévu. Il n'en démord pas. Il doit être à la lagune glaciaire ou à Vík…

– Et nos autres affaires, quand daigneras-tu nous aider à les conclure ?

– Quoi, tu ne viens pas de résoudre l'affaire de l'ébouillanté de la solfatare grâce à moi ?

– Grâce à toi ?

– Bien sûr, j'ai identifié Hafnar, la victime, souviens-toi.

– En même temps que moi !

– J'ai aussi servi d'appât pour faire sortir ce psychopathe de fan du nécropant de son trou.

– Sans le savoir et malgré toi.

– Et c'est peut-être bien grâce à ma stratégie dans l'affaire Soulniz que Rebecca a occis notre assassin.

– Ça, tu n'en sais encore rien !

Elle raccroche et Kornélius rejoint le capitaine pour lui dire qu'ils doivent attendre un pli de la police criminelle. Quelques secondes plus tard, l'homme de mer annonce lui-même par haut-parleur qu'un policier de la criminelle de Reykjavik lui a demandé de retarder le départ pour attendre un pli. L'Islandais n'est pas menteur, c'est là sa moindre qualité. Mais seuls les touristes s'en offusquent. Les Islandais s'en accommodent. Ça va s'arranger. Ils finiront bien par partir.

Une demi-heure plus tard, Kornélius examine les photos éparpillées devant lui sur une table basse du salon du pont intermédiaire. Des gamins de vingt ans qui sourient ou prennent la pose. Il reconnaît des paysages au hasard. La chute mystique de Svartifoss, dans sa cathédrale de basalte noir. La carlingue du vieux DC3 abandonné comme une carcasse échouée sur la plage de cendres de Sólheimasandur. Le petit cimetière près du Hof avec sa chapelle et ses tombes en tourbe couvertes d'herbes folles. Les eaux fumantes et émeraude du petit Viti. Et d'autres endroits qu'il ne reconnaît pas mais qui ressemblent à l'Islande qu'il aime. Et dans ces décors à lui, leurs souvenirs à eux. Soulniz, plus jeune et presque maigre. Charlie, le même sourire. Marty, toujours à l'écart, déjà mystique. Sur d'autres photos il reconnaît les falaises escarpées de Heimaey qui enchâssent le petit port. On y voit les mêmes chasser le macareux, allongés sur le dos dans l'herbe au sommet des falaises, avec de larges filets au bout de longues perches. Ils brandissent leurs prises pour la photo. Soulniz en a noué plusieurs par les pattes à sa ceinture. On les voit aussi sur le bord aigu du nouveau volcan à regarder le fond du cratère bouché par des éboulis. La photo d'après, ils sont descendus dedans, de simples foulards sur le nez en guise de masques à gaz. Ils trinquent à l'eau au réfectoire. Ils déblayent les cendres dans la rue. Ils sont aux fenêtres de maisons déglinguées par le front de lave mais encore debout. Ils posent de chaque côté de la croix du cimetière ensevelie sous les scories et qui surplombe normalement le portail.

Puis Kornélius tombe sur la photo d'Abbie. Un grand manteau noir, des cheveux longs, un visage fin et pâle, un peu nostalgique, marqué d'une sorte de tristesse heureuse. Elle est debout, les mains dans les poches de son manteau, au milieu des tombes que déblayent les volontaires, et il ne fait aucun doute qu'ils sont tous amoureux d'elle. Elle regarde l'objectif de loin, et tous la regardent, sauf Marty, qui n'ose pas. La date se fiche comme un trait d'arbalète dans la mémoire de Kornélius. Cette fille est morte le 13 août 1973 et il pianote aussitôt le numéro de Botty sur son téléphone.

– Tu es toujours chez le pêcheur ?

– Qu'est-ce que tu crois, tout le monde n'est pas parti en croisière.

– La date sur la tombe à côté de la maison, c'est bien 13 août 1973, n'est-ce pas ?

Il devine que Botty se déplace pour aller voir et attend la réponse qu'il connaît déjà.

– Oui, c'est ça, pourquoi ?

– C'est la date de la mort de la fille de Heimaey.

– La fille dont tu nous as parlé dans le *hot pot*, à Akureyri ?

– Oui, celle qui s'est tuée sur l'île à l'époque en tombant d'une falaise. Je crois que cette tombe est la sienne, et il faut la creuser pour voir ce qu'il y a dedans.

– Quoi ? Tu délires.

– Botty, ce n'est pas une vraie tombe, ce n'est pas un cimetière.

– Mais c'est peut-être la tombe de quelqu'un d'autre mort le même jour.

– Quelqu'un qui serait enterré sous la garde d'un des volontaires qui a connu et aimé en secret cette fille à l'époque ? Tu peux vraiment croire à une telle coïncidence ?

– C'est peut-être bien la sienne, mais je refuse de l'exhumer.

– Ce n'est pas la sienne non plus, Botty ! Son corps a été réclamé par sa famille et ils l'ont rapatrié. Si je me souviens bien, cette fille a une sépulture à Bath, en Angleterre.

C'est un mensonge, mais il porte. Il devine que Botty hésite et que ses arguments l'ont déstabilisée.

– Tu es sûr de toi ?

– Pratiquement

– Et tu penses qu'on y trouvera quoi ?

– Rien. Ou des trucs de psychopathe.

– Bon, c'est dingue mais tu as gagné, on va le faire. Si les gars avec moi sont d'accord.

– Convaincs-les et rappelle-moi quand c'est fait.

Kornélius raccroche, rassemble les photos qu'il range dans leur enveloppe, l'enfouit dans sa poche et sort sur le pont. Il se fraye un chemin jusqu'à la pointe de l'étrave et entonne le *krum-*

*mavisur.* D'une voix sourde d'abord, puis à pleins poumons face au vent du large. Quatre jeunes Japonaises trébuchent de peur et reculent en ligne pour se réfugier dans les salons.

— « Autant chante le fou que le prêtre », dit un dicton espagnol, mais toi tu cumules, Kornélius, tu es un vrai fou furieux qui chante des prières de sorcier.

Simonis n'a pas le temps de réagir. Ni ses deux gardes du corps. Sans se retourner, Kornélius l'empoigne par le col, le tire jusqu'à la proue et le balance par-dessus bord. La foule des passagers s'écarte dans un spasme et un cri de frayeur. Seuls les deux sbires restent plantés là, dans le *no man's land*. Là-haut le capitaine sort sur sa passerelle et envoie des marins voir ce qui se passe. Accroché des deux mains à celle de Kornélius qui le retient, le visage congestionné par la peur et son vêtement qui l'étrangle, le Lituanien est suspendu au-dessus de la mer que le navire éventre et qui défile à l'envers sous lui.

— Si je te lâche, Simonis, l'étrave te brisera d'abord les reins, puis tu rouleras sous la coque et les balanes t'éplucheront à vif au passage jusqu'à ce que l'hélice te happe et te déchiquette en jetant tes tripes aux mouettes. Et c'est bien ce que tu mérites puisque tu as tué Anita, n'est-ce pas ?

Mais Kornélius n'attend pas de réponse. Il sait que sa poigne qui serre son col asphyxie le Lituanien qui ne peut rien articuler.

— Tu peux t'en prendre à moi tant que tu veux. Tu le sais et tu l'as déjà fait. Mais tu as eu tort de t'en prendre à ceux que j'aime. Alors écoute bien, tu m'entends, écoute bien au lieu de gigoter. Je vais te remonter, et je vais continuer à rechercher ta coke. Mais dès que je te l'aurai rendue, et je te jure que ça arrivera, je te ferai payer chacun de tes crimes.

Il va remonter le Lituanien quand son téléphone sonne. De sa main libre, il fouille dans sa poche pour répondre. C'est Botty.

— Tu as gagné pour le truc du psychopathe. Pas de corps dans la tombe, mais un grand manteau noir avec plein de trucs bizarres dans les poches. Photos, broches, capsules de bière, boucles d'oreilles, livre, plumes d'oiseau…

— Corbeaux ?

— Non, plumes blanches, genre mouette ou pétrel. Je photographie tout ça et je te l'envoie.

— Attends, Botty, je te rappelle, j'ai un type à bout de bras au-dessus de la mer par-dessus le bastingage et je commence à fatiguer.

— Tu as quoi ?

Il raccroche et se retourne. Le capitaine est là avec deux grands gaillards de marins et les deux sbires qui n'ont pas bougé. Mais personne n'ose faire un geste de peur de provoquer l'irréparable.

— Capitaine, vous pouvez dire à vos marins de venir le récupérer, mon bras commence à fatiguer.

Les hommes se précipitent pour remonter Simonis, qui leur vomit sur les pieds quand il s'effondre sur le pont.

— Il faut qu'on parle, dit le capitaine à Kornélius.

— Je vous suis, acquiesce le policier.

Mais lorsqu'il passe entre les deux gardes du corps, il assomme le premier d'une gifle que tout le monde entend malgré les machines et le vent, et casse l'autre en deux d'un coup de genou entre les jambes. Dès qu'ils sont à terre, il les fouille, récupère leurs armes et les balance par-dessus bord. Simonis, qui le regarde à plat ventre, le cou tordu, préfère sortir la sienne et la pousser vers lui avec le peu de forces qu'il lui reste. Kornélius fait signe au capitaine qu'ils peuvent y aller maintenant, mais au passage il récupère l'arme qu'il empoche.

# 58

# Lagune de Jökulsárlón

*... il pleure debout.*

De Höfn jusqu'à la lagune, Soulniz ne voit rien du glacier qui se cache, tapi au nord derrière des collines brossées par les tempêtes. Mais sa présence hante ces courtes plaines marécageuses qu'il a rabotées depuis des millénaires. C'est la croyance trompeuse des touristes en des glaces montagneuses qui les égare. Ici, le glacier est dans la plaine et rampe au sol. Et même s'il s'est retiré aujourd'hui à quelques kilomètres des côtes, ses doigts ont meurtri la lande de vallées aplaties que la route traverse sous un ciel bleu drapé de nuages. Certains sont posés comme des coiffes sur des collines, et quand la route monte et s'y perd, le paysage s'égare aussi et se referme sur le voyageur. Rien n'est progressif en Islande, et surtout pas le temps qu'il fait. Soulniz roule en plein soleil à travers des champs bosselés de mousses parsemées de silènes et de dryades et soudain entre dans un nuage épais comme un brouillard et tout devient lugubre. Les bouquets d'angélique comme des fantômes loqueteux, les lupins hérissés comme des armées en déroute. L'horizon se perd à quelques mètres à peine, et le temps de ressentir l'angoisse du danger, la voiture perce déjà le toit du nuage et ressort en plein soleil au pied d'une cascade.

Puis il aperçoit un camion amphibie orange couper la route

loin devant lui et s'engager au nord sur une piste à l'opposé de la mer. Et il arrive à la lagune. De petits icebergs translucides dérivent depuis le front bleuté du glacier à quelques kilomètres plus au nord jusqu'à la mer. Ils glissent sous un haut pont métallique et même les enfants, accroupis sur la grève de cailloux gris, admirent sans un mot ces vaisseaux de glace qui passent en silence. Ils y voient des licornes et des elfes, des trolls, des dragons. Les adultes y voient leur temps qui passe et la futilité de toute beauté qui est de flétrir, de fondre et de disparaître. Soulniz gare sa voiture sur une aire à peine moins rocailleuse que le reste de la lande et repère les lieux. Une seule petite boutique snack-bar-souvenirs. Les tours sur la lagune s'organisent depuis deux camions qui stockent les équipements et abritent les candidats pour s'inscrire et se changer. Il a plusieurs heures d'avance et se demande si Rebecca est déjà là, quelque part, retenue dans une voiture. Si l'autre l'a vu. S'il le surveille. Il a du mal à s'y résoudre, mais il sait qu'il faudra attendre que ce salaud lui fasse savoir où et comment. Alors il achète un hot-dog et un gobelet de thé bouillant à la boutique et retourne attendre dans sa voiture. Où il s'endort. Une petite heure, croit-il. Deux en fait.

Quand il se réveille, il se souvient de la piste qu'il a aperçue en arrivant. Celle qui mène à l'endroit où les camions amphibies se laissent glisser dans l'eau. Par intuition, c'est là qu'il décide d'attendre que l'autre prenne contact. Lorsque la piste plonge sur la gauche pour rejoindre la plage de cailloux et disparaître dans l'eau claire, il continue sur une bifurcation qui remonte plus au nord. Il la suit jusqu'à une sorte de petit cap d'où il peut apercevoir tout le glacier au nord, le pont au sud et les deux rives. C'est là qu'il se gare. Et c'est là qu'il les repère.

La lagune vit au rythme des différents mouvements. La lente dérive grégaire des glaces clairsemées vers le sud. Le lourd circuit circulaire des camions amphibies dans la partie basse de la lagune. Les raids des speedboats qui montent en droite ligne jusqu'au glacier. Et eux. Seul mouvement perpendiculaire à travers les icebergs. Ce canot à moteur qui vient de l'autre rive. Il sait que c'est eux. L'autre et Rebecca. D'instinct. Il descend de la voiture et s'approche de l'eau en portant les jumelles à ses yeux. C'est l'été et les icebergs sont nombreux mais à travers leurs masses qui passent lentement, il parvient à faire le point sur l'embarcation et son cœur se crispe. Rebecca est à l'avant, un peu raide dans sa posture. Il croit d'abord qu'elle a peur de l'eau, puis devine qu'elle est entravée. Les mains liées. Les chevilles aussi probablement. Malgré sa rage, il fait de grands signes de la main pour lui montrer qu'il est là, mais il comprend vite que celui qui manœuvre la barque vient déjà droit sur lui. Il ne quitte pas Rebecca des yeux et voit son regard quand elle l'aperçoit. Elle a compris qu'il l'observe dans ses jumelles et cherche à lui parler en silence, articulant chaque mot pour qu'il puisse comprendre sans que l'autre, à la manœuvre dans son dos, entende. Mais un lourd bloc de glace rayé de cendres glisse en travers d'eux, et quand il est passé, le canot est à l'arrêt de profil. Soulniz le voit enfin, dans sa combinaison de survie, harnaché de son gilet de sauvetage, encapuchonné dans son coupe-vent, le regard effacé par le reflet de ses lunettes de soleil. Il ne le reconnaît pas mais le message que l'autre lui adresse est clair. Il tire de la barque un gilet de sauvetage qu'il brandit pour que Soulniz le voie, et le jette à l'eau en souriant. Puis, d'un mouvement de pied, il fait rouler le canot de gauche à droite et Rebecca, surprise, doit se raidir pour garder l'équilibre.

Impuissant, Soulniz hurle une insulte en serrant les poings. Il aurait dû prévenir Kornélius, ou même prendre Galdur avec lui. Il se maudit. Rebecca est là, à cinquante mètres à peine, et il ne peut rien faire que regarder l'autre le narguer et mettre la vie de sa fille en danger. Il réfléchit quand même. Ce type ne peut pas débarquer n'importe où avec un otage pieds et poings liés. Il est forcément venu en voiture et, par la force des choses, il a dû se garer au plus près de son point d'embarquement, à l'abri des regards indiscrets. Et obligatoirement sur l'autre rive, qui n'offre aucune possibilité d'activité aux touristes. Il décale la vision de ses jumelles pour examiner la berge d'en face, remontant du pont à l'embouchure du lagon vers le glacier. Il ne remarque d'abord rien, jusqu'à cet îlot dont il se souvient aussitôt. À trois kilomètres au nord de l'embouchure, sur la rive occidentale, le seul accident de terrain qui retienne de nombreux icebergs pris dans la nasse qu'il dessine avec la berge. C'est là qu'à l'époque, loin de tout, ils avaient fait le pari de se baigner au milieu des glaces.

Depuis le canot, l'autre s'étonne que Soulniz ne s'intéresse plus à lui et se retourne pour deviner ce qu'observe le Français. Quand il comprend que Soulniz a repéré l'îlot, puis qu'il le voit ranger ses jumelles et courir jusqu'à sa voiture, il comprend et relance son moteur. Le dangereux demi-tour affole trois phoques qui s'approchaient de la barque pour jouer et dansent maintenant comme des ludions dans son sillage.

Soulniz a démarré dans l'urgence lui aussi et jaillit hors de la plage pour récupérer la piste en pierre. Il conduit vite tout en surveillant de côté le sillage du canot qui file vers l'autre rive. Pour l'autre, quatre kilomètres pour traverser la lagune en canot jusqu'à la berge derrière l'îlot et deux autres de piste difficile pour récupérer la route principale. Moins de deux kilomètres de piste pour lui jusqu'à la route numéro 1 et deux kilomètres d'asphalte pour rejoindre l'intersection avec la piste de l'autre. Quand il atteint la route numéro 1, une profonde ornière creusée par les camions amphibies le fait bondir sur l'asphalte entre un bus et un camping-car dont les avertisseurs hurlent. Il redresse la voiture de justesse, dérape sur le bas-côté en criblant des cyclistes d'une rafale de graviers, puis redresse sa trajectoire et file vers le pont. Le trafic est ralenti par les voitures et les cars qui descendent avec prudence de l'asphalte pour rejoindre le parking en pierre. Il slalome entre les véhicules en laissant une main tétanisée sur le klaxon puis file sur le pont. À travers les haubans qui strient sa vision d'éclairs strobosco-piques, il n'aperçoit plus le canot et rage en tapant sur son volant du plat de la main. Quand il devine la piste sur la droite, il se dresse sur le frein et la voiture pique du nez dans une traînée de fumée bleue de caoutchouc brûlé. Une voiture l'évite de justesse en mordant sur le bas-côté à sa droite. Lorsqu'il recule, en brûlant sa gomme dans l'autre sens, un camion déchaîne sa colère en le frôlant sur la gauche. Sans s'en inquié-ter, Soulniz jette la voiture sur la piste pour aller à la rencontre de l'autre. Il est certain qu'il n'a pas pu atteindre la route numéro 1 avant lui. Il ne lui refera pas le coup de Mývatn. Pas avec Beckie dans sa voiture. Mais la piste n'en est pas vraiment une. Juste un passage à prendre au pas en enclenchant le diffé-rentiel tout-terrain du 4×4. Sous le châssis, des pierres cognent et rebondissent et les amortisseurs claquent quand les roues se prennent entre deux pierres. Plusieurs fois, il se blesse la tête contre la portière ou le volant lorsque les soubresauts de la voiture sont trop violents. Puis soudain, la piste se hisse sur un gros rocher rond et disparaît. Il freine en urgence. En bas, des traces de véhicules plus appropriés que le sien se perdent dans un lacis de rivières qui descendent des glaciers et qu'il faut passer à gué. Chaque passage semble dangereux, et aucun ne paraît déboucher sur une piste de l'autre côté des eaux laiteuses.

Alors il laisse exploser sa colère et cogne plusieurs fois ses poings contre le tableau de bord avant de sortir de la voiture, seul au milieu de toute cette désolation, de ce chaos minéral et liquide sans ordre. Et, sous un ciel blanc qui se charge soudain de nuages noirs de pluie, il pleure debout.

# 59

## Heimaey

*... de céder à la tentation.*

Le ferry s'engage dans la passe qui protège le port de Heimaey.
À tribord, il frôle des falaises blanches où s'affolent des milliers
d'oiseaux, mais les touristes n'ont d'yeux que pour l'épais bourrelet de roches brûlées, à bâbord, sur lequel rien n'a encore
repoussé. La coulée de lave s'est glissée mollement dans la mer
et a failli piéger le port dans son magma. Au plus étroit, la lave
est à moins de cinquante mètres des falaises. Chacun mesure
alors le drame qui s'est joué à l'époque. La mort d'une île. Le
lourd ferry glisse entre ce qui ressemble, pour Kornélius, à la
vie d'un côté et à la mort de l'autre. Même si chaque Islandais
sait que sur la cendre morte finissent toujours par repousser ne
serait-ce que des mousses et des lichens. La nature a ses lois.
Surtsey a surgi de la mer en novembre 1963. Une île nouvelle
et arrogante de presque trois kilomètres carrés et de plus de cent
soixante-dix mètres de hauteur. Depuis, la mer et le vent lui ont
déjà repris la moitié des terres qu'elle avait créées. Patiemment,
par frottement, par ruissellement, par suintements. Mais la terre
se défend elle aussi et, pour mieux résister, s'est couverte d'une
toundra de pourpiers, de seigle des mers et de mouron. Des
graines probablement apportées dans le duvet des oiseaux curieux.
Kornélius regarde ceux de Heimaey qui se laissent tomber des

sommets verdoyants des falaises pour prendre un envol tendu et
remonter vers le ciel, alourdis par leur gros bec bariolé. Puis le
ferry manœuvre et Kornélius débarque dans le flot des touristes
excités de fouler cette minuscule terre volcanique qui s'est pom-
peusement proclamée la Pompéi du Nord. De temps en temps,
ils se retournent sur lui et il devine un reste de stupeur dans leur
regard. Puis il dépasse les employés qui guident et organisent le
débarquement des véhicules et reconnaît la même lueur dans
leurs yeux. Quand il s'approche du policier qui veille au bon
déroulement des choses, lui aussi le regarde venir d'une manière
étrange.

— Un problème ? s'enquiert Kornélius.

— Non, répond trop vite le flic.

— Tu as trouvé où me loger ?

— Oui, chez Janis, une maison d'hôtes, à cinq cents mètres
d'ici.

Il lui explique comment y aller et lui jette encore un curieux
regard avant de le laisser. Kornélius le suit des yeux, intrigué,
puis se dirige vers la maison d'hôtes. Une maison mignonnette
en face d'une station-service. La femme qui ouvre la porte ne
s'est jamais remise de ses années hippies. Robe de bohémienne
et cheveux passés au henné, colliers de graines et bracelets
de pacotille aux poignets et à ses chevilles nues. L'intérieur
de la maison sent fort le patchouli et les tapis élimés, mais la
femme le fixe longtemps droit dans les yeux avant de le laisser entrer.

— Un bouton sur le nez, de la salade entre les dents ?

— Non, répond-elle, mais cette maison ne veut abriter aucune
violence.

— C'est une maison qui a du bon sens alors, mais vous pouvez la rassurer : je ne suis pas violent.

— J'ai peine à vous croire.

– Alors, disons que je ne suis pas plus violent que mon métier ne l'exige.

– Aucun métier ne devrait exiger d'être violent.

– Je suis policier, s'excuse-t-il en guise d'explication.

– Je sais qui vous êtes, répond-elle, comme un reproche.

Elle s'efface pour le faire entrer et lui explique sèchement ce qu'il sait déjà. Comment fonctionnent la machine à café, la bouilloire, le four, le micro-ondes, puis elle le laisse et monte à l'étage où elle habite avec une sortie indépendante par un escalier extérieur.

Il va la remercier malgré tout quand son téléphone sonne.

– Comment vas-tu ? demande Ida.

Ils se connaissent trop bien pour qu'il ne remarque pas dans sa voix cette pointe d'exaspération qui traduit sa pensée mieux que ses mots. Ce qu'elle lui demande en fait, c'est ce qu'il a encore fait.

– Bien, répond-il prudemment. Pourquoi me demandes-tu ça ?

– Pour savoir si la gloire ne tourmente pas ton ego de Monsieur Muscles.

– Tu peux traduire s'il te plaît ?

– Tu as fait plus de vues en une heure sur *fèsbok* qu'il n'y a d'habitants dans ce pays, Kornélius. Et plus encore sur Twitter et Snapshat.

– De quoi parles-tu ?

– D'un abruti qui tient d'une main un pauvre homme suspendu dans le vide par-dessus le bastingage d'un ferry à dix mètres au-dessus de l'étrave ! C'est partout sur la Toile. Le temps de te le dire et tu viens de prendre cent mille vues supplémentaires.

Kornélius s'explique à présent tous les regards de travers depuis qu'il a débarqué sur l'île. Il aurait dû y penser. L'Islande affiche le plus grand indice de pénétration au monde pour les réseaux sociaux. Quatre-vingt-quinze pour cent des moins de trente ans sont sur *fèsbok*. Il aurait dû se maîtriser.

— Ida, ton pauvre homme, c'était Simonis, et tu sais très bien qu'il a tué ou fait tuer Anita et qu'il s'en est pris à toi.

— Kornélius, quand vas-tu grandir ! J'appelle pour te prévenir, c'est le branle-bas de combat ici. Tout remonte, tes escapades à la poursuite du Français et de sa fille, la mort de l'autre Français dans le cratère du Viti, celle d'Anita, ils commencent à tirer tous les fils un par un et ne vont pas tarder à s'apercevoir que tout ça, c'est une seule et même ficelle qui mène à toi. Et quand ils vont comprendre que tu cours après une étrangère mineure dont tu n'as pas déclaré l'enlèvement et deux kilos de coke, tu n'auras plus qu'à te chercher un boulot de vigile dans un des entrepôts du port. Après ta sortie de prison, je veux dire !

Il réfléchit quelques instants au tableau que vient de dresser Ida et doit admettre qu'il n'avait pas besoin de tout ce cirque autour de cette crapule de Simonis. Et Ida a raison. Il ne voit aucune issue à l'imbroglio dans lequel il s'est lui-même fourré.

— Ça va s'arranger, Ida, d'une manière ou d'une autre, ça va s'arranger, ça va venir avec l'eau froide et tout va se remettre en place.

Alors elle explose, de pleurs et de colère, et lui hurle son dépit, qu'elle ne veut rien entendre de ce *pedda redast*, de cette sempiternelle excuse des Islandais à croire que tout finira par s'arranger. La voiture ne démarre pas : *pedda redast*. Le môme est malade : *pedda redast*. Il neige depuis deux semaines : *pedda redast*. Elle ne veut plus entendre cette dérobade. Et puis, ce dicton stupide, comme si l'eau froide pouvait remettre quoi que ce soit en place ! Elle veut un homme qui prenne les choses en main. Un homme qui construise. Qui consolide. Qui bâtisse sa maison, sa vie, ses projets. Putain, elle ne veut pas d'un *pedda redast* !

Il attend qu'elle se calme avant de répondre :

– Qu'est-ce que tu essayes de me dire, Ida, que tu veux que je bâtisse quelque chose avec toi ?

– Pauvre imbécile, répond-elle d'une voix soudain résignée, je voulais juste te demander de ne pas détruire ce que nous avons déjà construit. Ils vont t'appeler, Kornélius. Te décharger de toutes tes affaires en cours et te convoquer. Je t'aurai prévenu.

Elle raccroche et il reste dans cette petite maison qui sent le bois de santal, le patchouli et les cookies au gingembre. Et pas que ! À l'étage, la femme a mis de la musique. « My Sweet Lord » de George Harrison d'abord, puis « I Feel Just Like a Child » de Devendra Banhart, et il se laisse tomber dans un vieux fauteuil en cuir recouvert d'un poncho péruvien. Et si c'était ça le bonheur en fait : se sentir comme un môme dans une maison d'hôtes parfumée de nostalgie, sur une toute petite île rescapée au sud d'une île pas bien grande, tout au nord d'un océan ? Seul…

La flûte de Ian Anderson attaque une suite de Bach en *mi* mineur pour introduire la « Bourée » de Jethro Tull et l'arrache à la torpeur résignée qui le gagnait. Il sort de la maison. Le temps est passé au grand bleu. À Reykjavik, ce serait un jour à descendre ses dossiers dans un square, ou à réunir le service logistique en bord de mer. Mais quand on travaille en mer, comme la plupart des îliens, c'est juste une belle journée pour travailler comme d'habitude.

Kornélius hésite à redescendre vers le port pour offrir quelques bières aux marins et aux dockers et les faire parler, mais il se doute que ses exploits sur *fèsbok* ne vont pas l'aider à délier les langues. Alors, il opte pour le musée du Volcan pour mieux se resituer dans l'époque. Si l'enlèvement de Beckie trouve son mobile dans les événements de 1973, autant commencer par là.

L'Eldheimar est à moins d'un kilomètre au pied du cratère de l'Eldfell, qui garde le village sous la menace débonnaire de son cône de scories brunes.

C'est un hangar presque aveugle, moderne, et couleur rouille. La porte et les rares fenêtres, soutenues par des poutrelles métalliques noires, accentuent l'impression d'obscurité qu'il devine à l'intérieur et qui le surprend pourtant dès qu'il entre. Tout est sombre, décoré d'écrans, de projections et d'animations virtuelles. Dès l'entrée, il reste interdit devant les ruines d'une maison broyée par la lave. La légende a couru que le musée avait été construit autour de la seule ruine que les autorités avaient accepté de préserver à titre de témoignage. Mais voilà qu'il découvre que la réalité est plus incroyable encore. Cette maison détruite, bousculée par un mur de lave en fusion, ensevelie sous des pluies de cendres brûlantes, a été excavée des décennies plus tard et ses ruines reconstituées au cœur du musée. Décombre par décombre, vestige par vestige, débris par débris. Les visiteurs s'y aventurent en réalité augmentée. Du bout de leur manette, ils se lancent dans l'exploration virtuelle de cette ruine ludique qu'a un jour perdue une famille qui y vivait heureuse. Il se demande si les anciens habitants demeurent encore sur l'île et visitent de temps en temps ce qui a été leur foyer.

Il suit le sens de la visite et traverse bientôt un chaos de feu et d'explosions qui restitue l'atmosphère de fin du monde au plus fort de l'éruption. Puis le parcours guide ses pas vers la zone dédiée au déblaiement et à la reconstruction et Kornélius tombe en arrêt devant deux photos. Sur un toit, des volontaires au travail qu'il reconnaît. Soulniz, qui semble le chef, autour de qui s'organisent les autres. Charlie, l'œil pétillant, qui a dû dire une bonne blague et s'en amuse. Marty, barbu, déjà dans la même veste de tweed, un peu à l'écart, qui pose comme un ouvrier du chemin de fer au temps du Far West. Il ne reconnaît pas le garçon aux commandes du Bobcat. Un rouquin. Il cherche Abbie mais ne la voit pas. La photo, de toute évidence, date d'avant la réouverture de l'île aux touristes. Quelques autres visages inconnus attirent son attention, mais ils ne semblent pas appartenir au même groupe que celui qui entoure Soulniz.

L'autre photo représente le même groupe, par une journée de forte chaleur à en croire leurs tenues débraillées, qui pose au milieu des tombes du cimetière à moitié déblayé.

Quelque part dans ses pensées confuses résonne une alerte. Son instinct le prévient que ces deux photos ont une signification qui dépasse celle du simple portrait d'un groupe de copains qui posent. Mais il n'est pas au bon endroit pour y réfléchir. Il sort son téléphone et photographie les deux tirages. Le reste de la visite prend aussitôt moins d'importance et il ressort bientôt du musée.

Il hésite à traverser l'île pour aller voir la falaise d'où est tombée Abbie, puis y renonce. Il aimerait escalader la pente géométrique de l'Eldfell pour voir le cratère depuis la crête, mais il y renonce aussi. L'appel d'Ida le ronge. Moins ce qu'elle lui a annoncé comme emmerdements à venir que ce qu'il réalise avoir manqué dans sa relation avec elle. Il décide de marcher à travers le champ de lave jusqu'à l'endroit où le magma a failli boucher le chenal. Un quart d'heure plus tard, au bout d'un chemin de mâchefer, il atteint un point de vue désert. Quelqu'un y a abandonné un vieux sofa et deux fauteuils, tournés comme pour une conversation vers le chemin. Il regarde le sofa, s'en amuse, puis le tourne dans l'autre sens, avec vue sur le mur blanc des falaises de l'autre côté du chenal.

Il s'installe dans le sofa et jouit de cette occasion inespérée, avec derrière lui ce qui a été le chaos des entrailles de la Terre, et face à lui les falaises éternelles, insensibles aux assauts de l'océan. Et même s'il sait que l'océan viendra un jour à bout et des falaises blanches, et des laves noires, il savoure cet instant de fausse éternité. Puis il appelle Soulniz.

– Vous êtes où ?

– Il était là ! répond la voix désespérée du Français.

– Qui ça, le kidnappeur ?

– Oui. J'ai failli tomber sur lui à l'hôtel de Höfn. Ce salaud venait juste de partir en emmenant Rebecca.

– Rebecca était avec lui ? s'alarme Kornélius.

– Oui, et ça réduit à néant votre théorie selon laquelle il ne pourrait pas circuler avec elle.

– Pas du tout. En fait, elle était bien séquestrée par un complice mais nous pensons qu'elle a réussi à s'évader. Probablement en tuant son geôlier.

– Quoi, Rebecca a tué un homme ?

– Oui, excusez-moi, j'aurais dû vous l'annoncer autrement, je suis désolé.

– Et vous avez identifié cet homme ?

– Oui. Et c'est quelqu'un que vous connaissez. Dont vous m'avez déjà parlé. Il semble qu'il soit resté en Islande depuis votre rencontre sur Heimaey en 1973.

– Un des volontaires…

– Oui. Écoutez, Soulniz, l'homme qu'a tué Rebecca et qui la séquestrait, c'était Marty…

– …

– Soulniz ?

– … Rebecca a tué Marty ? murmure-t-il, sonné par la nouvelle.

– Oui, nous en sommes presque certains. Et vous, dites-moi ce qui s'est passé avec votre fille ?

Soulniz lui raconte son histoire depuis l'attaque des corbeaux à Höfn jusqu'à la course-poursuite autour de la lagune glaciaire.

– Comment se fait-il qu'elle soit retombée aussi vite entre les mains de son ravisseur ? réfléchit Kornélius à voix haute.

– Rebecca a suivi la même logique que nous, répond Soulniz, respecter l'itinéraire. Elle a rallié l'hôtel prévu pour cette étape.

– C'était risqué, analyse Kornélius, sachant que celui qui l'a enlevée raisonne pareillement.

– Elle ne le savait pas. Souvenez-vous, elle en était restée à la théorie selon laquelle le type nous suivait. Par ailleurs, ça a failli marcher, réplique Soulniz comme s'il tenait à défendre Beckie. Si j'étais arrivé dix minutes plus tôt, je récupérais Rebecca et je cassais la gueule à ce salaud.

– Vous ne m'avez pas dit où vous êtes ?

– Je suis à Vík, à l'hôtel des Macareux, là où nous avions réservé. Je suis venu le plus vite possible pour mettre la main sur cette ordure.

– N'y croyez pas trop, Soulniz, je doute qu'il prenne le risque de se montrer et de tout compromettre.

– Vous pensez toujours que…

– … Soulniz ?

– …

– Soulniz ?

– Kornélius, vous avez la télé où vous êtes ?

– Non, je suis en pleine nature, pourquoi ?

– Parce que je suis devant celle de l'hôtel et que tout le monde vous regarde tenir un type à bout de bras par-dessus le bastingage d'un bateau !

– Par l'Enfer ! soupire Kornélius. C'était Simonis qui venait me chercher des crosses.

– Simonis était sur le ferry pour Heimaey avec vous ?

– Oui, soupire Kornélius une nouvelle fois. Je pense qu'il me suit dans l'espoir de mettre lui-même la main sur Beckie. Je pense qu'il est toujours convaincu qu'elle a la cocaïne. Ne restez pas à Vík, Soulniz, venez me rejoindre ici. C'est à Heimaey que ça va se passer.

– Non, je suis passé trop près ce matin. Je veux tenter ma chance à Vík. Ce village n'a que trois cents habitants, je ferai du porte-à-porte s'il le faut, mais s'il est là, je lui mettrai la main dessus.

– Comme vous voulez. En attendant je vous envoie deux photos, si vous pouviez bien les regarder et me dire si elles réveillent en vous des souvenirs particuliers.

– D'accord, je vous rappelle dès que je les ai reçues.

Kornélius raccroche et reçoit le premier coup qui ripe sur son crâne et cogne son épaule. Il se lève en se retournant et, dans le même mouvement, culbute le sofa sur les sbires de Simonis.

– « Tes armes derrière toi jamais ne laisseras. De ton épée jamais ne sais quand besoin tu auras. » Tu connais la sagesse des poèmes du *Hávámal*, ce manuel de savoir-vivre des anciens Vikings, n'est-ce pas, Kornélius ? le nargue Simonis.

Ses gardes du corps se sont relevés et tous trois sont armés de barres de fer. Il perd du temps à se demander sur quel chantier ils ont pu se les procurer et à repérer leur voiture et se prend un nouveau coup sur le bras.

– Je suis d'abord venu pour que tu me rendes mon arme, explique le Lituanien, et ensuite pour te rosser et te faire payer l'affront que tu m'as fait sur le bateau.

– Si j'avais ton arme sur moi, Simonis, tu serais déjà mort.

– Attention, Kornélius, le proverbe grec dit « le menteur aime le menteur et le voleur aime le voleur » – mais il ne dit pas que le menteur aime le voleur. Je t'ai menti, c'est vrai, mais toi tu m'as volé et je n'aime pas ça. Et puis nous sommes déjà passés chez ta logeuse, et tu n'as laissé là-bas aucun bagage.

– J'espère pour toi que tu ne lui as pas fait de mal.

– Elle est très *peace and love*, alors on l'a un peu menacée d'être beaucoup plus *love* que *peace* avec elle, et elle nous a fichu la paix. L'arme, s'il te plaît.

– Désolé, mais j'en ai besoin.

Il fait un pas et ils reculent de trois, puis il s'empare du sofa et le brandit à bout de bras quand apparaissent les quatre mêmes Japonaises du ferry qui viennent en ligne admirer les falaises. Au moment où le meuble écrase au sol les trois Lituaniens et se fracasse, leurs quatre Samsung immortalisent la scène pour le million de *viewers* qui ont déjà vu celle du ferry. Kornélius ramasse les barres à mine et les balance dans le chenal, puis retourne vers le port en coupant par le champ de lave. Mais il se souvient de la télé, change d'idée, et reprend le chemin de la maison d'hôtes. Il est en route quand Soulniz le rappelle.

– Où avez-vous trouvé ces photos ?

– Vous êtes aussi célèbre que moi, Soulniz, elles sont exposées au musée du Volcan à Heimaey. Elles vous disent quelque chose ?

– Oui, je me souviens quand elles ont été prises, mais je ne vois pas en quoi elles peuvent nous être utiles.

– Le type de la lagune glaciaire, vous avez pu apercevoir ses cheveux ?

– Non, ils étaient dissimulés sous la capuche de son coupe-vent.

– Mais celui que vous avez aperçu à Dettifoss et celui que nous avons vu dans l'Askja, il était bien roux, n'est-ce pas ? C'est bien un des indices qui nous ont fait penser à Charlie le rouquin, non ?

– Vous voulez dire…

– Oui, il n'y a qu'un seul rouquin sur cette photo à part Charlie, et c'est celui qui est sur le Bobcat. Vous le reconnaissez ?

– Impossible, Kornélius, c'est Jeff !

– Et pourquoi ce serait impossible ?

– Parce qu'il n'a aucune raison de se venger de moi. Je vous l'ai raconté, il m'a mis l'accident d'Abbie sur le dos, alors moi je pourrais lui en vouloir, mais lui, ça n'aurait aucun sens !

– Soulniz, avec les psychopathes, rien n'a de sens comme nous l'entendons, mais eux savent en donner à leurs actes les plus tordus. Il se pourrait même que votre copain Marty ait voulu m'occire pour me dépecer le bas du corps et s'en faire un nécropant au nom d'une improbable légende !

– Quoi ? Qu'est-ce que vous racontez ?

– Je vous expliquerai plus tard. À propos des photos, vous vous souvenez du nom du rouquin ?

– Le sien, oui, c'était Jeff Oakland.

– D'accord, très bien, je m'en occupe. Soyez prudent à Vík, et rejoignez Heimaey par le premier ferry. Je vous attendrai sur le quai. C'est ici que tout va se jouer, Soulniz, j'en suis convaincu.

– Que Dieu vous entende !

– Laissons Dieu en dehors de tout ça, si vous voulez bien.

– De la part de quelqu'un qui croit en l'existence d'un peuple invisible !

– Et alors, vous croyez bien en Dieu, n'est-ce pas ?

– Qu'est-ce que ça a à voir ?

– Vous l'avez déjà vu ?

– Bien sûr que non.

– Alors, où est la différence !

Et avant que Soulniz trouve une réponse, Kornélius raccroche et compose un autre numéro.

– Botty, j'ai du boulot pour toi.

– Le problème, Kornélius, c'est que toi tu n'as plus de boulot.

– Que veux-tu dire ?

– Tu es relevé de tes fonctions avec effet immédiat. Le grand patron l'a annoncé à la télé il y a cinq minutes.

– Quoi, pour l'histoire de Simonis par-dessus le bastingage ?

– Non, pour la récidive avec le sofa sur la même victime.

Quatre cent cinquante mille vues en quinze minutes. La Toile est scotchée dans l'attente du troisième épisode. Tu devrais vendre les droits à Netflix.

— Et toi, là-dedans ?

— Je suis chargée de prendre ta relève. Je serai là demain matin avec le premier ferry.

Kornélius réfléchit quelques secondes.

— Personne ne m'a encore officiellement informé.

— Je viens de le faire.

— Alors, disons que tu n'as pas réussi à me joindre.

— Tu fais durer une conversation téléphonique où nos deux numéros apparaîtront sur les relevés.

— D'accord, alors disons que tu m'as convaincu et que je suis quelque part en route pour Reykjavik. Est-ce que tu peux me rendre un service en attendant que j'arrive ?

— …

— Botty ?

— Un seul, Kornélius, un seul, et il va te coûter très cher en café.

— Je marche. Trouve tout ce que tu peux sur un Jeff Oakland, américain, impliqué dans l'accident mortel d'une Anglaise à Heimaey en août 1973. Ne me rappelle pas sur ce portable. Je t'appelle moi dans deux heures.

— Deux heures, mais tu…

Il raccroche et rappelle Soulniz.

— Votre hébergement à Heimaey, c'est où ?

Il mémorise l'adresse puis raccroche et retourne à la maison d'hôtes.

La femme est à l'étage. Il entend la mandoline psychédélique de Grateful Dead dans « Ripple ».

— Janis ?

Il appelle encore une fois et personne ne répond. Il monte

l'escalier à pas feutrés. À hauteur du palier, les yeux au ras du parquet ciré, il aperçoit la porte entrouverte de la chambre d'où s'échappe la musique. Il monte encore et s'approche, frappe doucement à la porte, puis pousse lentement le battant.

La femme est là, de dos, et danse comme une Gitane sur la musique devant un grand miroir sur pied. Quand elle aperçoit son reflet, elle danse encore, sans crainte, avant de se retourner et de relever le bras du tourne-disque.

— Ce sont mes appartements.

— Oui, je sais, désolé, j'ai entendu la musique. J'ai appelé avant de monter.

— Il fallait faire sonner le carillon. Je ne vous ai pas parlé du carillon ?

— Non...

Sa chambre est une tente des *Mille et Une Nuits* version californienne. Un bâton d'encens brûle quelque part. Des mobiles dessinent en silence des dérives aériennes.

— Vous vouliez ?

— Savoir si vous alliez bien d'abord. Je crois que des gens peu recommandables sont venus vous voir.

— Je vais bien. Chacun ici-bas a les amis qu'il mérite.

— Ce ne sont pas mes amis, vous avez dû vous en apercevoir.

— Je vais bien, merci de vous en être inquiété.

— Je voulais aussi savoir si vous connaissiez une adresse, ici à Heimaey.

Il lui donne l'adresse de l'hébergement de Soulniz et elle le fixe longuement avant de sourire.

— Vous êtes sûr que vous êtes policier ?

— Oui, répond-il, enfin je suppose, encore un peu. Il paraît qu'on m'a relevé de mes fonctions mais je n'en ai pas encore été averti. Pourquoi ?

— Parce que cette rue est parallèle à celle qui vous a conduit chez moi, et que cette adresse est celle de l'autre entrée de mon jardin. J'ai transformé mon garage inutile en deuxième chambre d'hôtes.

– Vous voulez dire que mon ami a réservé chez vous lui aussi ?

– Si votre ami est français, qu'il voyage accompagné et qu'il s'appelle Soupize, ou Moulnize, je ne me souviens plus très bien, la réponse est oui. Pourquoi ?

Kornélius bredouille une excuse et sort de la chambre en laissant la porte entrebâillée juste comme il l'avait trouvée. Il est sur le palier quand la guitare de Santana attaque « Black Magic Woman ». Et il imagine volontiers sa façon de danser dessus.

Deux heures plus tard, il appelle Botty et les nouvelles sont mauvaises. Jeff Oakland a quitté l'Islande dix jours après l'accident d'Abbie et n'y est apparemment jamais revenu. Et aujourd'hui moins que jamais puisqu'il est mort il y a six mois. Accident d'hélicoptère, précise Botty. Une vie de businessman avec une mort de businessman, rien à signaler.

– Est-ce que l'accident aurait pu être dû à un sabotage ?

– Une perte de puissance au décollage. L'appareil est retombé, a basculé et s'est écrasé au pied de sa résidence d'été.

– Comment ça « écrasé » ?

– La résidence est construite sur une petite falaise face à l'Atlantique. La plate-forme d'envol est en surplomb au-dessus de l'océan.

– Merde, Botty, et tu m'annonces ça comme ça !

– Comme ça quoi ?

– Deux types sont impliqués dans un accident mortel qui coûte la vie à une jeune Anglaise tombée d'une falaise en 1973. Quarante ans plus tard, la fille d'un des deux types est enlevée dans le but probable d'attirer son père sur les lieux de l'accident, et toi tu m'apprends tranquillement que l'autre type, celui dont

Soulniz et moi avions fait notre deuxième suspect, vient de mourir en tombant d'une falaise. D'une falaise, Botty, tu fais le lien ?

– Oui, mais en hélicoptère, et sur la côte est des États-Unis ! Kornélius ne veut même pas écouter ses mauvaises excuses.

– Dis-moi plutôt comment on peut perdre de la puissance au décollage d'un hélico, Botty.

– Surpoids, absence de purge du réservoir avant le premier vol du matin, mauvais décrochement d'une sangle d'attache et, si c'est un moteur à pistons, pression d'admission trop faible pour atteindre la puissance maximale nécessaire au décollage.

– Alors rappelle qui tu veux là-bas, mais donne-moi la conclusion du rapport technique de l'accident et trouve-moi le nom de chaque personne citée dans l'enquête.

– Pour demain je suppose ? se moque Botty.

– Bien sûr que non. Pour ce soir !

Il s'apprête à raccrocher. Botty le devine et le retient.

– Kornélius !

– Quoi ?

– Demain, je ne viens pas seule. Ils viennent pour toi. Je crois qu'ils vont t'arrêter. Ils ont plongé dans toutes tes enquêtes : la disparition du *Loki*, la coke du petit marin, l'enlèvement de la Française, la mort de Nez-Rouge et celle de Charlie. Pour l'instant, ils pataugent, mais ils ont compris que le fil rouge de tous ces dossiers, c'est toi.

– Merci de me prévenir, Botty. Ça va s'arranger. D'une façon ou d'une autre, ça va s'arranger. J'ai juste besoin de la journée de demain pour passer tout ça à l'eau froide. Je trouverai un moyen.

Il raccroche, et la femme de la maison d'hôtes est là, dans l'escalier, à le regarder.

– Mauvais karma ?

– Oui, soupire Kornélius. J'ai dû être un sacré salaud dans mes vies antérieures pour mériter tout ça aujourd'hui.

– *Well, we all shine on, like the moon and the stars and the sun*, fredonne la femme.

Kornélius reconnaît le refrain d'« Instant Karma » de Lennon et sourit.

– Un thé ? demande-t-elle.

– *And she feeds you tea and oranges that come all the way from China*, fredonne-t-il à son tour d'une voix douce à la Leonard Cohen. Vous auriez pu vous appeler Suzanne.

– Porter le prénom de Joplin suffit amplement à mon bonheur.

Elle disparaît dans la cuisine et s'affaire à préparer le thé. Lui reste dans le sofa à laisser toute la pression des derniers jours lui lâcher les épaules. Il regarde autour de lui. Des vinyles en piles. Des romans sur une étagère. Un Leica sur une desserte balinaise. Quand Janis revient, elle porte un plateau qui embaume la pièce d'un arôme de thé noir aux agrumes et à la bergamote. Quand elle passe devant lui, un rai de soleil traverse la pièce et sa robe légère. Le temps d'une seconde, il devine son corps. Elle pose le plateau sur une table basse et s'assied en tailleur face à lui. Le parfum des cookies ne lui laisse aucun doute. Lorsqu'elle sort d'un petit sac en ikat indonésien de quoi leur rouler un joint en plus, il soutient son regard heureux et s'étonne de deviner en lui qu'il renonce à y résister.

– Ça fait si longtemps ! murmure-t-il en prenant entre le pouce et l'index le joint qu'elle lui tend.

– Tant mieux, dit-elle en tirant à son tour sur l'herbe odorante dont la braise pétille, il ne sera que meilleur de céder à la tentation.

# 60

## Vík

*... et l'assomme d'un coup.*

Soulniz est au Black Beach quand il reçoit la photo. Les touristes n'ont d'yeux que pour le sable noir de la plage de Reynisfjara qu'ils admirent à travers la baie vitrée du restaurant, à cent mètres de là. Une plage d'un autre monde. D'un autre temps même, crépuscule d'une lointaine planète ou aube noire d'une nouvelle étoile. Les gens du coin, eux, surveillent Soulniz du regard. Ils l'ont tous vu patrouiller à travers le village. Une dizaine de rues seulement, plus un bout de la route numéro 1 et six kilomètres de la 215 pour descendre jusqu'à cette plage, une des dix plus belles au monde, paraît-il. Et maintenant, il sait. Sur l'écran de son portable s'est affichée la photo de la grotte au pied des falaises. Pourquoi l'océan, si calme aujourd'hui, occupé à franger d'écume immaculée un sable d'ébène, a-t-il creusé la falaise à cet endroit plutôt qu'à un autre ? Il quitte le restaurant sans toucher au plat d'agneau tendre qu'on vient de lui servir. Un coup de vent lui cingle le visage. Il descend vers la plage et contourne la falaise hérissée de colonnes de basalte géométriques et s'étonne encore de ce qui semble un jaillissement et qui n'en est en fait que le très exact contraire. À l'époque, Marty, qui étudiait les sciences de la Terre à l'université de Minneapolis, leur avait appris que, dans certaines conditions de chaleur, la lave, en se refroidissant au contact de la mer, se fractionnait d'abord en hexagones à la surface. Puis ces fractures géométriques plongeaient dans la roche en fusion pour y découper en profondeur ces orgues de pierre qui finissaient par se solidifier.

Un couple de touristes qui veut y grimper lui demande en mauvais anglais s'il accepterait de les prendre en photo. Soulniz les rabroue d'un grognement et devine que la femme l'insulte à voix basse dans une langue qu'il ne comprend pas. Dans la poche de son manteau, il serre dans son poing l'arme de Galdur. Vingt mètres plus loin, au détour de la falaise, il arrive à la grotte, sur sa gauche. Il comprend que l'autre ne se montrera pas. Haute et profonde comme une chapelle troglodyte, la grotte est un cul-de-sac où déambulent des voyageurs étonnés, nuque cassée, en regardant le plafond carrelé des sections hexagonales du basalte. La mer a sapé de ses assauts réguliers et têtus la base des colonnes. Pas de chaos ici, comme dans les petites cavités de Mývatn, mais un bel ordonnancement, au contraire, qu'on pourrait croire le fruit du travail de l'homme. Soulniz ne lève pas la tête. Il dévisage un par un les visiteurs, cherchant à deviner un messager. Ils finissent par sentir son regard sur eux et s'écartent. L'autre n'y est pas, et ne peut rien avoir laissé à son intention. Contrairement à l'extérieur où la section du basalte forme d'innombrables marches étagées jusqu'en haut de la falaise, l'intérieur est symétriquement inversé. Tout pend du plafond. Ni marche ni tablette. Soulniz se force à rester calme. La photo qu'il a reçue sur son téléphone est claire, c'est là que l'autre veut qu'il soit et il y est. Il va se passer quelque chose. Il le faut.

Il ressort sur la plage. Au loin, trois rochers noirs et lugubres se dressent dans le bouillonnement des embruns de la houle. Trois trolls, selon les croyances, occupés à tirer sur la plage un trois-mâts échoué et qui se sont pétrifiés pour s'être laissé surprendre par les premiers rayons de l'aube. Sempiternelles superstitions. Il revient sur ses pas et observe chaque marche et chaque tablette des orgues de basalte quand soudain il aperçoit quelque chose à mi-hauteur. Il s'élance comme un fou, bousculant au passage le couple qu'il a refusé de photographier, et escalade l'escalier géant sur une dizaine de mètres pour récupérer l'indice ou le message. Mais ce n'est qu'une écharpe perdue que, depuis la plage, le couple lui réclame à grands gestes. Trop préoccupé, il ne les voit pas et redescend sans la rapporter. Cette fois, l'homme l'insulte à haute voix et en anglais, mais Soulniz a la tête ailleurs. Un nouveau message fait vibrer son téléphone.

« Dyrhólaey »

Il se précipite aussitôt vers le parking sauvage où il a laissé sa voiture. Il connaît Dyrhólaey. Un vieux phare sur un éperon rocheux qui domine toute la côte noire. L'extrême pointe méridionale de l'Islande. Une falaise de cent vingt mètres de haut, et ça le fait frémir de terreur.

Sa voiture est un peu à l'écart. Il ouvre la portière et se jette au volant. Il devine trop tard l'homme qui se redresse sur le siège arrière et l'assomme d'un coup.

# 61

## Heimaey

*… aussi stupide que ça ?*

Le corps de la femme est soyeux malgré l'âge qui le plisse par endroits. Kornélius se réveille dans le lit de son hôtesse qui l'a quitté. Assise nue à une coiffeuse bariolée aux miroirs biseautés, elle remonte ses cheveux orange en chignon. Elle devine sa présence et lui parle sans se retourner.

— Est-ce que nous avons… ?

— Non, j'ai été tentée, mais non.

— Qu'est-ce que je fais dans ton lit alors ?

— Nous sommes montés chez moi écouter de la musique et danser un peu hier soir.

— Danser ? Moi, j'ai dansé ?

— Disons que tu as laissé ton corps suivre le mouvement, tant qu'il a pu tenir debout.

— Ne me dis pas que je me suis endormi.

— Debout dans mes bras. Un grand gaillard comme toi, c'était plutôt encombrant. Et assez vexant.

— Dans ce cas, pourquoi suis-je nu dans tes draps ?

— Je t'ai déshabillé. L'aubaine était trop belle de dormir contre un corps nu. C'est déjà assez à mon âge…

Il se lève et passe son pantalon.

— Je suis désolé, murmure-t-il, je ne voulais pas t'offenser. Est-ce que j'ai parlé aussi ?

— Beaucoup.

— Et… ?

— Et tu n'es pas l'homme que tu sembles être.

— Je sais, soupire-t-il, c'est un peu le leitmotiv de ma vie en ce moment.

— Elles n'ont pas tort.

— Je t'en supplie, ne me trouve pas de talon d'Achille, toi aussi.

— Pourtant, tu en as un.

— Je ne veux pas le savoir !

— C'est justement ça.

— Ça quoi ?

— Cette application que tu mets à ne pas vouloir savoir qui tu es. Tu sais, l'éternel conflit entre l'être et le paraître.

— Tu crois vraiment que je cherche à paraître ?

— Non, je ne pense pas, mais je crois que tu te retiens d'être celui que tu es vraiment. Tu devrais lâcher prise de temps en temps, laisser retomber les épaules.

Elle ne l'a pas entendu se lever. Elle est assise devant lui et il pose les mains sur sa nuque. Il l'embrasse dans le cou et, dans le mouvement qu'elle a pour basculer sa tête à l'envers, elle offre à ses yeux son corps nu et assis qui, dans l'impudeur, reste d'une troublante élégance.

Elle devine son désir et se lève pour lui échapper. Il la laisse, à regret, glisser hors de son étreinte. Elle pose un disque sur la platine avant d'aller sous la douche, la porte grande ouverte.

— Ce n'est pas pour toi, dit-elle en se savonnant, c'est pour mieux entendre la musique.

*Yellow is the color of my true love's hair*
*In the mornin', when we rise...*

– *That's the time, that's the time, I love the best*, chantonne Kornélius. Je n'avais pas chanté Donovan depuis au moins mille ans.

– Tu chantes ?

– Dans une chorale.

– Vraiment, quel genre ?

– Le *krummavisur*.

– Non ?

Il entonne la complainte et elle coupe l'eau de la douche pour écouter ce troll torse nu dans sa chambre de Gitane.

Quand elle sort de la salle de bains, il a cette pensée idiote qu'il est curieux de se roussir les cheveux au henné quand on est une rousse naturelle. Il veut en plaisanter, mais il pense que Janis masque ainsi les cheveux blancs de son âge, alors il s'abstient. Mais comme elle passe devant lui, elle se hisse sur la pointe des pieds et pose un baiser furtif sur ses lèvres.

– Oui, j'ai le sexe encore roux et les cheveux déjà blancs, et alors ?

Pendant qu'elle choisit de quelle robe manouche elle va s'habiller, il regarde les photos qui tapissent le mur au-dessus de la coiffeuse. Il cherche à la reconnaître, sans jamais la trouver.

– Pourquoi tu n'es jamais sur les photos ?

– Parce que c'est moi la photographe, pardi !

Sa réponse est un choc qu'il encaisse par surprise et qui le fait vaciller. Il reprend son équilibre, attrape ses vêtements et dévale quatre à quatre l'escalier jusqu'à sa chambre. Est-ce que tout est vraiment écrit ? Est-ce que quelqu'un, quelque part, s'applique à compliquer à ce point le scénario de sa vie ? Est-ce qu'il devait passer par le lit de Janis pour comprendre ? Ou est-il tout simplement aussi stupide que ça ?

# 62

# Heimaey

*... je t'invite à l'hôtel.*

– Botty, il manque quelqu'un sur les photos que je t'ai envoyées.

– Bonjour mon amour, fleur de mon cœur, *amore mio*, le corrige-t-elle.

– Oui, oui, bonjour, excuse-moi. Il manque quelqu'un !

– Et qui, d'après toi ?

– Celui qui prend les photos.

– Ah lui ! Oui, je vois qui c'est.

– Quoi, tu le connais ?

– J'ai fait mon job, Kornélius. Quand j'ai reçu tes photos, j'ai fait les recherches que tout bon flic qui n'est pas à la poursuite de deux kilos de coke prendrait le temps de faire. Je suis passée par le musée, par leur compta, leur service juridique, et ils ont fini par me donner le nom du photographe. Un certain Hidirsson.

– Et tu as réussi à le loger ?

– Il n'était pas à sa première adresse, mais je l'ai trouvé à la seconde.

– Tu es chez lui ?

– Oui, je l'ai devant les yeux.

– Quoi ? s'étonne Kornélius, sidéré.

– Oui. Si c'est une sorte de grosse brute à moitié nue taillée comme un troll qui hurle dans un téléphone, alors oui, je l'ai sous les yeux.

– …

Kornélius regarde son téléphone d'un air qu'il sait idiot, puis cherche des yeux autour de lui et aperçoit Botty dans la rue, de l'autre côté de la fenêtre sans rideau, qui lui adresse un petit coucou à la nippone du bout des doigts.

– Mais qu'est-ce que tu fais là ? s'étonne-t-il.

– Si tu viens m'ouvrir au lieu de continuer à me parler au téléphone, je te le dis.

– Oui, oui, bien sûr, dit Kornélius, toujours au téléphone, en se dirigeant vers la porte. Je viens, j'arrive.

– Je sais bien que tu arrives, Kornélius, je t'ai déjà dit que je te voyais par la fenêtre !

Quand il ouvre, il est toujours au téléphone.

– Mais qu'est-ce que tu fais là ? répète-t-il.

– Bonjour ! lance Janis par-dessus son épaule.

Kornélius se retourne et son hôtesse est là, fausse amante de la veille, passagère confidente.

– Il est toujours comme ça au réveil ?

– Oui, répond Botty, le peu de fois où nous nous sommes réveillés ensemble, il s'est toujours baladé à moitié nu. La dernière fois, c'était devant mon père.

– Bon, et si tu laissais entrer ton amie et que tu allais t'habiller pendant que nous faisons connaissance, suggère Janis.

Kornélius s'éclipse et revient aussitôt en reboutonnant son pantalon.

– Il chante vraiment le *krummavisur* ? s'intéresse Janis.

– L'autre soir, au Hof d'Akureiry, il a fait pleurer la salle.

– Qu'est-ce que tu fais là ? demande Kornélius pour la troisième fois.

– Je n'ai pas voulu perdre du temps à attendre le ferry, j'ai préféré prendre l'hélico. La cavalerie va débarquer, Kornélius, et c'est après toi qu'elle en a. Je me suis dit que l'hélico pourrait peut-être servir.

– Quoi, tu veux que je joue les fugitifs ? Tu veux m'hélitreuiller au milieu de l'Ódáðahraun, le désert des Crimes, pour leur échapper ?

– Je n'en sais rien, Kornélius. Je sais juste qu'avec toi, mieux vaut prévoir le pire.

– Et comment as-tu su que je logeais ici ?

– Mais je n'en savais rien, je t'y découvre. Moi, j'ai juste suivi la trace du photographe.

– Vous êtes là pour Harry ? s'étonne Janis.

– Non, je cherche Harald. Harald Hidirsson.

– Harald, c'est Harry, tout le monde l'appelle comme ça. C'est mon frère. Que lui voulez-vous ?

– Il est bien photographe, n'est-ce pas ?

– Oui. Il a commencé pendant l'éruption ici, en 1973. Il a fait partie de la petite équipe qui est restée sur place avec les Américains quand ils ont décidé d'arroser le mur de lave pour le stopper. Ce sont les G.I. qui l'ont baptisé Harry et ça lui est resté. Il a photographié toute l'éruption et ses photos ont fait le tour du monde. La plupart de celles du musée sont de lui.

– Et où peut-on le voir ?

– Aucune idée. Il a été géoreporter pendant toute sa vie. Jamais là, toujours parti. Harry, on ne sait où il était qu'une fois qu'il en est revenu. Ça fait deux mois que je ne l'ai pas vu. Il avait décidé d'arrêter et de m'aider à monter ces chambres d'hôtes, à cause de son accident, et puis du jour au lendemain il est reparti.

– C'était quoi comme accident ?

– Accident d'hélicoptère. Il avait appris à piloter pour pouvoir se poser n'importe où, surtout ici en Islande, et faire des photos exclusives. Un mauvais coup de vent l'a rabattu sur un glacier et il a failli y rester.

– C'était quoi comme appareil ? s'intéresse Botty.

– Un Robinson, Raven quelque chose, 44 je crois, un appareil français.

– C'était un peu léger avec le vent d'ici.

– Je n'y connais rien en hélicoptères, pourtant c'est ce que j'ai toujours pensé, mais il adorait ça. L'accident l'a cassé. Physiquement, il s'en est bien sorti, mais moralement il ne s'est jamais remis de la perte de son appareil.

Botty échange un regard avec Kornélius et ils prennent congé de Janis. Elle les regarde s'éloigner par la fenêtre décorée de vitraux.

– Elle est rousse, finit par dire Kornélius.

– Tu n'y connais rien, cette couleur de cheveux, c'est du henné.

– Elle est rousse, Botty. Vraiment rousse. Naturellement rousse, si tu vois ce que je veux dire.

– Ah ! dit-elle en comprenant l'allusion, et alors ?

– Alors si elle l'est, il y a des chances que son frère aussi le soit.

– Tu veux dire…

– Oui. Il est roux, il était à Heimaey à l'époque, il a connu les volontaires qu'il a photographiés, il s'y connaît en hélicoptères, et il connaît le pays comme sa poche. Ça mérite au moins qu'on s'y intéresse, non ?

– Moi oui, mais pas toi. Toi, c'est fini jusqu'à nouvel ordre, Kornélius. Je te l'ai dit : avec le ferry débarque la cavalerie !

– Ça nous laisse une heure, non ? Alors, je t'invite à l'hôtel.

# 63

# Heimaey

*… je t'en prie. Je t'en supplie !*

— Nous aurions pu faire ça dans ta chambre à la maison d'hôtes, se moque Botty.

— Je ne voulais pas que Janis nous voie le faire.

— Ça ne m'aurait pas dérangée qu'elle y participe.

— Quoi, fouiller dans la vie de son frère ?

Ils ont profité du petit salon de l'hôtel Aska pour bénéficier d'une connexion Wifi, et ont pratiquement déjà tout trouvé sur la Toile. Des photos de Harald Hidirsson. Des photos de lui, plutôt beau gosse, bien vieilli d'après Botty qui regarde en coin Kornélius le prendre pour lui.

— C'est lui, n'est-ce pas ?

— Lui qui ?

— Le type sur les quarante photos anniversaires dans l'album de Marty.

— Oh putain, c'est vrai ! s'excuse Botty. Comment ai-je pu ne pas…

Kornélius la coupe d'un signe de la main et passe à d'autres photos de Harry Hidirsson. Des photos prises par lui cette fois, magnifiques, du monde entier, mais surtout de l'Islande comme Kornélius ne l'a jamais vue. Souvent aériennes. Et soudain, deux photos galvanisent leurs neurones. La première témoigne de la violence de l'accident vécu par Harry. L'habitacle broyé dans les séracs, les pales brisées plantées dans la glace déchiquetée, et la queue disloquée avec le rotor arrière, quelques mètres plus loin. C'est Botty qui le remarque. D'abord elle lit R44, puis en plus petit dessous Raven II, et autre chose encore, sur la tôle froissée de la portière. Ni une marque ni une identification, mais un nom cette fois. Un nom de baptême qu'ils déchiffrent en se tordant le cou. *Abbie.*

L'autre document est un incroyable reportage sur les falaises rougeoyantes d'Otter Cliff, en bordure de l'Arcadia National Park dans le Maine, sur la côte est des États-Unis. À moins de dix kilomètres de Bar Harbor. Cette fois, c'est Botty qui percute. Le Jeff Oakland sur lequel Kornélius lui a demandé de se renseigner habitait dans le Maine, à Bar Harbor. Et il y est mort aussi. Aussitôt, Kornélius entre « Jeff Oakland + mort + hélicoptère » dans le moteur de recherche. La réponse est instantanée. L'accident de Jeff Oakland a eu lieu dans sa résidence d'été à trois kilomètres de Bar Harbor. Ils tentent alors le tout pour le tout et se connectent à différents sites de vente de photos en ligne en entrant Harry Hidirsson et Otter Cliff. Dès la première agence mondiale en ligne, le reportage s'affiche. Kornélius clique sur une photo au hasard pour afficher les tarifs, les mots-clés, et les informations techniques sur la photo. La seule qui les intéresse, c'est la date. Le reportage date de six mois. À la même période exactement que celle de la mort de Jeff Oakland. Cette fois, Botty et Kornélius n'ont aucun besoin de se consulter pour décider de la suite. Il leur reste une demi-heure avant l'arrivée du ferry, et la maison de Harry n'est qu'à deux cents mètres de l'hôtel Aska.

C'est une maison à un étage, une des rares du quartier ouest à avoir survécu à l'éruption. La coulée de lave s'est pétrifiée dans le jardin, à trois mètres à peine de la porte de derrière.

C'est par là qu'ils entrent, dès que Kornélius a forcé la serrure. Un intérieur confortable, moderne, branché, faussement design et sans âme, comme il sied à un Islandais qui a réussi. Une cuisine, un salon, une chambre et une salle de bains au rez-de-chaussée. De magnifiques photos partout : les rizières de Luzon, le Perito Moreno en Patagonie, les champs de roses du Kenya, des icebergs, des déserts, des forêts primaires. Que des paysages. Aucun visage. Jamais.

Ils cherchent le bureau et montent à l'étage. Une seconde salle de bains et deux belles chambres dont une semble servir de salle de sport. Une autre porte qui ouvre sur un vaste bureau. Et cent fois le visage d'Abbie. Partout. Sur tous les murs. Le regard droit dans l'objectif, et l'esquisse d'un triste sourire. Le même visage sur chaque cliché. En noir et blanc, en couleur, solarisé, passé à tous les filtres de Photoshop.

Botty sort aussitôt des gants, en tend une paire à Kornélius et, sans un mot, ils effectuent une première et très illégale fouille des lieux. Très vite, Kornélius tombe sur deux dossiers d'une cinquantaine de tirages papier chacun. Le premier est un reportage complet sur les volontaires que l'on voit souriants et blagueurs sur de nombreux clichés, épuisés sur d'autres. Le second dossier lui tord le cœur. Un autre reportage sur l'accident qui a coûté la vie à Abbie Middletown. Le Bobcat couché dans l'herbe, le corps d'Abbie au pied de la falaise. Un zoom dessus. Le corps qu'on remonte. Le visage de Soulniz, encore gamin, décomposé de chagrin. Celui de Jeff. Ceux des volontaires. Les secours. Et toujours, obsédant, le visage sans vie d'Abbie.

Botty se doute à son silence que Kornélius a trouvé quelque chose, mais elle aussi et elle ne veut pas lâcher le fil. Elle est entrée dans l'ordinateur de Harry le plus simplement du monde : Abbie73 comme mot de passe. Et dans les dossiers, elle en a trouvé deux qui ont attiré son attention. « Volontaire 1 » et

« Volontaire 2 ». Le « 1 » compile des recherches sur Jeff Oakland. Le « 2 » est le dossier de réservation de Soulniz, apparemment copié à partir de l'ordinateur de la maison d'hôtes de Janis.

– Viens voir les dates, murmure Botty sans se détourner de l'écran.

Kornélius la rejoint et se penche par-dessus son épaule.

– Regarde, les recherches sur Oakland ont commencé il y a sept mois à peine. Facile à retrouver, c'était devenu un businessman connu, un homme public. Mais la réservation de Soulniz date de neuf mois.

– Tu veux dire que c'est Soulniz qui a déclenché la pulsion de vengeance de Harry en réservant par hasard dans la maison d'hôtes de sa sœur ?

– Les dates parlent d'elles-mêmes. Il est sûr d'avoir Soulniz. Il sait que neuf mois plus tard il sera ici, presque chez lui, dans la maison d'hôtes de sa sœur à Heimaey. Alors il repense à Jeff, l'autre responsable de la mort d'Abbie, et il décide de s'en occuper en attendant de solder ses comptes avec le Français.

– Et Rebecca dans tout ça ?

– Œil pour œil, fille pour fille, amour pour amour.

– Donc, tu penses qu'il va…

– Oui, il va. Du haut de la falaise. Au même endroit. C'est ça son plan. Ça ne peut être que ça.

– Oh merde ! s'écrie soudain Botty. Le ferry doit déjà se mettre à cul du quai.

Ils font quelques photos rapides avec leurs portables, remettent tout en ordre et sortent discrètement pour rejoindre le port.

– Qu'est-ce que vous faisiez chez mon frère ? s'insurge Janis depuis le trottoir d'en face.

– Pas le temps de t'expliquer, Janis, mais si tu entres là-dedans, ne touche à rien, je t'en prie. Je t'en supplie !

# 64

# Heimaey

*Rebecca !*

Il est enfermé. Ligoté et bâillonné. Recroquevillé. Les yeux bandés. Dans un coffre. Un coffre qui tangue et qui roule. Il est enfermé dans le coffre d'une voiture à bord d'un bateau. Dans son crâne en airain roule une boule d'acier à chaque houle. Il se souvient maintenant. Sa voiture sur la plage noire. La silhouette à l'arrière. Le coup qui l'assomme…

Téléphone. Dans la poche de son manteau. Une fois. Deux fois. Trois fois. Le hayon s'ouvre. Il l'entend. Il devine la moiteur d'un air marin mazouté. Il est bien sur un bateau. Un ferry. Le bruit extérieur enfle soudain. Une main le fouille. Il cherche à se débattre mais quelqu'un le gifle. Fort. Puis la main le plaque et cherche dans sa poche le téléphone qui sonne encore. On le lui prend. Le coffre se referme. Soulniz sursaute. Le bruit a réveillé quelqu'un qui s'agite dans son dos. Il cherche à se retourner mais se cogne à l'autre. Puis il sent ses cheveux, reconnaît le parfum de sa peau et pleure de ne pas pouvoir hurler son nom : Rebecca !

# 65

# Heimaey

*... suis les corbeaux !*

— Soulniz, c'est Harry Hidirsson, dit Kornélius, vous vous souvenez de Hidirsson, Harald, le photographe en 1973 ?

— Oui.

— ...

— ...

— Soulniz ?

— Oui.

— Ça va ?

— Non.

— Que se passe-t-il ?

— C'est Soulniz, il ne va pas bien.

— Quoi ? Qu'est-ce que... Attendez, vous n'êtes pas Soulniz ? Qui êtes-vous ?

L'homme ne répond pas, mais Kornélius entend une voix lointaine l'interpeller :

— Hé, qu'est-ce que vous faites ici ? C'est interdit pendant la traversée, regagnez le pont des passagers, s'il vous plaît !

— Ne t'énerve pas, Olaf, c'est moi, j'avais oublié mon portable dans la voiture.

— Ah, c'est toi. De retour au pays alors, content de te...

La communication est coupée et Kornélius reste un long moment silencieux à regarder son portable.

– Que se passe-t-il ? s'inquiète Botty.

– Je crois bien que je viens de lui parler.

– À Soulniz ?

– Non, à Harry.

– À Harry, sur le portable de Soulniz ?

– Oui, et c'est bien ce qui m'inquiète.

– Qu'a-t-il dit ?

– Que Soulniz n'allait pas bien…

– Un indice pour le localiser ?

– Oui. Il est dans un bateau, et ma tête à couper que c'est dans ce ferry.

– Alors nous n'avons plus qu'à le cueillir.

Ils sont sur le port et regardent le bateau glisser en arrière le long du quai et s'acculer à la rampe de débarquement. Les passagers se préparent déjà à descendre, mais la plupart se tordent le cou pour surveiller le ciel. Au-dessus d'eux, les mouettes rieuses s'égosillent à piailler leur peur face à une ribambelle de corbeaux. Immobiles et menaçants, ils ont fait le voyage sur le bastingage.

– S'il est à bord et qu'il tient Soulniz et Rebecca en otages, il ne peut pas les débarquer à pied. Il faut surveiller les voitures, dit Kornélius.

L'arrière du ferry s'ouvre lentement et bâille bientôt comme la gueule d'une baleine. Des hommes en gilet de sécurité s'affairent aussitôt à organiser la sortie des véhicules quand, soudain, deux d'entre eux sortent en courant du ferry. Quelques secondes plus tard, un panache de fumée rampe d'abord sur la plate-forme, comme un gaz trop lourd, puis s'enroule à la poupe et monte au ciel en paniquant les mouettes. L'alarme incendie retentit. Aussitôt, les passagers à pied paniquent sur la passerelle et forcent le passage pour descendre. Dans les cales, des sifflets retentissent pour faire sortir les véhicules au plus vite. Ils surgissent et bondissent sur la plaque d'acier qui cogne contre le béton du quai à chaque passage et on les fait dégager le plus loin et le plus vite possible pour laisser les suivants quitter le ferry. Puis la fumée disparaît, mais la procédure d'urgence se poursuit pour évacuer tout le monde.

– Que se passe-t-il ? demande Kornélius à un homme du dispositif.

– Dégagez la zone, s'il vous plaît, éloignez-vous et laissez-nous faire.

– Nous sommes de la police, intervient Botty en montrant sa carte.

– Laissez-nous faire quand même. Rien de grave, *a priori*. Une fusée de détresse allumée par un imbécile. Mais quand nous sommes à quai, la procédure est d'évacuer tout le monde même si le feu est maîtrisé.

– Kornélius !

Il se retourne et voit venir à lui trois de ses supérieurs, comme le Bon, la Brute et le Truand du film. Sauf qu'il n'y a ni bon ni truand. Que des brutes au visage fermé.

– La cavalerie, murmure Botty en haussant les sourcils, je t'avais prévenu.

– Et merde ! jure-t-il. Nous y étions presque !

– C'est lui ! hurle quelqu'un dans son dos.

Il se retourne et voit Simonis se ruer vers les trois flics en agitant un doigt dénonciateur.

– C'est lui, c'est ce fou furieux qui a failli me balancer à la mer, vous l'avez tous vu sur *fèsbok*. Il faut l'arrêter, le mettre hors d'état de nuire, cet homme est dangereux.

Botty prend tout le monde de vitesse. Elle attrape Simonis au passage, le plaque à terre et l'immobilise d'une clé au bras.

Quand les trois policiers arrivent, elle le relève et le projette sur eux.

— Arrêtez cet homme. Il est impliqué dans un trafic de cocaïne et dans la disparition du *Loki*.

— Tu te prends pour qui, Bóthildur ? C'est toi qui donnes les ordres à présent, et à nous en plus ?

— Désolée, mais ce type est dangereux. Lui et ses sbires étaient armés et Kornélius a dû les désarmer sur le ferry et jeter leurs flingues à la mer.

— Sauf…

Botty vrille l'épaule de Simonis et la phrase du Lituanien se termine en hurlement.

Un des supérieurs repère un uniforme et l'appelle pour qu'il embarque Simonis. Mais comme l'uniforme s'apprête à s'en occuper, un collègue le hèle depuis l'autre côté du parking.

— Hé, Rùnar, ça brûle aussi du côté d'Austurvegur.

— Austurvegur, dit Kornélius à Botty, c'est la rue où habite Harry !

— Qui est Harry ? demande un des trois gradés.

— Trop long à expliquer, réplique Kornélius en cherchant à apercevoir le panache de fumée du côté de la coulée de lave, mais si c'est ça, c'est une tonne de preuves qui partent en fumée.

— Des preuves de quoi ?

— De ce qui va arriver, répond Botty, qui détourne aussitôt la tête, intriguée par le silence soudain de Kornélius.

Il ne s'intéresse plus à eux, ni à Simonis, ni à l'autre incendie. Un mouvement attire son attention du côté du bateau. Tous les corbeaux s'envolent brusquement, paniquant mouettes et passagers, et se jettent sur les dernières voitures à quitter le ferry pour finalement n'en suivre qu'une et s'élever dans le ciel pour mieux voir où elle va.

– Suis-nous, Kornélius, tu n'es plus en charge de rien, ni ici ni nulle part ailleurs, et tu as pas mal de choses à nous expliquer.

– Est-ce que vous ne pouvez pas m'oublier quelques heures, le temps que je conclue une enquête importante ?

– Même pas trois secondes. Tu n'es pratiquement plus policier. Tu vas nous affranchir sur le *Loki*, sur la Française disparue, sur la cocaïne, sur le mort du Viti, sur la fille du glacier à Húsavík, et nous déciderons ensuite qui briefer pour reprendre les enquêtes, si nécessaire. Mais ça ne sera pas toi, Kornélius, plus jamais.

– Excusez-moi, patrons, intervient Botty, est-ce que je peux y aller, moi ? Je crois qu'ils vont avoir besoin d'un coup de main avec l'autre incendie.

– Vas-y, Bóthildur, et si ce n'est pas criminel, tu rappliques au plus vite. Toi aussi, tu dois avoir des choses à nous dire.

– Merci, chefs, lance Botty en filant aussitôt.

– Botty, lui glisse Kornélius au passage, suis les corbeaux. Les corbeaux !

# 66

# Heimaey

*… je le croiserai en Enfer !*

On lui enlève son bandeau. La clarté l'aveugle, mais Soulniz sait aussitôt où il est. À Heimaey, sur la côte ouest de l'île, un peu au sud du port, là où les falaises s'affaissent et creusent un large amphithéâtre d'herbes grasses ouvert sur l'océan : la vallée du festival. La dernière fois qu'il s'est trouvé là, l'air sentait encore la cendre et la terre brûlée de l'Eldfell et ils n'étaient que quelques centaines, volontaires et rescapés, à écouter des groupes improvisés, à chanter et à boire du vin d'herbe, là où dans quelques semaines ils seront plus de dix mille. Vestman-naeyjar Festival. Le plus fou d'Islande. Un moment, pendant la préparation du voyage, il avait prévu d'y terminer en beauté leur périple. C'est le type de la maison d'hôtes qui l'en avait dissuadé dans leurs échanges de courriels. Selon lui, le festival était devenu une grosse machine à fric, un prétexte à beuveries. Il lui avait plutôt recommandé la fête des pêcheurs, en juin, dans n'importe quel petit port du pays, ou le festival viking de Hafnarfjörður, avec cinq jours de joutes, de contes et de tir à l'arc, ou même les fêtes du solstice, histoire de se rouler nu dans la rosée, selon la tradition, pour s'imprégner des pouvoirs magiques du peuple invisible. L'homme l'avait finalement convaincu de profiter du calme avant le festival à Heimaey et lui avait conseillé un spec-

tacle plus inattendu : le feu d'artifice au-dessus des icebergs de
la lagune glaciaire de Jökulsárlón. Une surprise qu'il réservait à
Rebecca.

Rebecca ! Il se retourne, en proie à la panique, et elle est là,
entravée et bâillonnée comme lui, à côté d'un homme qu'il ne
reconnaît pas mais qui la tient en joue avec un pistolet automatique, adossé à sa voiture. Quand il voit la terreur dans le regard
de sa fille, Soulniz est pris de fureur, mais les liens qui l'entravent
lui font perdre l'équilibre. Il tombe sur le dos et voit dans le
ciel tournoyer les corbeaux. Puis l'homme sort un couteau à
dépecer et s'approche de Rebecca. Soulniz hurle à s'en écorcher
la gorge dans son bâillon. L'autre pose son couteau sur la joue
de Rebecca qui pleure en louchant sur la lame. Mais l'homme
la glisse sous le tissu et, d'un coup sec, tranche le bâillon. Beckie a eu si peur qu'elle en tombe à genoux. L'arme pointée sur
Soulniz, l'homme en profite et se glisse derrière elle pour trancher ses liens. Elle cherche aussitôt à courir à quatre pattes jusqu'à
son père, mais l'homme la devance et pose le canon de son arme
sur le crâne du Français.

– Tu continues, je le tue.

Elle se fige, des larmes plein les yeux.

– Lève-toi et retourne à la voiture, ordonne-t-il.

Elle ne quitte pas son père des yeux et devine qu'il lui fait
signe d'obéir. Elle ne veut pas. Elle secoue la tête pour refuser.
Il la supplie du regard et elle cède, recule à quatre pattes, se
redresse et retourne à reculons jusqu'à la voiture sur laquelle
se sont posés une dizaine de corbeaux. L'œil noir, ils se dandinent
et pointent le bec.

– Au moindre mouvement, je l'abats.

Puis l'homme passe derrière Soulniz, glisse son couteau par-
devant sur sa gorge, remonte jusqu'au menton, et tranche son
bâillon en lui blessant la lèvre.

— Espèce de fils de…

L'homme le frappe d'un coup de crosse sur le crâne.

— Ne gaspille pas tes chances, Soulniz, je vais te libérer, sauf si tu préfères mourir entravé.

— On se connaît ?

— Bien sûr qu'on se connaît. Je suis Harald Hidirsson. Harry. Tu ne te souviens pas de moi ? On a déjà travaillé ensemble, pourtant. On a bu et chanté à la même table. On a même aimé la même femme, souviens-toi, sauf que moi je ne l'ai pas tuée.

Soulniz court après sa mémoire pour se souvenir de ce Harry. Peut-être ce type qui prenait des photos à l'époque. Il n'est pas sûr.

— Qu'est-ce que tu racontes, Harry ? Je n'ai jamais tué personne.

Un autre coup le blesse à nouveau et lui fend le cuir chevelu. Du sang coule dans son œil et Rebecca hurle.

— Ferme-la ! gueule l'homme, dont les cheveux roux ajoutent à la folie du regard.

Le cri s'étrangle dans la gorge de Beckie. Elle regarde autour d'elle, affolée. Quelques touristes au loin, beaucoup trop loin pour qu'elle puisse attirer leur attention. L'homme a poussé son 4×4 bien au-delà du sentier. Ils ne sont qu'à une vingtaine de mètres du bord de la falaise. Presque à l'abri des regards. Les corbeaux énervés sont les seuls témoins du drame. D'autres se sont posés sur le capot de la voiture et, de temps en temps, battent des ailes sur place.

Le rouquin se reconcentre sur Soulniz. Il le retourne à plat ventre d'un coup de pied et le plaque au sol sous sa semelle. Puis il s'agenouille sur lui, glisse la lame de son couteau sous sa gorge et se penche pour murmurer à son oreille :

— Je sais que tu tiens à ta fille comme je tenais à cette femme, alors écoute-moi bien si tu veux qu'elle te survive. Je vais te détacher et tu vas t'éloigner vers la falaise. Le moindre mouvement, le moindre geste de travers, et c'est elle que j'abats en premier, tu m'as bien compris ?

La lame est tellement collée à sa gorge que Soulniz ne peut même pas hocher la tête. L'autre attend longtemps, puis prend son silence pour un oui. Il tranche les liens qui entravent les poignets et les pieds de Soulniz et, le temps que le Français courbatu et ankylosé se redresse, l'homme court rejoindre Rebecca qui se cache la tête dans ses bras. Il passe derrière elle, glisse un bras autour de son cou pour l'étrangler et, de son autre main, pointe son arme sur le ventre de la jeune fille. Tous les corbeaux froissent le ciel dans le même envol et se reposent aussitôt en croassant leur colère.

– Si tu ne m'obéis pas, elle agonisera longtemps. J'ai fait quelques reportages de guerre, tu sais. J'ai vu des blessés mourir d'une balle dans le ventre. Certains suppliaient qu'on les achève. Je suis sûr que ce n'est pas ce que tu veux pour ta fille.

– Ne lui fais pas de mal. Je ne sais pas ce que tu me veux, mais ça ne la concerne pas.

– Tu ne sais pas ce que je te veux ? Tu ne sais pas ? Tu n'as donc toujours rien compris ? Tu n'as pas compris pourquoi nous sommes là, au bord de cette falaise ?

– Est-ce que ça a quelque chose à voir avec l'accident en 1973 ?

– Bien sûr que ça a à voir avec la mort d'Abbie !

– Tu connaissais Abbie ?

– Tu me demandes si je connaissais Abbie ? Ce fumier d'assassin me demande si je connaissais Abbie !

Soulniz commence à reprendre ses esprits. Il cherche à comprendre, à situer Harry par rapport aux volontaires et à Abbie.

– Tu étais sur l'île avec nous, c'est ça, avec les volontaires ? C'est comme ça que tu as connu Abbie ?

– Non, je n'étais pas avec ces racailles de volontaires. Moi,

j'étais chez moi, ici, à Heimaey. J'étais là quand tout a pété.
J'étais là pendant les cinq mois de l'éruption. Et je suis toujours
là depuis. Je ne suis pas venu m'amuser à voir un volcan rava-
ger une île de péquenauds pour retourner ensuite chez papa-
maman terminer mes études.

— Quoi ? Tu crois que c'est ce que j'ai fait ? Tu te trompes.
Après l'Islande, j'ai continué à voyager loin de papa-maman,
comme tu dis. Pendant plus de cinq ans.

— Pour oublier ce que tu avais fait à Abbie ?

— Je n'ai rien fait à Abbie !

— Ne prononce plus une seule fois son nom et recule.
Soulniz s'immobilise et regarde par-dessus son épaule.

— C'est la falaise derrière.

— Je sais. Recule.
Soulniz fait un pas en arrière.

— Encore.

— Non...

— Je tue ta fille, sinon.
Soulniz recule encore d'un petit pas.

— Tu as compris maintenant ?

— Quoi, tu veux que je tombe ? C'est ça ?

— Que tu tombes ? Bien sûr que non. Ce que je veux, c'est
que tu sautes.

— Jamais de la vie. Tue-moi si tu veux, mais je ne sauterai
pas.

— Si tu ne sautes pas, ta fille prend une balle dans le ventre.
Soulniz regarde à nouveau par-dessus son épaule. Il est assez
près du bord maintenant pour apercevoir l'écume des déferlantes
qui se fracassent sur les pointes déchiquetées des brisants.

— Tu te demandes si tu pourrais plonger dans une grosse houle,
hein, c'est ça ? Comme on faisait de l'autre côté de l'île où une
coulée de lave sous-marine réchauffait l'océan ? Mais souviens-toi,

quand on a retrouvé le corps d'Abbie, il était fracassé sur les rochers. La houle n'atteint pas le pied de cette falaise.

— Pourquoi fais-tu ça ? demande Soulniz en se décalant sur sa gauche.

— Parce que je veux être sûr que tu meures avec la même terreur dans les yeux que la sienne. Que tu te brises pareil, et que tu souffres longtemps si tu survis à la chute, jusqu'à ce que les vagues, une à une, se noient dans ta gorge et étouffent ton dernier souffle.

— Harry, si tu étais là en 1973, tu sais très bien que l'enquête a conclu à un accident. Et je n'étais pas aux commandes du Bobcat.

— Peut-être, mais vous n'étiez que deux à pouvoir l'avoir tuée et il ne reste que toi.

— Quoi, Oakland est mort ?

— Oui, Jeff est mort. J'ai commencé ma vengeance par lui. Il est tombé d'une falaise lui aussi, avec son hélicoptère. Mauvais décollage. Déséquilibré par une sangle mal détachée.

Soulniz l'écoute mais regarde l'océan derrière lui et continue de se déplacer sur sa gauche.

— Arrête-toi ! hurle Harry. Qu'est-ce que tu fais ?

— Tu veux que je meure comme Abbie, c'est bien ça ? Alors je cherche à me souvenir de l'endroit précis où elle est tombée.

— C'est ici. Là où tu es, ça ira !

— Non, Harry, ce n'est pas là, et je suis mieux placé que toi pour le savoir, tu ne crois pas ? C'est au moins à dix mètres sur ma gauche.

— Ce n'est pas le souvenir que j'en ai.

— Tu peux me croire, Harry, parce que moi j'y étais, et pas toi.

— Tu vas sauter ?

— Tu épargneras Rebecca ?

— Son chagrin pour ta mort fait partie de ma vengeance.

Soulniz hésite et regarde encore derrière lui avant de répondre :

— Alors, si tu promets de l'épargner, oui, je vais sauter.

— Non ! hurle Beckie.

— Rebecca, s'il faut que quelqu'un laisse quelques plumes dans cette histoire, je préfère que ce soit moi.

— Ne dis pas ça, papa, je t'en prie…

— Rebecca, écoute bien ce que je te dis, écoute chacun de mes mots, mon ange, chacun de mes mots, et souviens-toi : si quelqu'un doit y laisser des plumes, c'est moi. Ça fait longtemps que tu es partie loin du nid, toi aussi. Que je saute de cette corniche ne changera pas grand-chose à nos deux solitudes. Je regrette tout ça. J'aurais dû tomber il y a quarante ans de cette même falaise et pour la même femme, déjà. Ne garde pas de moi le souvenir de cette falaise, Rebecca, garde celui de l'autre, celle du côté de Grindavík, tu te souviens ? Souviens-toi de Grindavík, Beckie, souviens-toi bien de Grindavík et de tout ce que je t'ai raconté. Allez, ferme les yeux et laisse-moi sauter.

Autour d'elle, les corbeaux s'agitent. Harry les surveille d'un œil inquiet. Il en frappe un de son arme quand l'oiseau noir essaye de se poser sur l'épaule de Rebecca. Lorsqu'elle se met à crier, il croit que c'est la peur des oiseaux qu'il devine dans son regard. Il comprend vite que c'est autre chose. C'est une haine soudaine, mais pas contre lui. Contre Soulniz !

— Eh bien, c'est ça alors, saute, vas-y, fuis, dérobe-toi encore une fois, abandonne-moi comme tu as abandonné maman. Ne viens surtout pas à mon secours, que veux-tu que ça me foute ! Tout ce voyage à la con n'a été qu'un long fiasco. Jamais je n'aurais dû te suivre sur cette île de merde. Tu ne m'as traînée jusqu'ici que pour cavaler après les fantômes de ta jeunesse, et maintenant j'apprends que ces fantômes sont des cadavres ! Alors continue, fais ton grand saut, moi je me démerderai toute seule comme d'habitude. De toute façon, ça fait bien longtemps que je n'ai plus de père.

Harry savoure cette rage inattendue. Il n'en croit pas ses oreilles. Il éclate de rire. Cette colère entre eux, c'est plus qu'il n'espérait.

— Tu entends ? Tu entends ce qu'elle te dit ? Ta propre fille, ta propre fille, Soulniz ! Ta propre fille qui te dit mieux que moi quel salaud tu es !

— Et ça te réjouit, toi, n'est-ce pas ? Comme elle, ça te réjouit que je paye pour vous. Pour vos vies ratées. Toi à nourrir pendant quarante ans le souvenir d'une femme à qui tu n'as même pas osé te déclarer, et toi, Rebecca, à t'appliquer à me haïr pour ne pas avoir à me parler.

— Moi, moi, moi, toujours toi, non mais écoute-toi parler ! s'égosille Beckie. Tu veux que je te dise, il n'y a qu'une seule bonne chose dans ce voyage, c'est que nous n'en reviendrons pas ensemble !

— Oui, c'est ça, répond Soulniz sans s'occuper de Harry. Tu as forcément raison, mon ange, forcément, et ça ne peut être que moi le méchant de toute cette histoire. Moi, moi, moi, comme tu dis. Moi le salaud, moi le méchant, et moi qui dois mourir parce que j'ai tout foiré. Alors tu as raison, oublie-moi. Va rejoindre ton espèce de minable voleur de coke et oublie-moi. J'aurais dû lui fracasser la gueule avec la crosse de son arme, à ce petit con, tu m'entends ? À grands coups de crosse dans sa gueule ! Mais dis-lui bien une chose, souviens-toi bien de ce que je vais te dire pour le lui répéter : son arme, je la lui rendrai dès que je le croiserai en Enfer !

# 67

# Heimaey

*... avant que son escorte ne réagisse.*

Kornélius se fait l'impression d'un transfuge du temps de la guerre froide. Des hommes en civil qu'il connaît bien l'encadrent en silence jusqu'à une salle d'interrogatoire. Ils ont choisi un des bureaux de la société maritime qui exploite le ferry et s'y dirigent en traversant le parking. Devant l'entrée du bâtiment deux hommes plaisantent sur l'incendie à bord. Un Erik dit que si ça commence comme ça, ça va être chaud pour le festival. Un Olaf lui répond que lui fait comme les habitants de Rio de Janeiro, au Brésil, pendant le carnaval. Il fuit toute cette folie.

Kornélius interpelle le deuxième homme.

– C'est toi Olaf ?

– Oui

– Tu travailles sur le ferry, n'est-ce pas ?

– Oui, pourquoi ?

– Pendant la traversée, tu as parlé à un type qui était resté dans la soute avec les voitures, tu te souviens ? Tu lui as dit de remonter sur le pont passager.

– Oui, bien sûr, c'était Harry, le photographe. Sur le coup, je ne l'avais pas reconnu dans la pénombre.

– C'est quoi sa voiture ?

– Une jeep Cherokee customisée avec toutes les options. Un

truc qui coûte une blinde bien *flot,* tu vois, bien m'as-tu-vu. Apparemment, la crise n'a pas lessivé tout le monde.

— Quelle couleur ?

— Blanche.

Kornélius compose un numéro sur son portable avant que son escorte ne réagisse.

# 68

# Heimaey

*... d'une foulée de marathonienne.*

Quelques voisins regardent brûler la maison du photographe. Ils ont vu un volcan vomir un mur de roche en fusion dans leurs jardins et incendier tout leur village, ce n'est pas le feu d'une seule maison qui va les impressionner. Ils sont plus curieux du sort de Janis, à qui une femme policier a passé les menottes. Elle aurait mis le feu à la maison de son frère. Drôle de famille, elle avec ses robes de bohémienne et lui avec ses photos du bout du monde. La femme flic confie Janis à deux uniformes du poste de Heimaey et demande aux pompiers d'essayer de récupérer les ordinateurs. Surtout les ordinateurs. Elle parle de preuves indispensables.

Quand les policiers font passer Janis devant elle pour l'emmener au poste, elle les arrête d'un geste.

– Janis, pourquoi avez-vous fait ça ?

– Toutes ces photos dans son bureau... je n'étais encore jamais montée là-haut. Le visage de cette jeune femme partout, et vous qui fouilliez ses affaires. Je ne sais pas ce que vous voulez à Harald, mais j'ai eu le pressentiment que tout ce qui était dans ce bureau pouvait lui nuire.

– Il n'y a que lui qui peut se nuire à lui-même, Janis, mais nous pouvons encore l'empêcher de faire une autre bêtise.

– Pourquoi, qu'a-t-il déjà fait ? s'inquiète Janis soudain.

Botty ne répond pas et fait signe aux policiers de l'emmener.

– Qu'a-t-il fait, mais qu'a-t-il fait ? hurle Janis.

Botty regarde la voiture qui l'emmène, puis elle lève les yeux vers le ciel et observe le vol de trois corbeaux qui se dirigent au sud-ouest. Elle a souvent assisté au grand festival des Vestmannaeyjar, elle sait vers où ils vont. « Suis les corbeaux », lui a dit Kornélius.

Elle réfléchit au temps qu'il lui faudrait pour trouver un véhicule officiel ou persuader un des voyeurs de lui prêter sa voiture. Elle décide que ce sera plus rapide à pied. Elle s'élance au pas de course sous le regard curieux des témoins de l'incendie quand son téléphone sonne.

– Jeep Cherokee blanche version *flot*.

– *Flot flot*, ou *flot* pourri ?

– *Flot* pourri, m'as-tu-vu avec toutes les options *fashion victim*. Chromes partout, pare-buffle et échappement vertical.

– La même que mon père, quoi !

– J'ai vu débarquer du ferry quelque chose dans ce genre. Elle est partie directement vers le sud-ouest.

– Rien d'autre ?

– Si, elle est suivie par une nuée de corbeaux et on va m'arracher le téléphone.

– Ton obsession du *krummavisur* te rend parano, Kornélius...

Mais il ne répond plus. Une autre voix parle à sa place.

– Bóthildur ?

Elle raccroche sans répondre au grand chef et remonte la rue d'une foulée de marathonienne.

# 69

# Heimaey

*... sans bouger mon cul d'ici !*

Harry, sidéré par le dialogue du père et de sa fille, jubile. Jamais il n'aurait espéré ouvrir une telle brèche dans leurs ressentiments. Il suit des yeux Soulniz qui fait encore deux pas de côté puis s'arrête. Il ne peut pas croire qu'il arrive enfin à réaliser ce qui l'a hanté pendant quarante ans. Il s'était pourtant résigné à l'oubli, jusqu'à ce que Soulniz réserve à la maison d'hôtes. C'est cet idiot qui a enclenché toute la mécanique de sa vengeance. Il se souvient du dîner chez Janis...

Il avait neigé sur l'Atlas, au Maroc, et il était parti photographier les montagnes ocre du riff brodées de givre. Depuis son accident, il avait appris à piloter des drones pour obtenir des vues époustouflantes. Il avait rapporté des clichés somptueux. Un paquet d'herbe odorante aussi. Puissante. Qui embaumait la pièce et libérait leur bien-être intérieur. Mais il ne voulait pas se laisser embarquer trop loin dans un des voyages éthérés de Janis. Pour se raccrocher à quelque réalité matérielle, il avait demandé si elle avait déjà des réservations pour l'été. Janis, les yeux au plafond pour mieux enrouler la fumée dans sa gorge, n'avait pas répondu tout de suite.

— Ça commence bien, avait-elle fini par dire, très, très bien même. J'en ai encore reçu une aujourd'hui. Un Français. Il écrit qu'il était là en 73, avec les volontaires, tu te souviens ?

Il s'était levé d'un bond pour afficher les réservations sur l'ordinateur. Janis avait éclaté de rire sans trop savoir pourquoi. Pas lui. Il avait fait défiler les courriels jusqu'à tomber sur celui qu'il recherchait. Soulniz. La lecture de ce nom maudit avait balayé d'une seule bourrasque toutes les brumes de son esprit. Soulniz venait à lui, en Islande, à Heimaey ! Alors toute la nuit, pendant que Janis se languissait des années perdues en souriant aux anges, se demandant *Where Are All the Flowers Gone* sur des arpèges des Brothers Four, il avait ourdi sa vengeance. Retrouver Oakland n'avait pas été difficile. L'arrogance des Américains à vous jeter aux yeux leur richesse lui avait ensuite suffi à se faire inviter. Il avait prétexté des retrouvailles inattendues à l'occasion d'un reportage dans la région. Otter Cliff. « C'est moi, Harry, tu te souviens, Heimaey, le photographe ! – Harry, mon pote, qu'est-ce que tu deviens ? Un reportage, bien sûr, viens, viens, je t'héberge, j'ai ce qu'il faut. » Il avait ensuite suffi de parler hélicoptères pour qu'il vante son Bell 206 Jet Ranger. « Combien tu te fais à l'année en te faisant chier à faire le tour du monde pour tes photos ? C'est tout ? Tout ça pour ça ? Putain, je me fais la même chose chaque semaine sans bouger mon cul d'ici ! »

# 70

# Heimaey

*... quarante secondes.*

— C'est là ? demande Harry.

Il y a dans sa question autant d'incrédulité que d'excitation. L'étonnement frénétique d'un homme dont la vengeance va aboutir.

— Oui, c'est là...

— Et tu vas sauter ?

— Si tu me promets d'épargner Beckie. Laisse-la partir et je saute. Tu as ton arme, je ne peux pas t'échapper.

— Pas question. Je ne veux pas que tu tombes mort. Je veux que tu te fracasses vivant sur les rochers, que tu ressentes la terreur panique qu'Abbie a dû ressentir.

De loin, Harry ne peut détacher son regard des pieds de Soulniz, fasciné par ses talons déjà au-delà du rebord de la falaise, d'où surgissent des oiseaux blancs paniqués. Autour de Harry, les corbeaux aussi s'agitent et croassent pour s'exciter les uns les autres.

— Tu m'accordes une prière ? demande le Français.

— Tu es croyant, toi ?

— On le devient quand on sait qu'on va mourir.

— Tu parles, il ne croit qu'en lui, siffle Beckie. Qu'il se balance et qu'on en finisse, que je puisse quitter cette île maudite et rentrer en France.

Harry hésite une seconde, puis s'amuse de la situation encore une fois en consultant sa montre.

– D'accord, j'ai attendu quarante ans, je te laisse quarante secondes.

# 71

# Heimaey

*... d'où Soulniz a disparu.*

Elle a traversé le village d'est en ouest, presque en ligne droite, jusqu'à rejoindre la route qui contourne le piton rocheux auquel s'adosse le port. Elle s'apprête à la suivre quand elle aperçoit, encore plus à l'ouest en bordure de l'océan, un vol de corbeaux qui s'agite et disparaît. Elle suit à l'instinct une piste qui coupe à travers un tapis d'herbe épaisse. Le sol s'affaisse vers la mer en un cirque de verdure. De derrière un de ses bords relevés jaillissent de temps en temps les oiseaux noirs dont à présent elle entend les cris sinistres. Elle ne doute plus qu'ils signalent le lieu du drame et raccourcit sa foulée pour escalader le bord glissant du cirque. Elle aperçoit la Cherokee en même temps qu'elle voit Soulniz en équilibre, le dos au vide, au bord de la falaise.

– Soulniz ! hurle-t-elle.

Elle devine un mouvement derrière la jeep. Trop tard. La détonation la fige et l'impact la bascule au sol. Elle reste étendue sur le dos, immobile, la tête en arrière. Le choc anesthésie sa douleur mais elle devine qu'elle ne doit plus faire un geste. Le temps que son cerveau ajuste sa vision à l'envers, elle aperçoit l'homme qui tient Rebecca en otage et qui soudain la jette à terre pour courir vers la falaise. Le coup de feu a enragé les corbeaux qui s'éparpillent puis se regroupent pour fondre sur Beckie. Malgré les coups de bec qui cherchent à lui percer le crâne, elle se redresse et court à son tour vers la falaise d'où Soulniz a disparu.

# 72

# Heimaey

*… les munitions tirées en l'air.*

Harry n'en revient pas. Soulniz l'a fait. Soulniz a sauté de la falaise. Soulniz s'est jeté dans le vide à l'endroit même où quarante ans plus tôt Abbie était tombée. Dieu existait donc. Il y avait bien une justice divine dont il avait été le bras armé. Il suffoque de rire et, d'émotion, de joie, jette son arme dans l'herbe et se précipite vers le bord de la falaise. Il veut voir le corps brisé de Soulniz sur les rochers, désarticulé, ses jambes à l'équerre, son crâne fracassé. Il veut le voir comme il est resté sidéré à l'époque par le fracas d'os et de chairs ensanglantées de ce corps qu'il avait épié, nu, dans la maison offerte par les volontaires. Jamais il n'avait autant aimé un corps. Jamais il n'en avait aimé depuis. La nuit même, il était retourné dans la maison pour y voler les draps où Abbie s'était abandonnée à Soulniz. Et depuis quarante ans, chaque nuit qu'il passait à Heimaey, il se glissait dedans en imaginant qu'elle s'abandonnait à lui.

Il arrive si vite au bord de la falaise qu'il manque de basculer dans le vide. Il mouline des bras pour reprendre son équilibre puis se penche prudemment, tendant la tête pour apercevoir le corps de Soulniz. La balle lui perce le front, traverse son crâne de bas en haut et il bascule dans le vide avec pour dernière pensée cette question idiote de savoir où retombent les munitions tirées en l'air.

# 73

# Heimaey

*… Qu'est-ce que tu pues !*

Dès qu'elle voit, à l'envers, Harry basculer dans le vide, Botty se redresse. À dix mètres d'elle, l'assaut des corbeaux a fait trébucher Beckie, qui s'est roulée en boule pour échapper à leur hargne. Sans trop comprendre ce qui se passe, Botty se précipite et les chasse à grands cris, agitant les bras malgré la douleur qui lui transperce l'épaule. Elle plonge dans la mêlée, attrape Beckie par le col, lui ordonne de se relever et de la suivre et la tire jusqu'à la voiture de Harry pour la jeter à l'abri à l'intérieur et s'y engouffrer derrière elle. Aussitôt les oiseaux deviennent hystériques et se fracassent contre les vitres comme ils l'avaient fait à la crique aux Corbeaux. Mais malgré la terreur qui lui vrille le cœur, Beckie se débat et cherche à ouvrir la portière.

– Mon père, qu'est-il arrivé à mon père ? Il faut y aller, je t'en prie, Botty !

Mais Botty l'en empêche, et bien qu'elles soient à l'intérieur de la voiture, elle plaque le visage de Beckie contre son bras blessé pour lui masquer la vue des oiseaux furieux. Alors, Beckie craque et s'effondre, et pleure qu'elle n'aurait jamais dû parler comme ça à son père, qu'elle avait cru que…

Trois coups de feu claquent alors à l'extérieur et les corbeaux s'envolent, puis le visage inquiet de Kornélius apparaît derrière la vitre maculée de plumes et de sang. Il entrouvre la portière.

– Ça va ?

– Non, répond Botty.

Elle lui explique comment Harry lui a tiré dessus, comment elle a fait la morte, comment Soulniz a disparu de la falaise, et comment le crâne de Harry a explosé avant qu'il ne bascule à son tour.

– La corniche..., bredouille Beckie entre deux sanglots.

– Quelle corniche ?

– La corniche, celle des oiseaux, celle où il était descendu pour ramasser des plumes pour Abbie. Il est sur la corniche, il faut qu'il y soit !

Dehors, les corbeaux se sont dispersés, mais ils encerclent encore la voiture.

– Restez à l'intérieur, ces oiseaux de malheur sont toujours là. J'y vais.

Il repère le chemin d'herbe foulée qu'a laissé Harry en courant vers la falaise et le suit, mais il s'arrête un bon mètre avant le bord.

– Soulniz, hurle-t-il, c'est moi, Kornélius, si vous êtes là, ne tirez pas !

– Comment va Beckie ?

Kornélius se repère à la voix et s'allonge dans l'herbe pour ramper jusqu'au bord de la falaise. Quand il passe la tête au-dessus du vide, Soulniz est là, debout sur une étroite corniche, cramponné d'une main face à la falaise, une arme brandie vers le ciel dans l'autre. En retombant sur la corniche, il a piétiné un nid de fulmars et écrasé l'oisillon. Les parents en colère plongent en piqué sur Soulniz et le frôlent en lui crachant leur bile nauséabonde.

– Beckie est vivante ? Dites-moi qu'elle est vivante !

– Elle est vivante. Elle a quelques problèmes avec des corbeaux, mais elle est vivante. Donnez-moi votre arme et attrapez
ma main, que je vous sorte de là.

Kornélius prend l'arme de Soulniz et la jette derrière lui, puis
il attrape son avant-bras et le hisse jusqu'au rebord de la falaise.
Soulniz s'aide comme il peut, rampe loin du bord, et ils se
retournent tous les deux sur le dos pour récupérer. Au-dessus,
le ciel est magnifique. Bleu. Lumineux. Sans nuages.

– Comment avez-vous fait ? demande Kornélius.

– J'avais raconté à Rebecca comment j'étais descendu sur cette
corniche pour rapporter des plumes à Abbie à l'époque.

– Et elle a compris ?

– Oui, j'ai su qu'elle avait compris quand elle s'est mise à
m'insulter et à me pousser à sauter.

– C'était risqué. C'est plutôt étroit, vous auriez pu vous lou-
per et vous écraser en bas.

– C'était la seule chose à faire pour détourner ce fou de Beckie. Et puis je me suis cramponné à la falaise à m'en arracher
les ongles, dit Soulniz en montrant ses doigts ensanglantés.

– Et l'arme ?

– Celle que j'ai confisquée à Galdur pendant le bivouac à
Hvítserkur.

– Vous êtes armé depuis ce temps-là ? Pourquoi ne vous en
êtes-vous pas servi quand on nous a tiré dessus dans l'Askja ?

– Je ne sais pas. L'intuition peut-être. Si je l'avais sortie, vous
me l'auriez probablement confisquée et je serais mort aujourd'hui,
et Rebecca aussi peut-être bien.

Ils se taisent et regardent dériver dans le ciel un minuscule
nuage en forme de tortue.

– Est-ce que c'est l'arme avec laquelle Galdur a tiré sur ma
voiture ?

– Oui.

– Alors, je vous la confisque, répond Kornélius en cherchant l'arme à tâtons dans l'herbe.

– Pourquoi ?

– Pour vous éviter de répondre d'un crime, et parce que ce petit salopard a fiché dans la portière de mon beau coupé Saab de collection une balle qui va tous nous sauver.

Soulniz ne cherche pas à comprendre. Il se relève et tend la main à Kornélius pour l'aider à se remettre debout lui aussi.

– Allez rejoindre Beckie, elle est à l'abri dans la voiture avec Botty.

Il retourne à la voiture en traversant le cercle des corbeaux, qui n'ont même pas peur et se rapprochent lentement, puis soudain s'envolent, affolés, quand claque le coup de feu. Soulniz se retourne. Kornélius est penché au-dessus du vide, l'arme à bout de bras pointée vers le pied de la falaise.

Soulniz ne cherche plus à comprendre et ouvre la portière pour prendre Rebecca dans ses bras, mais les deux femmes ont un sursaut de dégoût et se jettent en arrière ! L'odeur de poisson décomposé de la bile de fulmar froisse de nausée le nez de Beckie.

– Qu'est-ce que tu pues !

# 74

# Heimaey

*… sur la scène de crime.*

Quand ils le déposent à la maison d'hôtes de Janis, Soulniz est en caleçon et en T-shirt sous le manteau que lui a prêté Kornélius. Pieds nus aussi. Ils ont trouvé un sac plastique dans le coffre de la Cherokee de Harry et il a dû y jeter ses vêtements et ses chaussures empuantis à tout jamais par le fiel indélébile des fulmars. Kornélius lui recommande de trouver le moyen de les brûler dans le jardin. Il le rassure sur les blessures très super-ficielles de Rebecca mais propose quand même de la conduire à l'hôpital en même temps que Botty, ne serait-ce que pour les désinfecter. La blessure de Botty n'est pas grave non plus. La balle n'a brisé aucun os. Elle a frôlé son épaule et a à peine entamé le muscle. Il récupère son manteau et promet à Soulniz de lui rapporter des vêtements.

— D'où tu tiens cette arme ? demande Botty dans la voiture.

— C'est celle que j'ai confisquée à Soulniz.

— Ne fais pas l'idiot, je parle de l'autre, celle avec laquelle tu as tiré dans les corbeaux.

— Ah, celle-là ! dit Kornélius en prenant un air innocent. Je l'ai piquée à Simonis sur le ferry.

— Et celle de Harry ?

— Je l'ai récupérée et je l'ai jetée près du corps.

– Et cette voiture ?

– Je l'ai réquisitionnée. C'est celle d'un employé du port. Olaf, tu te souviens, le type que j'ai entendu parler avec Harry ?

– Réquisitionnée ? Je croyais que tu étais quelque chose comme suspendu. Les chefs t'ont laissé partir ?

– …

– Kornélius !

– Je les ai un peu obligés…

– Comment ça obligés, qu'est-ce que tu as encore fait ?

– Disons que je les ai assignés à résidence.

– Assignés à résidence, les chefs de la police ! Putain, mais dans quel merdier tu m'entraînes encore ?

– Écoute, il me manquait juste une petite heure pour retrouver Rebecca, et tu vois, je l'ai retrouvée. J'ai enfermé les chefs dans un bureau de la capitainerie. Tiens, dit-il en sortant trois portables de sa poche, tu les leur rendras quand tu iras les libérer.

– Les libérer ?

– Oui, j'ai un peu arraché les fils du téléphone aussi et j'ai cassé la clé dans la serrure.

– Et ils se sont laissé faire, à trois contre un !

– Peut-être que je les ai aussi un peu menacés avec mon arme, avoue Kornélius, penaud, mais je ne pouvais pas faire autrement, ils ne voulaient rien savoir.

Botty ne sait même pas quoi répondre. Braquer l'état-major de la police !

– Ils doivent déjà être dehors à te courir après ! s'emporte-t-elle.

– Quoi ? Tu crois qu'ils vont défoncer une porte ou une fenêtre pour s'échapper ? Avec la paperasse que ça représente, le calcul des dommages, le passage en comptabilité et toutes les emmerdes, sans compter la honte et le ridicule ? Je leur ai promis de les libérer au bout une heure et de tout leur expliquer. Tu le feras toi, et je vous rejoindrai.

Il les arrête devant l'hôpital, à deux pas des ruines de la maison de Harry qui fument encore, leur conseille de rejoindre Soulniz à la maison d'hôtes quand elles seront soignées, et repart aussitôt. Botty ne cherche même pas à savoir où il va.

Au poste de police, il ne reste qu'un homme. Les autres sont sur l'incident du ferry ou sur la maison incendiée. Kornélius montre sa carte et demande à voir Simonis seul à seul.

— Tu es libre, Simonis, je te rends ton arme et tu dégages.

Il jette l'arme de Galdur qui glisse sur la table et Simonis la rattrape par réflexe avant qu'elle ne tombe. Il l'examine avec surprise et la repose sur la table.

— Ce n'est pas la mienne !

— Ah non ? s'étonne Kornélius en fouillant dans ses poches. Excuse-moi alors, c'est une erreur.

— « Si un homme se trompe, instruis-le avec amitié », disait l'empereur Marc Aurèle. Mais toi, c'est avec haine et violence que je vais t'instruire, pour toutes tes erreurs à mon égard.

Kornélius ne prête aucune attention à la menace et trouve enfin ce qu'il cherchait. Il sort d'une autre poche l'arme de Simonis dont il extrait le chargeur qu'il vide en éjectant les balles dans sa main. Et pendant que le Lituanien la récupère, Kornélius sort un sachet en plastique et glisse dedans sans y toucher l'arme de Galdur avec les empreintes de Simonis qui comprend trop tard.

— Hé, c'est quoi cette embrouille ?

Il n'a pas le temps de réagir. Kornélius lui reprend son arme et le chargeur des mains.

— Ton heure de gloire, Simonis. Tu vas devenir le premier voyou à avoir osé tirer sur un flic en Islande. J'ai une balle de cette arme fichée dans la portière de ma voiture. Du côté de

Laugarbakki. Tu te souviens de ton esclandre dans la station-service, avec tout plein de témoins tout autour ?

— Personne ne m'y a vu tirer sur toi, parce que je ne l'ai jamais fait. Cette balle n'est pas une preuve.

— Tu as peut-être raison, celle-ci est un peu légère, mais l'autre est plus solide.

— L'autre, quelle autre ? s'inquiète Simonis quand Kornélius le prend par le bras pour l'emmener dehors.

— Je vais te montrer, dit le flic en ouvrant la portière.

Et avant que Simonis puisse réagir, Kornélius le menotte à une poignée au-dessus de la portière. Dans le même mouvement, il déchire un bout de la manche du Lituanien.

Il ne lui faut que deux minutes pour rejoindre la falaise où Soulniz a failli mourir. À hauteur de la jeep, Kornélius arrête la voiture et libère Simonis.

— Descends.

— Qu'est-ce que tu vas faire ?

— Je ne suis pas comme toi. Je ne tue pas les gens. Même pas les salauds.

— Je n'ai tué personne.

— Et Anita ?

— Ce n'était pas ce que je voulais. Ces idiots n'ont pas su s'en occuper après que je l'ai interrogée.

— Engelures profondes, brûlures sur presque cent pour cent du corps, c'est une curieuse conception de la conversation.

— Tu sais bien que si je ne mets pas la main sur cette coke, c'est ma vie qui est en jeu.

— Descends, je t'ai dit, et fais le tour de la voiture.

— Tu vas me flinguer, c'est ça ?

— Ce n'est pas l'envie qui me manque, mais non, tu peux descendre tranquille.

Simonis sort de la voiture et Kornélius le rejoint.

– Si tu veux savoir ce que tu as fait, marche jusqu'à la falaise là-bas, et regarde en bas.

Simonis n'ose pas tourner le dos à Kornélius. Il avance, le cou tordu, la tête par-dessus son épaule. À un mètre du vide, il se penche prudemment en vérifiant que Kornélius ne se précipite pas sur lui et aperçoit le corps au pied de la falaise.

– Je n'ai pas fait ça ! hurle-t-il en se retournant vers Kornélius. Je n'ai jamais fait ça. Qui est ce type ?

– Un type qui a pris dans le crâne une balle de l'arme qui porte tes empreintes, et une autre dans le dos, histoire de l'achever.

– Tu as tué ce type ?

– Même pas…

– Tu ne pourras jamais le prouver.

– Ce n'est pas une portière cette fois, Simonis, c'est un mort avec dans le dos une balle tirée par l'arme qui porte tes seules empreintes. Sans compter ce bout de tissu de ta manche qu'on trouvera entre ses doigts. Et puis, tu es sur la scène de crime, non ? On trouvera bien des traces de tes pas, la terre est grasse par ici.

Il démarre et abandonne Simonis, ivre de rage, qui l'insulte dans sa langue. Kornélius passe la tête par la vitre.

– Sois plus discret, mon ami, il ne manquerait plus que des témoins oculaires te voient sur la scène de crime.

# 75

# Heimaey

*… tu n'es plus rien.*

Quand il revient à la maison d'hôtes, tout le monde est là. Botty, le bras bandé, Rebecca, le visage moucheté de désinfectant, Janis, prostrée dans le sofa entre deux policiers, et les trois chefs, le regard noir et les yeux sombres comme des pétrels en colère. Personne ne remarque les trois corbeaux dans le jardin. Kornélius ne dit rien.

– Donne ton arme, ordonne le plus gradé.

Il fouille dans les poches de son manteau et tend l'arme de Simonis au policier. Puis il ôte son vêtement et le tend à Soulniz en plantant ses yeux dans les siens pour qu'il comprenne bien. L'arme de Galdur avec les empreintes de Simonis doit encore rester cachée.

– Tenez, votre manteau, merci de me l'avoir prêté.

Botty et Beckie comprennent qu'elles ne doivent pas montrer leur étonnement.

– Racontez-nous !

Kornélius résume l'affaire pour ses supérieurs autant que pour les autres. Il a rencontré Soulniz dans un bar, inquiet à cause de sa fille fugueuse. Le Français l'a rappelé pour dire qu'elle avait été enlevée. Ils se sont rendu compte que c'était probablement par un ancien volontaire de 1973 et sont remontés jusqu'à

Harald Hidirsson. Une histoire de folie amoureuse pour l'Anglaise morte dans un accident à l'époque. Tout s'est compliqué lorsque Simonis, impliqué dans le trafic de drogue qui a provoqué la disparition du *Loki*, s'est mis en tête que la fille de Soulniz se baladait avec deux kilos de cocaïne qu'il voulait récupérer. Quand il est arrivé sur la scène de crime, ici, à Heimaey, Kornélius a trouvé Bóthildur blessée au sol, la fille du Français réfugiée dans la voiture assiégée par les corbeaux, puis a découvert le corps en bas de la falaise. *A priori* celui de Harald Hidirsson, le kidnappeur de la Française. Et personne d'autre.

Botty le coupe pour confirmer. Elle était sur place parce qu'ils avaient déduit de leur enquête que Hidirsson voulait se venger sur les lieux de l'accident de 1973. Si les pompiers sauvent quelque chose des ruines de sa maison incendiée, ils en auront toutes les preuves. Quand elle est arrivée, elle a aperçu un homme au bord de la falaise, puis a deviné un mouvement du côté de la voiture et on lui a tiré dessus. Le choc l'a fait tomber et elle a perdu connaissance quelques instants. Quand elle a repris ses esprits, comme elle n'était pas armée, elle a fait la morte face contre terre et n'a rien vu de ce qui s'est passé ensuite.

Le chef de la police a posé les questions en islandais, mais Kornélius et Botty ont répondu en anglais et Beckie a compris leur stratégie. Quand on l'interroge, elle sait ce qu'elle doit dire. Elle n'a rien vu. Elle était enfermée dans la voiture, terrorisée par l'attaque des corbeaux.

– Pourquoi les corbeaux ?

– Je n'en sais rien, ment-elle, on dirait qu'ils n'en veulent qu'à moi. Je ne comprends pas.

– Et que vous voulait Harald ? Pourquoi vous entraîner jusqu'à cette falaise ?

– Pour se venger de Soulniz, intervient Kornélius. Pour forcer sa fille à le voir sauter de la falaise.

— Vous avez tué cette Anglaise en 1973 ? demande le gradé qui commence à perdre le fil.

— L'enquête a conclu à un accident, dit Kornélius, mais Harald a développé une véritable obsession amoureuse pour cette fille et a nourri sa folie pendant quarante ans avant de trouver l'occasion de se venger.

— Quelle occasion ?

— En voulant faire visiter l'Islande à sa fille, Soulniz a par hasard réservé pour une nuit dans la maison d'hôtes de Harald et de sa sœur, Janis.

— C'est vrai ? demande le flic en se tournant vers Janis.

— Oui, murmure-t-elle.

Le flic marque un long silence, puis se laisse tomber dans un fauteuil.

— Putain de merdier !

— Je ne vous le fais pas dire, répond Kornélius.

— Toi, tu ne dis plus un mot, ni en anglais ni en islandais. Tu la fermes. Tu n'es plus flic, tu n'es plus rien.

# Épilogues

*... raide dingue de toi.*

Le *Trident* est un ancien dragueur de mines de la Seconde Guerre mondiale. Le jumeau de la *Calypso* de feu le commandant Coustaud. Il est affrété par l'université de Rhodes Island avec Narragansett comme port d'attache. Un navire d'étude océanographique qui traverse l'Atlantique depuis des décennies pour sonder et cartographier la fosse de l'Atlantique Nord. Soulniz n'a pas tout compris de ce que lui a expliqué le directeur d'études allemand en charge de ce trajet. Une fosse profonde par laquelle remonterait la matière qui, peu à peu, construit un nouveau continent qui, à terme, dans des millions d'années, séparera l'océan Atlantique en deux.

– Tu vas vomir tripes et boyaux si tu restes dans la salle des ordinateurs.

– Alors, je serai volontaire pour toutes les opérations sur le pont.

– Au large du Groenland, avec septembre qui approche, tu vas geler sur pied.

– Je porterai tout ce que j'ai dans mes bagages. Trois jeans, quatre T-shirts, deux pulls, un coupe-vent...

– Surtout, n'oublie pas ton gilet de survie, parce qu'à l'ancre flottante, sur une petite passerelle métallique d'un mètre carré au-dessus du vide par-delà le bastingage dans des houles de huit

mètres, à dérouler un câble jusqu'à quatre mille mètres de profondeur pour remonter une poignée de sable dans une région de
l'Atlantique Nord où viennent mourir les ouragans, ça craint.

— Tu ne me décourageras pas d'embarquer, papa.

Soulniz se résigne, trop heureux d'entendre Beckie l'appeler
« papa » comme si c'était naturel. N'empêche qu'elle part. Qu'elle
ne rentre pas avec lui à Paris. Cette fois, c'est sûr, elle largue
les amarres, au propre comme au figuré. Elle prend la barre de
sa propre vie. Elle choisit son aventure. Et il est si content qu'elle
ait décidé de mettre fin à ses dérives que malgré tous les dangers
qu'il imagine et auxquels il a pourtant survécu dans sa propre
jeunesse, il en est heureux pour elle.

— Qu'est-ce qu'il fait, il est parti depuis ce matin ! s'inquiète
soudain Beckie.

— Il va venir, ne t'en fais pas, ce môme est raide dingue de toi.

*
* *

*... rendez-vous avec un troll.*

Il ne lui a fallu que trois heures pour remonter jusqu'à Ólafsvík en passant par le tunnel sous le fjord des Baleines. Trois
heures de route sans s'arrêter pour être sûr de pouvoir redescendre
à l'heure. Mais quand il arrive au Fridge, les guirlandes sont
allumées sur le petit bateau et il doit attendre une heure qu'un
couple de garçons en descende. Il se précipite aussitôt à bord en
les bousculant au passage.

– Hé, ça urge on dirait, tu ne veux pas qu'on reste un peu avec toi ?

Il referme la trappe sans répondre et s'attaque, derrière la machine à café, à une sorte de petit sabord qui donne accès à l'extrême pointe de la proue. La fermeture n'est plus étanche depuis longtemps et il l'ouvre facilement à l'aide de son couteau de pêche. L'ouverture est trop étroite pour que même un moussaillon puisse s'y glisser. Il éclaire l'intérieur avec son téléphone pour vérifier, puis il passe un bras jusqu'à l'épaule et tâtonne à l'aveugle le long de la paroi au-dessus de l'ouverture. Quand sa main trouve ce qu'il cherchait, il reconnaît du bout des doigts les bords du ruban adhésif et le décolle avec prudence pour ne pas déchirer le plastique.

Puis il remet le sabord en place, rebranche la machine à café, débranche les guirlandes et ressort. Une fille le regarde descendre de la coupée et s'étonne.

– T'étais tout seul ?

– Je m'aime beaucoup, répond-il.

– Tu veux qu'on y retourne à deux ?

– Merci, j'ai déjà rendez-vous avec un troll.

\*
\* \*

*Je pars en voyage demain.*

L'hôtel Ion s'étire au-dessus du champ de lave comme un de ces couloirs articulés qui permettent d'embarquer à bord des avions géants. Mais au Ion, les voyageurs sont immobiles, muets et éblouis par la désolation du paysage derrière la façade vitrée qui surplombe la lande. Sigma l'attend dans un confortable sofa. Dehors, la nuit tombe. Des éclairages, sous l'hôtel, froissent les mousses d'une lumière douce. Plus loin dans le couchant, luit une eau dormante et immobile. Et le dernier soleil accroche, au bout d'une plaine inondée d'ombre, les fumées inclinées d'une station de géothermie.

– Vous avez fait bonne route ?

– Une petite heure à peine, répond Kornélius, en comptant la sortie de Reykjavik.

– Alors, quelle est cette urgence ? demande Sigma. Vous n'avez pas l'intention de me demander la main de Botty, j'espère. C'est quelquefois l'effet qu'elle fait sur les hommes, mais surtout sur ceux qui sont plus jeunes que vous, sans vous offenser.

– Non, je suis venu pour ça, dit Kornélius en posant le paquet sur la table devant Sigma, qui le regarde d'un air étonné.

– C'est bien ce que je pense que c'est ?

– Oui. Deux kilos.

– Et ?

– Et je vous les vends.

– Écolo intègre et policier dealer, curieuse alchimie.

– Je ne suis plus policier.

– Botty m'a expliqué ça. Du moins dans les grandes lignes. Donc, vous êtes devenu dealer.

– Non, je n'ai que ça à vendre. Occasion unique. Disons que je compense un peu la maigre retraite dont l'administration va sans doute me priver.

Sigma le fixe droit dans les yeux et Kornélius devine un éclat intrigué dans ceux de l'homme d'affaires.

– D'accord. Combien ?

– Cent cinquante mille, annonce Kornélius.

– Dollars ?

– Euros.

– Cent mille.

– Cent soixante.

– Vous plaisantez.

– Cent soixante-dix.

– Décidément, vous me plaisez de plus en plus, dommage que vous soyez trop vieux pour Botty.

Kornélius lui tend un relevé bancaire avec son numéro de compte. Sigma le regarde, sourit à nouveau en secouant la tête et sort son smartphone pour effectuer le virement.

– C'est officiellement la commande d'un audit sur la sécurité de mes fermes de bitcoins, au cas où le fisc s'intéresserait à la transaction. Vous recevrez le contrat très vite. À ce prix-là, tâchez de me pondre au moins une vingtaine de pages. Avec des schémas. Nous dînons ?

– Désolé, répond Kornélius, mais je dois rentrer à Reykjavik. Je pars en voyage demain.

*
* *

*... mon talon d'Achille !*

Botty l'attend dans son bureau. Elle lui a promis de l'aider à faire ses cartons. Quand il arrive, il lui sourit. Tout le monde est déjà parti. Seul un des chefs est resté et s'arrange pour passer dans les couloirs de temps en temps, histoire de s'assurer qu'il part bien. L'affaire a secoué tout le service. Kornélius est viré, mais *fèsbok* et la Toile s'enflamment pour ce qu'il a fait. Retrouver la Française, piéger le *serial killer* au nécropant, impliquer la pègre lituanienne dans la disparition du *Loki*, lier Harry le fou au meurtre de l'autre Français sur les bords du Viti. Il est presque devenu un héros de légende, dans un pays où les gens ne demandent qu'à y croire. Bien sûr, ils font peu de cas des dangers qu'il a fait courir à tout le monde, de toutes ses actions en solo qui ont failli coûter la vie à des collègues, de ses manquements, de ses désobéissances, de ses entorses à la procédure, sans parler de la séquestration de ses chefs qui n'a pas encore fuité, ce qui ne saurait pourtant tarder.

Il a en fait aussi peu d'affaires que de temps qu'il passait au bureau, constate Botty. Les choses vont vite. Ils sont surpris d'avoir déjà terminé.

– Je vais te regretter, dit-il soudain à Botty, tu es un bon flic, et un bon coup.

– Merci, mais en toute honnêteté, je ne peux vraiment pas te retourner le compliment.

– Pour le flic, ou pour le coup ?

Elle ne répond pas et il accuse le coup.

– L'histoire de ma vie, soupire-t-il, mon talon d'Achille !

*
* *

*… Kornélius ne viendra pas.*

Le Verre à pied est un troquet de la rue Mouffetard à Paris. Un vrai bistro à l'ancienne, tout en longueur. Soulniz pousse la porte qu'il faut forcer d'un coup d'épaule et entre. Claude, le patron breton, l'accueille d'un salut chaleureux et lui désigne sa table habituelle. En terrasse côté plage, comme il dit, entre le zinc et la fenêtre qui donne sur la rue pavée joyeusement achalandée. Il se glisse sur la banquette en bois, sous un large miroir piqué par le temps.

– Des nouvelles ? s'enquiert le patron en tendant un kir cassis/mâcon par-dessus le bar.

– Elle m'a whatsappé, dit Soulniz en tirant son téléphone de sa poche. Ils font une escale technique à Saint-Pierre-et-Miquelon. Ils sont sortis en Zodiac pour flirter avec les baleines.

Il montre quelques photos au patron. Les nageoires caudales de baleines à bosse qui s'apprêtent à sonder. Claude prend l'appareil et fait tourner les photos parmi les habitués du bar, qui apprécient.

– C'est un beau voyage, dit-il en rendant l'appareil.

– C'est un *long* voyage.

– Au moins tu as des nouvelles instantanées. Combien de temps fallait-il à tes parents pour recevoir de tes nouvelles à l'époque, quand tu as fait ce genre de voyage ?

– Ils ont reçu ma dernière lettre d'Islande quand j'embarquais à Key West pour le Belize, et ma lettre du Belize quand j'arrivais dans le Mato Grosso.

– Alors tu vois, ne te plains pas.

La porte s'ouvre sur deux jolies femmes au sourire heureux qui reconnaissent Soulniz et lui tombent dans les bras.

– Ida et Botty, mes amies islandaises, dit-il à l'adresse du patron qui les salue, nous nous sommes donné rendez-vous chez toi, pour déjeuner, il y a plus d'un mois, à Reykjavik.

– Quel bonheur ! s'émerveille Botty. Sur deux cents mètres de rue à peine, nous avons compté trois primeurs, deux bouchers, trois fromagers, deux poissonniers, trois cavistes, deux chocolatiers, deux boulangeries, et tous avec des étals débordant de marchandises. Soulniz, je ne veux plus bouger d'ici !

Ida, elle, a trouvé un traiteur grec à mourir et un artiste pâtissier à tomber par terre. Et un traiteur italien aussi. Et un restaurant mexicain. Et un artisan du foie gras, et un autre qui vend de l'huile d'olive…

Claude sert d'office un kir aux deux femmes et s'en prépare un aussi pour trinquer avec elles.

– Eh bien, si vous êtes prêts, je prends votre commande.

– Nous n'attendons pas Kornélius, c'est quand même lui qui nous a offert ce voyage, non ? s'étonne Botty.

– Ne t'en fais pas, Kornélius est un vrai Islandais, il n'est jamais à l'heure. Mais manger va le faire venir ! lui rappelle Ida.

– J'ai bien peur que non, avoue Soulniz. J'ai reçu un message. Kornélius ne viendra pas.

\*
\*  \*

*… se cacher dans la chaloupe.*


– Regarde, dit-il.

Galdur a amené Beckie jusque sur le pont arrière du *Trident*, et elle voit le corbeau qui les observe. Ils s'assoient sur le coffrage d'une écoutille et l'observent en silence.

– Qu'est-ce qu'il fait là ?

– Je pense qu'il t'a suivie.

– C'est idiot, pourquoi ferait-il ça ?

– Pour prévenir les autres. Ceux de là où nous allons débarquer.

– Tu délires, c'est juste un corbeau qui s'est laissé surprendre par notre départ, il va finir par retourner sur terre.

– N'y compte pas, à quinze nœuds depuis vingt-quatre heures nous sommes déjà à six cents kilomètres de l'Islande. C'est trop loin pour lui. Il est là pour nous suivre, Beckie. Pour prévenir les autres là-bas. Il faut l'en empêcher.

– Quoi, tu veux le tuer ?

– Il ne faut pas prendre le moindre risque, Beckie. Tu as bien vu ce qu'ils t'ont fait.

– Non, je refuse, laissons-le. Regarde, il n'a rien d'agressif.

L'oiseau les regarde, la tête penchée, attentif, comme s'il écoutait leur conversation. Alors Beckie lui parle à voix basse, comme une amie. Elle lui dit qu'elle n'a rien voulu de tout cela. Que c'était à cause de cet homme qui la gardait prisonnière pour qu'un autre la tue. Qu'elle ne pouvait pas faire autrement que de se défendre quand ils l'ont attaquée. Qu'elle veut que cela finisse. Qu'ils deviennent amis. Elle sort une pièce de monnaie de sa poche, la pose sur le pont et, d'une pichenette, la fait glisser vers l'oiseau. Il sursaute dans un mouvement d'ailes puis s'immobilise, penche la tête, la tourne, regarde Beckie, puis pousse la pièce jusqu'à une soudure des plaques d'acier du pont pour pouvoir la prendre dans son bec et la dépose au creux d'un cordage lové comme un nid. Puis il revient faire face à Beckie qui recommence. Avec une épingle qu'elle a dans les cheveux cette fois, et qui finit dans le nid de corde à son tour.

– Viens, dit-elle à Galdur, laissons-le un peu tout seul.

Elle prend le garçon par la main et l'entraîne vers une coursive pour monter au pont supérieur, d'où ils peuvent épier l'oiseau. Il marche sur le pont, le quadrille dans tous les sens, pique du bec dans les recoins et déniche une capsule de bière derrière une bitte d'amarrage. Il la prend dans son bec, la rapporte en sautillant jusqu'à l'écoutille, et la dépose là où Beckie était assise.

– Tu vois, dit-elle, les corbeaux sont capables d'empathie et offrent des cadeaux à ceux qu'ils aiment bien. Nous n'avons rien à craindre de celui-là.

– Sauf que s'ils sont si intelligents, ils peuvent feindre l'amitié pour tromper notre vigilance.

– Regarde-le, au garde-à-vous à attendre mon retour, c'est un amour !

Ils observent encore l'oiseau, qui cherche et trouve un autre cadeau pour Beckie, puis celle-ci attire Galdur contre elle et il se laisse embrasser. Il leur reste une heure avant de prendre leur quart. Ils descendent dans les cabines.

Dehors, le corbeau attend le retour de Beckie. Il ne voit pas les trois autres qui se glissent hors de la toile imperméable de la chaloupe de sauvetage. Quand ils fondent sur lui, il est trop tard. Ils lui crèvent les yeux et lui déchirent le ventre, éparpillent la pièce et la capsule et l'abandonnent, éviscéré et mourant, comme un traître, pour retourner se cacher dans la chaloupe.

*

* *

*… occuper ses hommes ailleurs.*

C'est une langue de dunes échevelées entre la Baltique et la lagune de Courlande. Le vent y joue avec le sable, et les nuages avec le soleil bas. Simonis a abandonné ses affaires islandaises à un petit voyou local ambitieux. Caché derrière des petites maisons pimpantes en bois peint traditionnelles, il habite un lumineux bunker de verre. Un vaste deck de bois gris le prolonge jusqu'aux clapots d'une plage sauvage et peu profonde. Les inspecteurs sont tombés sur les préparatifs d'un dimanche en famille. La préparation pour de délicieux Zeppelin, version fourrée aux champignons avec de la crème, des carbonades de porc frit pané, et un gâteau au citron encore dans le four. Des *blynai* aussi, gourmandes petites crêpes fourrées à la viande, aux baies et au fromage blanc, et les incontournables *kepta duona* de pain grillé frottés à l'ail pour l'apéritif. Et du *kvas*, évidemment.

Les six corps ont été retrouvés sur le deck, bien alignés sur la dernière marche, mais affaissés les uns contre les autres. Simonis, Neda, sa jeune femme, plus jeune que lui de vingt ans au moins, le fils de Simonis d'un premier mariage, à peine plus vieux que sa belle-mère, les deux petites filles de Simonis et Neda et Erika, une domestique, d'après les premières conclusions. Mains attachées dans le dos par un lien en plastique. Une balle dans le front. Un kilo de sucre en poudre sur chaque cadavre, avec les paquets vides froissés et enfoncés dans leur bouche.

Un jeune inspecteur émet l'hypothèse de la préméditation, étant donné qu'on ne se promène pas avec six kilos de sucre par hasard et qu'il n'a mis la main sur aucune confiture maison qui aurait pu justifier un tel stock dans la cuisine.

Son vieux supérieur le traite d'imbécile et lui dit de la fermer jusqu'à la fin de l'enquête. Mais le jeune flic se demande à voix haute où sont passés les deux gamins, puisqu'il y a une chambre à deux lits avec des jeux de garçons en face de celle des filles.

On retrouve les deux gamins à cent mètres de la maison. Ils étaient partis jouer à se poursuivre dans les dunes avec leurs vélos. Même balle dans la tête, même sucre sur eux, même sachet dans leur gorge.

Il aura fallu au moins quatre hommes, se dit le vieux flic. Six peut-être, et venus par la mer probablement. Jamais il n'aurait pensé permettre un tel massacre. Il devait juste les tenir informés et, ce fameux dimanche, occuper ses hommes ailleurs.

*
* *

*... ses cauchemars par le mal.*

Janis ne fait plus maison d'hôtes. Elle n'accueille plus d'étrangers. Les habitants d'Heimaey ne lui pardonnent plus ses robes de Gitane et ses cigarettes parfumées. Elle ne sort plus. Elle reste chez elle, dans le soir devant son miroir, bercée par les harmonies des The Mamas and the Papas. « California Dreamin' » ou

« Monday Monday ». Elle pleure sur Carole King. Et la nuit, en écoutant Black Sabbath, elle combat ses cauchemars par le mal.

*
* *

*... le* krummavisur *en attendant ?*

Il aurait pu ensevelir tout Paris sous treize mètres de lave. C'est un chaos au milieu d'une désolation. Une éruption de magma incandescent et visqueux au cœur d'un désert de lave dure et froide. Précédé de mille séismes en vingt-quatre heures, le Bardarbunga a fissuré la croûte terrestre sur plusieurs kilomètres. Un fracas huit fois plus puissant que celui du célèbre Eyjafjallajökull qui avait bloqué le trafic aérien pendant des semaines. Des centaines de fontaines de lave se fondent les unes dans les autres pour ériger des cônes qui crachent au ciel les entrailles fumantes de l'île. La lave coule comme les bras d'un delta de feu, jusqu'à former des lacs dont la surface explose. Un kilomètre cube et demi de roche en fusion se répand sur plus de quatre-vingt-cinq kilomètres carrés vers le nord-est, heureusement loin des glaciers.

Dans l'eau jusqu'au ventre, Kornélius regarde son pays grandir en embrasant le ciel de tous ses rougeoiements. Toute cette masse que vomit la Terre formera bientôt un des plus hauts sommets d'Islande. Des rivières se vaporisent. Des fleuves changent de cours. Des vallées disparaissent et des collines fondent. L'Islande s'est construite de la sorte. Au loin, le dôme gris-bleu du Vatnajökull, le plus grand glacier d'Europe, aurait pu fondre si la faille s'était prolongée sous sa croûte de glace. L'éruption est un front de feu mouvant. La lave avance et bruisse en silence comme un incendie au ralenti. Sigma regarde Kornélius depuis le deck du chalet. Devant lui, sous l'effet miroir du lac immobile, le flic semble flotter au cœur d'un Enfer à l'envers.

— Ce volcan-là n'y va pas avec des moufles !

— Non, il fait ça bien, reconnaît Kornélius.

— Nous devrions peut-être nous préparer à y aller, il sera bientôt là.

— Et votre chalet ?

— Eh bien, il nous aura toujours servi à voir ça de près !

Kornélius regagne le ponton à la nage et s'essuie sans pouvoir quitter des yeux la fournaise qui s'avance.

— C'est faire peu de cas d'une très belle maison.

— Tout ce que j'ai appartient à ce pays. Qu'il le reprenne quand bon lui plaît me convient. Je construis ma fortune sur ses forces alors je dois m'attendre à ce que ses forces, quelquefois, se remboursent. Vous connaissez notre proverbe : « Si tu veux qu'on te prête, souffre qu'on t'emprunte. »

— Vous n'êtes peut-être pas le salaud d'ultralibéral mondialiste que je pensais, après tout, dit Kornélius.

— Et vous faites peut-être bien d'être l'écolo idéaliste qui emmerde le monde à avoir tout le temps raison.

Ils regardent toujours la ligne en fusion qui englue peu à peu dans son magma la roche noire des précédentes éruptions.

— Elle ne viendra peut-être pas jusqu'ici finalement, murmure Sigma.

— Je pense que si, répond Kornélius.

— Dix dollars que non.

— Vous plaisantez, si je gagne, c'est que nous y serons restés !

— Il va falloir serrer les dents, mon vieux, si vous voulez vous endurcir autant que moi.

Kornélius le regarde, puis regarde à nouveau le front de lave à moins d'un kilomètre du lac et sourit.

— Dix dollars, d'accord.

Sigma va chercher une bouteille de vodka et ils s'assoient sur le ponton, face au chaos qui s'avance. Le mur de magma est haut de dix mètres au moins.

— Merci de m'avoir invité à voir ça. J'espère que ce n'était pas juste pour m'empêcher de rejoindre Botty à Paris.

— Non, c'est parce que j'ai senti chez vous la même envie que moi d'échapper à cette vie chiante comme une écharpe de laine dans un café au lait.

Kornélius sourit.

— Je n'ai jamais compris cette expression typiquement de chez nous. C'est comme dire tu te sautes sur le nez à quelqu'un qui est en colère.

— Ou qu'il y a tant de miracles dans la tête d'une vache quand on n'arrive pas à croire à quelque chose.

— Je crois qu'il faut vraiment admettre que nous sommes un peuple un peu à part.

— C'est vrai, approuve Sigma. Un peuple et un pays aussi.

Ils se taisent un long moment, face au volcan qui incendie le soir qui tombe, puis Sigma demande :

— Vous nous chantez le *krummavisur* en attendant ?

# DU MÊME AUTEUR

*Aux Éditions Albin Michel*

YERULDELGGER, 2014, Grand Prix des lectrices de *Elle*, Prix Quais du Polar/20 Minutes, Prix SNCF du polar

LES TEMPS SAUVAGES, 2015

LA MORT NOMADE, 2016

MATO GROSSO, 2017

*Chez d'autres éditeurs*

LE TEMPS DU VOYAGE. PETITE CAUSERIE SUR LA NONCHALANCE ET LES VERTUS DE L'ÉTAPE (publié sous le nom de Patrick Manoukian), Éditions Transboréal, 2011

LES BERTIGNAC (publié sous le pseudo de Paul Eyghar), Hugo Jeunesse, 2011

TARKO, L'HOMME À L'ŒIL DE DIAMANT, Éditions Atacas, 2016

TARKO, LE SECRET DE PACHAMAMA, Éditions Atacas, 2016

HUNTER (publié sous le pseudo de Roy Braverman), Hugo Thriller, 2018

*Composition Nord Compo*
*Impression en septembre 2018*
*Éditions Albin Michel*
*22, rue Huyghens, 75014 Paris*
*www.albin-michel.fr*
*ISBN 978-2-226-43840-9*
*N° d'édition : 23237/01*
*Dépôt légal : octobre 2018*
*Imprimé au Canada chez Friesens*